HISTOIRE
DU CHEVALIER DES GRIEUX
ET DE
MANON LESCAUT

TEXTES LITTÉRAIRES FRANÇAIS

ABBÉ PRÉVOST

HISTOIRE
DU CHEVALIER DES GRIEUX
ET DE
MANON LESCAUT

Edition critique, introduction, notes et index
par

GEORGES MATORÉ
Professeur à la Faculté des Lettres de l'Université de Besançon.

GENÈVE
LIBRAIRIE DROZ
8, Rue Verdaine

LILLE
LIBRAIRIE GIARD
2, Rue Royale

1953

AVANT-PROPOS

Nous avons essayé, au cours des pages qui suivent, de déterminer les caractères les plus remarquables du roman que nous présentons à nos lecteurs ; nous aurions pu, comme nos prédécesseurs, nous étendre sur la vie de l'abbé Prévost, apporter une nouvelle théorie, tout aussi discutable que les précédentes, sur la date à laquelle a été écrite Manon, *et étudier les rapports complexes qui unissent celle-ci aux premiers volumes des* Mémoires. *Nous ne méconnaissons nullement l'intérêt de ces études d'histoire littéraire sans lesquelles notre tâche n'aurait pu être réalisée. Mais notre but a été surtout d'apporter sur le texte lui-même (et notamment sur la « forme » que nous nous refusons à dissocier du « fond ») des informations précises, qui font l'objet des notes qu'on trouvera en fin de volume, et de rattacher, non plus de manière anecdotique et biographique, mais en partant du texte lui-même, le roman de Prévost au milieu économique, social et esthétique, qui l'a déterminé. Nous ne prétendons nullement avoir réussi, mais nous croyons que la méthode qui, considérant les faits littéraires comme autonomes, distingue la vie de l'auteur et son œuvre, les circonstances dans lesquelles celle-ci a été réalisée et les idées qu'elle exprime, qui s'efforce de déterminer les « influences », et qui accorde à l'étude des « sources » et des variantes une importance considérable, nous pensons que cette méthode demande à être révisée.*

Nous sommes heureux de remercier ici tous ceux qui nous ont aidé à mettre au point notre édition : à notre maître M. Mario Roques, qui a bien voulu nous donner des conseils extrêmement précieux ; à Mlle Simone Vergnaud, qui nous a aidé avec une conscience et un soin auxquels nous rendons un vif hommage, à établir le texte de notre édition, à nos collaborateurs et amis, A. J. Greimas et B. Quemada qui nous ont fait part de leurs suggestions et enfin à notre éditrice et amie, Mlle E. Droz qui nous a communiqué de nombreux renseignements bibliographiques.

INTRODUCTION

Choix du texte.

Comme texte de base, nous avons choisi l'édition originale de 1731 qui constitue le tome VII des *Mémoires et Aventures d'un homme de qualité.* Les variantes de l'édition définitive, publiée en 1753 figurent en bas de page. Tous les éditeurs, sauf Aynard, qui avait établi le texte et les variantes d'une manière fort défectueuse, ont préféré le texte de 1753; contrairement à ce que prétendait Paul Hazard, ce choix ne paraît pas s'imposer. Certaines modifications introduites par Prévost en 1753 portent en effet sur le style : élimination d'épithètes, recherche de termes précis, adoption d'un style plus imagé; si quelques-unes de ces modifications améliorent le texte, d'autres sont fort contestables; quant aux corrections qui traduisent l'évolution psychologique de Prévost et de son temps entre 1731 et 1753, elles sont intéressantes du point de vue historique, mais il est certain qu'elles ont fait perdre au roman quelque chose de son unité [1]. L'adjonction par Prévost en 1753 de l'épisode relatif au « prince italien », que nous avons fait figurer en caractères différents à l'intérieur de notre texte, révèle certainement l'intention, nouvelle chez l'auteur, de nous faire voir Manon sous le jour favorable d'une maîtresse aimante et fidèle; on ne contestera pas le charme de ces quelques pages, mais on peut se demander si le personnage de Manon acquiert ainsi plus de vraisemblance psychologique. Il ne nous le semble pas.

Notre texte a été collationné sur l'exemplaire des *Mémoires* qui appartient à la Bibliothèque de l'Arsenal. Il reproduit cette édition exactement, sauf quelques coquilles flagrantes; quant aux variantes que nous avons établies à partir de l'exemplaire de l'édition de 1753 de la Bibliothèque Nationale, elles ne tiennent compte ni des divergences d'orthographe et de ponctuation, ni de la disposition nouvelle de quelques paragraphes; ces modifications qui sont certainement dûes à l'imprimeur de 1753, ne présentent en effet aucun intérêt. Notre texte offre donc au lecteur d'aujourd'hui la version originale, la moins parfaite peut-être, mais la plus spontanée, celle qui est le plus vivant témoignage de l'époque troublée où elle a été écrite.

---

1. Beaucoup de ces modifications tendent à excuser les deux protagonistes du roman ; alors qu'en 1731, Manon est de « bonne naissance », elle est en 1753 de « naissance commune » ; des Grieux (p. 58) éprouve en 1753, des regrets d'avoir triché aux cartes, qu'il n'avait pas eus en 1731 ; de même, à la fin du roman, Prévost fait exprimer à son héros, en 1753, la crainte non explicitée en 1731 d'avoir hâté par ses « égarements » la mort de son père.

La génération de 1725 et *Manon Lescaut*. — Si l'on admet l'idée de génération pour étudier une société, et si l'on essaye de déterminer dans l'histoire de celle-ci la date à partir de laquelle, au début du XVIIIe siècle, se manifestent des transformations sensibles, on constatera que l'évolution semble se précipiter à partir de 1725. Sans doute beaucoup d'idées nouvelles sont-elles nées avec la génération précédente, celle de 1690, qui se concrétisent par des mots nouveaux comme *maniéré* (1690), *analyser* (1690), *commerçant* (1695); *originalité* 1699). Mais la génération de 1725 a joué un rôle presque aussi considérable : les notions de *pittoresque* (1720), *impartialité* (1725), *perfectionnement* (1725), *organisation* (1729), *impartial* (1732), vont à leur tour exprimer des modifications importantes dans la vie et la pensée sociales. Il est du moins permis de le supposer en l'absence de travaux définitifs sur la littérature et la langue du début du XVIIIe siècle. Ni Le Sage, ni Prévost, ni le Voltaire et le Montesquieu de la Régence n'ont fait l'objet de bonnes études récentes; les seuls ouvrages utiles dont nous disposons ne tiennent qu'insuffisamment compte des étapes parcourues par l'histoire : tels sont par exemple les vastes synthèses de Paul Hazard qui, très brillantes, très suggestives, ne sont pas sans présenter de graves lacunes; les ouvrages de M. Trahard, intéressants à certains égards, ne sont qu'un recueil de monographies isolées; le beau travail de M. Monglond n'est guère valable que pour le Préromantisme de la génération de 1760. Les ouvrages sur la langue présentent des défauts analogues : les quatre gros volumes relatifs au XVIIIe siècle de la monumentale *Histoire de la langue française* de F. Brunot sont extrêmement riches en matériaux, mais ils ne distinguent qu'insuffisamment les périodes très différentes qui constituent le « XVIIIe siècle »; quant à la thèse que M. Deloffre a soutenue récemment, elle ne relie que dans un domaine limité la préciosité de Marivaux à la vie contemporaine.

En ce qui regarde l'abbé Prévost et *Manon Lescaut*, une bibliographie importante leur a été consacrée, mais les ouvrages qui la composent sont pour la plupart vieillis et témoignent de méthodes périmées; le livre d'H. Lasserre est anecdotique et superficiel; la seule étude sur Prévost et *Manon* qui présente un vif intérêt est celle de Paul Hazard, mais elle est courte, analytique, et ne situe pas non plus l'œuvre de l'abbé Prévost dans la société qui la détermine.

Peu de vies et peu d'œuvres, pourtant, reflètent aussi bien leur temps. Les aventures, les désordres, les passions, les voyages qu'on retrouve aussi bien dans les romans de Prévost que dans son existence mouvementée, caractérisent une époque profondément troublée dans sa vie matérielle comme dans sa sensibilité. Ce jeune bourgeois qui a reçu chez les Jésuites une solide instruction classique et qui se destine à l'Eglise, quitte vers 1717 le noviciat, s'engage dans l'armée qu'il abandonne à deux reprises, quitte un ordre pour entrer dans un autre et doit émigrer en Angleterre en 1728 pour éviter les effets d'une lettre de cachet. Les aventures de Prévost vont se poursuivre longtemps encore, et le conduiront en Hollande où il sera l'amant d'une dame peu recommandable, et de nouveau à Londres où il risquera la pendaison pour avoir (le fait est sinon certain du moins très probable) émis un faux billet à ordre de 50 livres.

Comme les héros de ses romans, l'abbé Prévost terminera cette vie aventureuse de la manière honnête et bourgeoise, à laquelle, comme son héros des Grieux, il aspirait peut-être depuis longtemps. Et comme Cleveland, comme l'Homme de qualité, comme des Grieux, l'abbé Prévost, dans sa vieillesse, évoquera des souvenirs.

C'est déjà sous la forme de confessions, de *mémoires* qu'il avait publié ses romans, et cette forme littéraire employée fréquemment par les contemporains de Prévost, Le Sage et Marivaux est certainement en relation avec le goût de la vie et de l'action qui se manifeste dans la littérature de l'époque, avec la découverte, au début du XVIIIe siècle du phénomène de la mémoire [1] et avec une nouvelle conception de la véracité de l'œuvre d'art.

L'Histoire du Chevalier des Grieux et de Manon Lescaut, qui paraît en 1731, constitue alors le septième volume des *Mémoires d'un homme de qualité* dont notre roman fera partie intégrante jusqu'en 1753, date à laquelle Prévost publie de *Manon* une édition séparée. On ignore à quelle date l'œuvre a été composée; la plupart des biographes [2] croient que

---

1. Lire à ce sujet G. POULET, *Etudes sur le temps humain*, pp. XXIX, 155 et sqq., et *infra*, p. XXIX.
2. HAZARD, *Et. crit. sur Manon*, p. 24 sqq ; LASSERRE, *Manon*,

Prévost l'a écrite entre 1729 et 1731, pendant ou après son premier séjour en Angleterre; d'autres pensent que l'abbé rédigea *Manon* vers 1722-1723; Havens, par exemple, explique l'intervalle de neuf ans qui séparerait alors la rédaction et la publication par la crainte du scandale que ne pouvait manquer de susciter un tel livre écrit par un Bénédictin : c'est seulement après avoir quitté cet ordre que l'abbé Prévost aurait publié son roman en le reliant d'une manière assez artificielle aux *Mémoires d'un homme de qualité*. Comme certains critiques l'ont remarqué, il est étrange que, si *Manon* a été écrite après 1728, on n'y rencontre aucune allusion à la vie anglaise; on a pourtant essayé, en se fondant sur l'analogie du sujet, d'établir une parenté entre *Manon* et le roman de Daniel de Foë, *Moll Flanders*, qui, paru en 1722, n'a pu être connu de l'abbé Prévost avant son arrivée en Angleterre. Mais ne s'agit-il pas plutôt d'une ressemblance fortuite ? La question n'est pas près d'être résolue.

Si par ses caractères extérieurs : langue noble, sobriété du style, refus de la couleur locale, *Manon* donne davantage que la *Vie de Marianne* ou le *Paysan parvenu* l'impression d'une œuvre classique, l'abbé Prévost a insufflé à son livre un accent pathétique, une vie, une sensibilité, qui permettent de classer *Manon* comme la première en date des œuvres qui

---

p. 112 sqq. ; TRAHARD, *Maîtres de la Sensibilité*, p. 134 sqq. Lasserre, par ex., se fonde sur la ressemblance du passage relatif à la mort de Manon avec un morceau du livre VIII des *Mémoires d'un h. de qualité*, publiés au début de 1729 et probablement écrits en 1728.

font de la génération de 1725 une génération préromantique [1].

MANON LESCAUT ET LA VIE ÉCONOMIQUE ET SOCIALE. — Au début du XVIIIe siècle naissent les formes modernes du capitalisme financier; tandis que l'Angleterre vit une époque de spéculations et de crises, en France, le système de Law se manifeste par une inflation considérable entraînant une hausse des prix, qui atteignit 100 % en 1720, et dont les contemporains subirent les pénibles conséquences; l'abbé Prévost, qu'on a pu à juste titre présenter comme le premier homme de lettres français ayant vécu de sa plume, eut à faire face, surtout pendant sa jeunesse, à de grands embarras d'argent : c'est pour les résoudre qu'il entreprit, comme plus tard Balzac, de nombreux travaux de librairie, et qu'il publia de nombreux et interminables romans. *Manon Lescaut* n'est nullement une œuvre réaliste, et on n'y rencontre pas d'allusion à la crise économique et financière née du « Système ». Nous ignorons tout, en lisant *Manon*, de l'opération réalisée sur les monnaies par Pâris du Verney en 1724, aucun renseignement ne nous est donné sur les salaires des ouvriers de métier et des manœuvres qui étaient alors respectivement de 25 sous et de 15 sous, et Prévost ne fait nulle part mention du prix du pain qui s'est élevé

1. Les réactions des lecteurs (enthousiasme des uns, indignation des autres) et des pouvoirs publics (le livre fut saisi le 5 octobre 1733) montrent quelle place importante occupe *Manon* au moment où elle paraît. Voir HARRISSE, *L'Abbé Prévost*, pp. 174 sqq.

à 4 sous la livre pendant la crise économique et financière de 1725.

On imagine le parti qu'un Balzac aurait tiré du spectacle de celle-ci ! Mais Prévost, qui obéit à une esthétique classique, ne s'est servi du milieu extérieur que pour faire rebondir l'action psychologique. Il n'en est pas moins vrai que cette description d'une société, bien que limitée à ses manifestations les plus extérieures, a la valeur d'un témoignage. Les conséquences morales du « Système » sont soulignées par Prévost. On sait que plus d'un million de familles avaient été mêlées de près ou de loin à cette gigantesque affaire; nous comprenons mieux en lisant *Manon* la manière dont s'est manifestée la crise morale de la Régence : le goût du luxe, dont les fermiers généraux comme G. M. donnent l'exemple et contre lequel luttent vainement des édits somptuaires comme celui de 1720, a poussé de nombreuses Manons dans une débauche qui eut souvent pour conclusion la déportation au Mississipi; la passion du jeu a été exploitée non seulement par des Grieux et les confédérés de l'hôtel de Transylvanie, mais par quantité d'escrocs que nous présentent Dancourt dans la *Déroute du Pharaon* (sc. 3) et Regnard dans le *Joueur* (acte I, sc. x) :

Le jeu fait vivre à l'aise
Nombre d'honnêtes gens, fiacres, porteurs de chaise,
Mille usuriers fournis de ces obscurs brillans
Qui vont de doigts en doigts tous les jours circulans...

Dans une société en pleine ascension démographique et qui, à la suite des bouleversements économiques du « Système » a perdu ses cadres moraux, naît une classe nouvelle d'individus d'origines diverses : déclassés comme des Grieux, fils de laquais ou de paysans, enfants trouvés, gens sans attaches, qui vivent d'expédients et qui ne reculent pas devant le crime s'ils le croient nécessaire. Les besoins et le goût des plaisirs ont déterminé en effet un mépris des lois et des règles qui se traduit fréquemment par des séquestrations, des enlèvements et des assassinats; la hardiesse de des Grieux, qui réussit grâce à un meurtre à s'échapper de Saint-Lazare et à délivrer sa maîtresse enfermée à l'Hôpital général, et qui ose s'attaquer à main armée aux archers qui conduisent les filles déportées, celle du garde du corps qui assassine Lescaut en plein jour dans une rue parisienne, toutes ces violences qu'on retrouve, contées de façon moins tragique par Le Sage, ne font que reproduire de manière à peine romancée celles que des mémorialistes, comme Barbier, nous ont relatées avec indignation.

Mais les êtres humains sont complexes, et la littérature, au début du XVIIIe siècle, loin de masquer leurs contradictions, va les souligner de manière pathétique; l'abbé Prévost est un exemple des natures ambiguës dont, sous les traits de des Grieux, il a peint le portrait dans l'*Avis au Lecteur* qui précède le roman. Ces individus que leurs passions jettent dans les plus étranges désordres sont en effet antithétiques; pour se justifier à leurs propres yeux, ils projettent au-dessus d'eux-mêmes un monde idéal de passion épurée, de « bienfaisance », d' « humanité » et de « douceur »; Prévost qui, comme son héros des Grieux, a mené une vie peu édifiante, aspire à une existence calme et honnête et il évoque avec émotion les « doux momens de la vie » où l'on s'entretient, avec un ami, « des charmes de la vertu, des douceurs de l'amitié, des moyens d'arriver au bonheur, des faiblesses de la nature qui nous en éloignent, et des remèdes qui peuvent les guérir »[1]. Un phénomène analogue à celui qui a eu lieu vers la fin du Moyen Age et qui a été bien observé par Huizinga, va pousser dans le rêve ces dévoyés, ces escrocs et ces filles. Et la société de la Régence, qui s'est construite comme les individus qui la composent en fonction de ces contradictions, va exalter la passion et la vertu.

La sensibilité. — La négation de la réalité s'est manifestée vers 1725-1730 de différentes manières : elle a pu prendre chez Marivaux l'aspect à demi-formel de la préciosité; dans l'œuvre de l'abbé Prévost, la protestation affecte des zones plus profondes, elle engage l'être tout entier : comme les autres romans de l'abbé Prévost, *Manon Lescaut* est une apologie du sentiment et de la passion.

A la suite de Locke, la philosophie sensualiste du XVIIIe siècle va faire de la sensibilité le moteur de l'âme humaine; la justification de la passion est née d'un mouvement qui s'oppose à la fois à la philosophie cartésienne fondée sur la connaissance rationnelle et à la socialité raffinée des « honnêtes

1. *Manon Lescaut, Avis au lecteur.*

gens » du XVIIe siècle. Mais Prévost est un être ambigu ; s'il se manifeste comme un précurseur dans l'exaltation d'une sensibilité, qui comporte déjà, bien avant Rousseau et Diderot, l'idée de connaissance intuitive et immédiate en même temps qu'une émotion altruiste, Prévost, admirateur de Racine et de Fénelon, obéit à une esthétique classique. Comme l'a fait remarquer Monglond, « c'est seulement quand les âmes se seront intérieurement renouvelées qu'elles iront demander aux paysages d'être complices de leurs émois. Toute la substance sentimentale du préromantisme est déjà dans l'abbé Prévost, et pourtant ses descriptions ont la même simplicité que celles de la *Princesse de Clèves* ». Le monde de *Manon* reste en effet le monde de la tragédie classique qui, méprisant le réalisme extérieur, celui du « décor », ne se propose d'exprimer que la réalité interne, celle de l'âme. Sans doute le sujet de Manon, cette histoire d'une passion dans un milieu bourgeois, oblige-t-il l'auteur à fournir çà et là quelques indications précises sur la milieu ambiant, mais ces précisions sont réduites au minimum. Manon est « charmante », « fort jeune », ses regards ont de « la douceur » ; c'est tout ce que nous apprenons sur le physique de notre héroïne ; est-elle brune ou blonde, ses yeux sont-ils bleus ou noirs ? Nous ne le saurons jamais. Cette discrétion de l'auteur est particulièrement marquée à la fin du roman : la navigation de deux mois est traitée en une page, quant à la description du rivage de la Louisiane, elle est indiquée avec une sèche concision : « C'étoient des campagnes stériles et inhabitées, où l'on voyait à peine quelques roseaux et quelques arbres dépouillés par le vent. Nulle trace d'hommes, ni d'animaux ». Quant au paysage désertique où meurt Manon, il est schématisé à l'extrême : stériles campagnes... montagnes hautes et escarpées...

Le problème du *jansénisme* de l'abbé Prévost a été traité de manière détaillée mais sur un plan strictement biographique par Paul Hazard [1]; l'auteur de *Manon*, qui éprouve de l'animosité à l'égard des Jésuites dont il avait été l'élève, manifeste dans sa jeunesse une sympathie évidente pour le jansénisme; la variante d'une phrase de la fin de notre texte semble d'ailleurs indiquer que Prévost a abandonné dans l'âge mûr ses convictions jansénistes et que sa pensée s'est, comme celle du siècle, laïcisée [2]. Mais, le jansénisme a peut-être joué dans la pensée de notre auteur, et en général dans l'évolution de la sensibilité vers 1725, un rôle plus important que celui qui lui était assigné jusqu'ici : on sait que le jansénisme se développa considérablement à Paris, dont la population, dans sa très grande majorité, s'opposa à la politique moliniste du Régent, de Dubois et de Fleury [3].

Il serait étonnant qu'un mouvement d'une telle ampleur ait limité ses manifestations au domaine de la religion et de la politique; la marque de l'esprit

1. *Op. cit.*, pp. 62 sqq.
2. Voir *infra*, p. 191, ligne 2699 et variante.
3. Chose curieuse, parmi les écrivains cette opposition semble surtout se manifester chez les « classiques », alors que les « modernes », néologues et nouveaux précieux, sont comme La Motte liés aux Jésuites, et éprouvent des sympathies ultramontaines.

janséniste se fait sentir, croyons-nous, dans la nouvelle conception du bonheur qui se développe au début du XVIIIe siècle, et dans le caractère de fatalité assigné par le Préromantisme naissant à la passion amoureuse.

La « raison » n'est pas absente de *Manon Lescaut* ni des autres œuvres de l'abbé Prévost, mais son rôle est nettement limité : l'*Avis au lecteur* nous présente *Manon* comme une œuvre utile dont le lecteur de *bon sens* pourra tirer profit : dans l'embarras où nous nous trouvons quand nous voulons appliquer correctement dans la pratique de la vie, « au moment de l'exercice » [1] les principes « vagues et généraux » de vertu qui nous ont été inculqués, l'exemple proposé par un écrivain « de bon sens » jouera un rôle utile : il pourra « déterminer raisonnablement le penchant du cœur ». Les mentors, dont Prévost pourvoit ses héros : Tiberge, l'homme de qualité, etc., se feront les auxiliaires de l'écrivain : ils tireront la morale des événements et s'efforceront de faire progresser les âmes dont ils ont la charge dans le chemin de l'honneur et de la vertu.

Mais hélas, la raison est impuissante ! L'homme est l'esclave de ses passions, et c'est seulement au soir de sa vie que le héros prévostien voit la « tranquillité » renaître dans son âme et qu'il peut « réparer par une vie sage et régulière le scandale de [sa] conduite passée ». Auparavant, le mentor et l'écrivain assistent sans pouvoir y remédier au spectacle

1. *Manon Lescaut, Avis de l'Auteur.*

pitoyable que présentent les héros entraînés irrésistiblement par leurs passions dans des malheurs insensés.

Cette affirmation de l'impuissance de la raison s'inscrit assurément dans une tradition janséniste; la raison étant inutile, le héros comprend qu'il est vain de lutter contre ses passions s'il ne possède pas la grâce. Comme le remarque P. Hazard (*op. cit.*, p. 66), des Grieux utilise la doctrine janséniste de la prédestination pour excuser son manque de volonté et son asservissement à une passion avilissante : « S'il est vrai que les secours célestes sont à tous momens d'une force égale à celle des passions, qu'on m'explique donc par quel funeste ascendant, l'on se trouve emporté tout d'un coup loin de son devoir, sans se trouver capable de la moindre résistance et sans ressentir le moindre remors » (p. 38). Et utilisant *délectation* dans un sens théologique, il s'adresse ainsi à Manon, qui se présente au séminaire : « Chère Manon ! lui dis-je, avec un mélange profane d'expressions amoureuses et théologiques, tu es trop adorable pour une créature. Je me sens le cœur emporté par une délectation victorieuse. Tout ce qu'on dit de la liberté à Saint-Sulpice est une chimère. Je vais perdre ma fortune et ma réputation pour toi... » (p. 41). La liberté n'existe pas, et l'homme n'est sauvé que par la grâce. C'est ce que des Grieux exprime explicitement dans le texte de 1731 : « Le Ciel... m'éclaira des lumières de sa grâce et il m'inspira le dessein de retourner à lui par les voies de la pénitence » (p. 191).

Mais le jansénisme de Prévost et de ses contemporains est bien différent de celui de 1660 : de la vieille doctrine de Port-Royal, il ne subsiste qu'un cadre sans liaison organique avec son contenu. Alors que la morale janséniste était une morale de salut, la félicité ne pouvant être atteinte qu'en Dieu, la génération préromantique de 1725 va adopter une conception laïque du bonheur. Les nombreux textes romanesques, dépouillés par Quemada [1], indiquent qu'à partir de 1670 le goût de la volupté se manifeste de manière beaucoup plus apparente qu'auparavant. Ce mouvement s'accélère à la fin du siècle; l'abandon de la hiérarchie sociale et politique du classicisme, dont Dieu était à la fois l'auteur et l'élément principal, allait jeter les esprits dans l'individualisme et les entraîner à rechercher un bonheur personnel et laïque; le bonheur chrétien, celui de « la vertu », est éloigné, il exige des efforts trop pénibles pour notre faible nature : il est, comme dit des Grieux, « mêlé de mille peines, ou, pour parler plus juste, ce n'est qu'un tissu de malheurs, au travers desquels on tend à la félicité [2]. Le chemin du bonheur individuel, sur lequel s'engagent les héros de Prévost, est certes semé d'embûches, mais il conduit à une félicité qu'ils espèrent prochaine : « J'aime Manon, s'écrie son amant, qui proclame devant Tiberge le droit au bonheur dans l'amour, je tends au travers de mille douleurs à vivre heureux et tranquille auprès d'elle. La voie où je marche est malheureuse, mais l'espé-

1. *Le Commerce amoureux dans les romans mondains*, thèse d'Université de Paris, 1949, texte dactylographié.

2. *Manon*, p. 84. Le passage est extrêmement révélateur des idées de Prévost.

rance d'arriver à mon terme y répand toujours de la douceur; et je me croirai trop bien payé par un moment passé avec elle, de tous les chagrins que j'estime pour l'obtenir » (p. 84).

Cette conception du bonheur qui comporte, on le voit, un élément nouveau d'*intensité* fugace, s'opposant à l'*éternité* du calme bonheur en Dieu, est fondée essentiellement sur l'amour-passion; c'est ce qu'exprime Fanny dans *Cleveland*[1] : « L'amour est pour moi le bien suprême... je n'ai jamais eu le goût, ni même l'idée d'un autre bonheur; et si je me forme une haute opinion de la félicité qu'on nous promet dans une meilleure vie, c'est qu'on y doit aimer toujours ». Ce néo-platonisme renversé est celui de tous les héros passionnés de Prévost.

Le Jansénisme se retrouve dans la conception fataliste de la vie. La littérature du temps (les romans de Voltaire et notamment *Zadig* en sont le meilleur exemple) refuse de donner un sens à l'Histoire. Celle-ci n'est déterminée que par les circonstances, souvent fort insignifiantes : la longueur du nez de Cléopâtre, par exemple; la *fatalité* est fréquemment invoquée par des Grieux, par l'Homme de qualité, par Fanny, par Cleveland; des Grieux prétend être entraîné par l'*ascendant* de sa destinée (p. 16). L'Homme est le jouet de ce qu'on continue à appeler la Providence, mais qui n'est déjà plus (Chamfort le remarquera plus tard) que « le nom de baptême du hasard ». Nous constatons en effet à quel point s'est dégradée, chez cet abbé, la notion de Providence

---

1. Livre IX, t. III, p. 291.

divine, quand on voit des Grieux se féliciter de l'Ordre admirable des choses qui permet aux gens d'esprit pauvres, de vivre aux dépens des gens riches qui sont des sots [1].

C'est naturellement dans l'expression suprême de la vie, dans l'amour que l'idée de fatalité devait se retrouver le plus fréquemment; des Grieux éprouve, quand il rencontre Manon « une espèce de transport » qui lui ôte « pour quelque temps la liberté de la voix » et qui le prive pour toujours de sa volonté. Chez Prévost, l'amour est toujours « fatal »; les âmes de ceux qui s'aiment sont liées par des « affinités mystérieuses » et préétablies :

> Je ne saurais douter à l'expérience que j'en ai faite, dit un personnage des *Mémoires d'un homme de qualité* (I, 172), qu'il n'y ait des cœurs formés les uns pour les autres, et qui n'aimeraient jamais rien s'ils n'étaient assez heureux pour se rencontrer. Mais il suffit aussi que deux cœurs de cette nature se rencontrent un moment pour sentir qu'ils sont nécessaires l'un à l'autre et que leur bonheur dépend de ne se séparer jamais. Une force secrète les entraîne à s'aimer ; ils se reconnaissent pour ainsi dire, aux premières approches; et sans le secours des protestations, des épreuves, des serments, la confiance naît entre eux tout d'un coup et les porte à se livrer sans réserve.

Le monde sensoriel ne joue qu'un rôle réduit dans *Manon Lescaut ;* l'esthétique classique interdit encore, vers 1725-1730, de mettre l'accent sur les impressions

---

1. Voir p. 101 et 49.

extérieures, toutefois le caractère de la beauté d'une Manon ou d'une Marianne, fait de *grâce mutine* ou *tendre*, de *charme*, de *douceur*, d'*ingénuité*, de *tristesse*, introduit en même temps qu'une idée d'irrégularité, quelque chose de physique, de concret, que ne comportaient pas la perfection et la régularité presque intellectuelles des traits de la Princesse de Clèves. Tandis que s'élaborent, chez les philosophes, les théories sensualistes, le corps des héros de romans s'ouvre aux sensations et celles-ci déterminent dans les âmes des effets instantanés, des émotions subites et profondes. A la passion réfléchie et volontaire, à l'amour-mérite, succède l'amour-coup de foudre. Plus tard, cette sensibilité s'exaltera devant les paysages qui deviendront des états d'âme; au début du XVIIIe siècle, alors que la nature reste sociale, la sensibilité s'exerce à l'égard d'autrui ; la *Zaïre* de Voltaire (1732), le *Glorieux* de Destouches (1732), le *Fils ingrat* de Piron (1728), les pièces de Marivaux et de Nivelle de La Chaussée nous présenteront des personnages *émouvants*, *sensibles*, *attendrissants* ou *pathétiques*. Mais c'est surtout l'amour qui va bénéficier de cette valorisation du sentiment; l'impression faite par l'être aimé est exprimée soit par des termes généraux, comme *air*, *charme*, soit par de nombreuses expressions à base de sensations tactiles : *douceur*, *touchant*, *tendresse*, etc., qui suffisent à indiquer l'effet que détermine l'aspect physique de la femme aimée, et qui marquent le caractère unilatéral de l'amour de des Grieux. En effet, Manon est essentiellement un prétexte, un *objet* qui impressionne l'être voué à la passion qu'est des Grieux; le « coup de foudre » ne fait que cristalliser un sentiment latent : en réalité, l'amour préexiste chez les héros de Prévost, mais à l'état implicite [1]. Le personnage central chez Prévost est donc celui qui éprouve l'amour, non celui qui le fait éprouver, et les éditeurs modernes ont, en donnant au roman que nous publions le titre de *Manon Lescaut*, contribué à dénaturer le sens de l'œuvre qu'exprime beaucoup mieux le titre original : *Histoire du Chevalier des Grieux et de Manon Lescaut*. Alors qu'un éclairage précis et sans pitié est projeté par l'auteur sur son héros, Manon ne nous est connue que par le portrait incomplet et passionné que fait d'elle son amant [2]. L'amour constant a pour condition les variations de l'objet aimé, et c'est pourquoi l'épisode du prince italien, qui nous montre une Manon fidèle et aimante, peut être considéré comme une correction regrettable à cette vérité psychologique que Proust devait plus tard illustrer. La grandeur tragique de la passion qu'éprouve des Grieux disparaîtrait si sa maîtresse cessait d'être inconséquente et volage, et Prévost a eu raison, au moment où celle-ci devient une « Amante incomparable », de la précipiter dans le néant.

---

1. « La vue de ses charmes, le ton animé de sa voix, la chaleur de ses regards firent en un moment sur moi des impressions que je n'avais jamais ressenties ; ou plutôt mille sentiments qui devaient déjà être dans mon cœur pour y éclater tout d'un coup si impétueusement, m'apprirent sur-le-champ à connaître l'amour » (Prévost, XII, p. 39, cité par POULET, *Essai sur le temps*, p. 154).

2. S'il est vrai que, comme le dit Chamfort, il faut choisir d'aimer les femmes ou de les comprendre, il est certain que des Grieux a adopté la première alternative.

Le héros de Prévost [1] (il peut y avoir plusieurs héros dans les romans à épisodes multiples) est le seul lien qui réunisse les différents personnages, les sentiments qui les animent et les aventures dans lesquels ils sont engagés ; il existe d'ailleurs une hiérarchie dans les divers éléments qui composent l'œuvre romanesque ; ainsi que l'a remarqué G. Poulet, « les sentiments apparaissent, dans le roman prévostien comme entièrement déterminés par les événements. Leur intensité n'a d'égale que leur passivité [2] ». Les lecteurs de *Manon* ne peuvent manquer d'être frappés par le rythme rapide de l'action, par la succession des épisodes, par les cascades de coups de théâtre et d'aventures dramatiques [3] qui ont pour but de créer une situation psychologique nouvelle. L'amour, qui est chez Marivaux (on l'a remarqué bien souvent) contrarié par les difficultés qu'il se suscite à lui-même, s'exalte et, en quelque sorte, rebondit, dans les romans de Prévost, à chacun des obstacles que lui opposent les événements. Poulet cite de nombreux textes qui montrent l'attention accordée par Prévost aux

---

1. Le personnage central assume également une importance considérable dans les romans de Le Sage et de Marivaux, assez mal composés, et où le héros donne seul à l'action son unité.

2. *Op cit.*, p. 147.

3. Les aventures (davantage encore dans les autres romans que dans *Manon*) se nouent et se dénouent facilement : les enlèvements, les évasions, les fugues se succèdent. Certains épisodes sont invraisemblables : pourquoi le Père Supérieur de Saint-Lazare a-t-il caché au Lieutenant de Police la mort du Portier tué par des Grieux ? Seulement pour délivrer celui-ci du soin de se cacher et pour permettre à l'action de rebondir. Synnelet laissé pour mort à l'issue d'un duel avec des Grieux se retrouve bientôt en excellente santé : grâce à cette résurrection, Prévost pourra terminer son roman.

« moments privilégiés » où, à la suite d'une catastrophe, se manifeste un changement brusque de situation. Dans *Manon*, des Grieux éprouve, à l'instant où il subit un nouveau coup du sort, un *transport*, un *trouble affreux*, un sentiment complexe et indéfinissable, où il entre « de la douleur, du dépit, de la jalousie et de la honte »[1]. Cet instant pathétique qui s'insère entre deux situations contrastées est, comme le dit Poulet[2], un état « non d'unité, mais de simultanéité des contraires, non un état de fusion, mais un état de confusion »; l'âme, alors n'éprouve plus les impressions ordinaires, mais un sentiment qui, dépassant le plaisir et la douleur, présente un caractère synthétique, non différencié : « qu'on y fasse attention, écrit Prévost[3] : une véritable joie a les mêmes symptômes qu'une excessive douleur. Elle excite des larmes, elle ôte l'usage de la voix, elle cause une délicieuse langueur, elle attache l'âme à considérer la cause de ses émotions, et de deux hommes transportés l'un de joie, l'autre de douleur je ne sais lequel souffrirait le plus volontiers qu'on lui arrachât le sentiment dont il jouit ». La littérature de l'époque, de *Zadig* au *Neveu de Rameau*, va se livrer à la variété des impressions successives : « Nous vivons pour ainsi dire, de surprise en surprise », dit La Motte-Houdar[4]. Ces impressions tendent à se faire le plus intenses possible, et la valorisation du « moment sensible » résultant

1. P. 63 (cf. p. 74-75).
2. *Op. cit.*, p. 151.
3. *Œuvres*, t. V, 73, cité par POULET, *op. cit.*, p. 153.
4. *Œuv.*, 1754, VII, 252, cité par G. POULET, *op. cit.*, p. XXVII.

d'une nouvelle situation psychologique aboutit à l'exaltation des émotions fortes [1] qui peut d'ailleurs coexister avec un sentiment de vague, avec une inquiétude machinale « excités par le souvenir importun d'un état précédent » [2].

D'où un caractère d'outrance qui se manifeste d'abord dans la composition : alors que Marivaux s'attarde à décrire l'éclosion d'un sentiment, Prévost plonge dès le début son héros dans une passion qui atteint tout de suite son paroxysme, et qu'exprime un vocabulaire hyperbolique [3]. Mais l'outrance de Prévost est une outrance tragique; ses romans ne sont que des successions de calamités et de catastrophes : les héros pleurent constamment [4], s'évanouissent, éprouvent des *transports* affreux, s'abîment dans le désespoir et maudissent la fatalité [5]. Leur idéal de passion et de vertu s'est heurté aux réalités de la vie, d'où un pessimisme foncier, un sentiment profond du tragique de l'existence. Ils tirent d'ail-

---

1. Condillac et Helvétius montreront le rôle de l'ennui dans la société. C'est pour éviter l'ennui que les hommes recherchent les émotions fortes.

2. Ch. G. Le Roy, *Lettres phil.*, éd. de 1804, p. 174, cité par G. Poulet, *op. cit.*, p. XXVI.

3. Dans l'*Avis au lecteur* : exemple *terrible*, *dernières* infortunes, le plus *brillant* mérite, *accablé*, *perpétuel*, etc. Dans les premières pages du roman : *barbare*, *horreur*, *compassion*, *fendre le cœur*, *le plus infortuné* des hommes, *dernière inhumanité*, aventure d*es plus extraordinaires* et des *plus touchantes*, *transport*, *folie*, tendresse *infinie*, etc., etc.

4. *Larmes*, pp. 11, 23, 26, 27 ; *pleurer*, 9, 26 ; *pleurs*, 26, 30, etc., etc.

5. Trahard, (*op. cit.*, t. I, p. 122) remarque que dans les *Mémoires d'un homme de qualité*, les seize aventures sentimentales se terminent de manière tragique, et il ajoute : « Partout le deuil accompagne l'amour, si bien qu'à distance les romans de Prévost nous apparaissent comme de grandes allées solitaires bordées non seulement de ruines, mais de cloîtres et de tombeaux ».

leurs une « voluptueuse tristesse » à évoquer le souvenir de leurs malheurs et à jouir d'une sensibilité exacerbée qui se veut communicative. Cleveland exprime ainsi au début du livre III du roman ce que pensent tous les personnages de Prévost :

> J'entre dans la mer immense de mes infortunes, je commence une narration que je vais accompagner de mes larmes, et qui en fera couler des yeux de mes lecteurs. Cette pensée me cause quelque satisfaction en écrivant; j'obtiendrai la pitié des cœurs tendres.

Comme l'a montré Poulet [1], en opérant cette « réviviscence affective », la mémoire élimine les faits précis, les sensations particulières, elle « tâche d'atteindre le pur substrat émotionnel du passé ». La vérité ne peut être découverte par une démarche de la raison, on ne la décèle que grâce aux intuitions du cœur, en revivant par le souvenir un amour qui est lui-même une force secrète, aveugle, magique [2]. Le monde prévostien est le monde de l'irrationnel.

L'esthétique de Prévost participe pour une part de cette valorisation du sentiment qui se manifeste au début du XVIIIe siècle, mais s'il est vrai, comme on le sait depuis Hegel, que les différents éléments de la vie sociale évoluent de manière parallèle, il n'en est pas moins certain que ce mouvement ne s'opère pas, comme le croyait Spengler, de manière simultanée : certaines activités mentales, économiques, etc., peuvent être, à un moment

---

1. *Op. cit.*, p. 155.
2. On trouve à plusieurs reprises le mot *ascendant* pour désigner la force de l'amour (p. 16, 38, etc.).

donné, en retard sur d'autres qui progressent plus librement. Nous avons montré ailleurs que la peinture romantique ayant évolué, sous la Restauration, plus rapidement que les arts littéraires, a pu servir à ceux-ci de modèle. On constaterait vraisemblablement un décalage analogue au début du XVIIIe siècle : le triomphe des partisans de la couleur et de Rubens sur les fanatiques du dessin paraît établi dès les premières années du siècle; même à une époque où les arts mènent encore une vie séparée[1], cet événement ne pouvait manquer d'avoir des répercussions dans le domaine littéraire, et l'esthétique picturale de Roger de Piles (dans la mesure où on peut parler d'esthétique à une époque où cette science n'est pas constituée)[2] précède naturellement les *Réflexions critiques sur la poésie et la peinture*, publiées par l'abbé Du Bos en 1719.

Il a été déjà question « d'esthétique classique » dans les pages qui précèdent. Il importe de préciser. On ne vit pas impunément à une époque où Watteau a peint des fêtes galantes et où Du Bos fonde une esthétique sur le *sentiment*, l'*inspiration*, le *génie* et la *relativité du goût*. Nous avons déjà marqué l'importance du sentiment, que Du Bos appelle « le sixième sens », dans la nouvelle esthétique littéraire dont notre auteur est un représentant.

Nous avons fait aussi allusion au goût de l'outrance que révèle dans *Manon* le vocabulaire hyperbolique; n'oublions pas qu'on rencontre déjà un

---

1. G. Matoré, *Les Notions d'Art et d'Artiste*, in *Revue des Sciences humaines*, oct. 1951.
2. L'*Esthétique* de Baumgarten naît en 1750.

vocabulaire semblable dans de nombreux romans du XVIIe siècle d'inspiration précieuse, et même dans une œuvre aussi classique que la *Princesse de Clèves*. Il est encore difficile d'attribuer une cause précise au refus de l'art et de l'*ornement* qu'affirme Prévost [1], on doit peut-être y voir, comme il le dit lui-même, la volonté de traduire les faits d'une manière véridique, et non transformée par un art qui dénature dans la mesure même où il embellit. Dans l'article apologétique qu'il a publié sur *Manon* dans le *Pour et Contre* (III, n. 36), Prévost écrit :

Je ne dis rien du style de cet ouvrage. Il n'y a ni jargon, ni affectation, ni réflexions sophistiques; c'est la Nature même qui écrit. Qu'un auteur empesé et fade paraît pitoyable en comparaison !... Ce n'est point un style laconiquement constipé, mais un style coulant, plein et expressif. Ce n'est partout que peintures et sentiments, mais des peintures vraies et des sentiments naturels [2].

---

1. « Pourquoi tant d'art pour conduire mes lecteurs au récit que je prépare ? Est-ce pour ménager le plaisir d'une situation imprévue et leur faire un spectacle amusant de ma douleur ? Ah, je brise ma plume et j'ensevelis pour jamais au fond de mon cœur le souvenir de mes infortunes et de mes larmes, si j'ai besoin d'ornements pour les retracer » (cité par SCHRŒDER, *L'Abbé Prévost*, p. 239).

2. On a reproché à Prévost de rédiger d'une manière négligée et quelquefois emphatique. En 1731, dans le *Nouvelliste du Parnasse* (III, p. 38), l'abbé Desfontaines écrivait, au sujet de *Cleveland* : « On ne peut s'empêcher d'être frappé de la féconde imagination de l'auteur, et de son style vif et brillant. Il faut convenir néanmoins qu'il n'écrit pas fort exactement, et qu'il tombe même quelquefois dans un ridicule néologisme. Je vais en rapporter quelques exemples qui vous surprendront d'autant plus qu'on ne peut nier que l'auteur n'ait de l'esprit et du goût, et qu'il ne soit un écrivain au-dessus du commun » (ex. *pardonnable* (avec un nom de personne), *expatrié*, et des images et hyperboles outrées).

La Nature est en effet la nouvelle divinité du siècle, et l'art devient un de ses sectateurs. L'abbé Prévost ne présente pas son œuvre comme un roman, genre que beaucoup de personnes ne considéraient pas comme sérieux; et, dans les *Mémoires d'un homme de qualité* (t. I, livre I), il fait refuser au marquis de tracer le portrait physique et moral de sa sœur, sous prétexte que ces sortes de descriptions conviennent à un roman, non à « une histoire sérieuse ». Pour être valable, une œuvre d'imagination doit se renier elle-même et se vouloir une copie de la vie [1].

LUMIÈRES. MORALE. RAISON. — Le « Siècle des Lumières » a cru que le développement des connaissances permettrait à l'humanité de réaliser des progrès ininterrompus; le terme de *lumières* n'est naturellement pas fréquent dans notre roman d'autant que Prévost n'appartient pas au groupe « philosophique » qui a répandu cette expression, mais son emploi dans *Manon*, si limité soit-il, permettra peut-être d'apporter quelques précisions à l'histoire d'une notion qui sera au centre des préoccupations de la génération de 1760.

Les *lumières* ne constituent pas dans *Manon* un domaine autonome, elles sont la projection de foyers qui peuvent être d'origines très différentes. Nous avons déjà cité la phrase : « (Le Ciel) m'éclaira des lumières de sa grâce » (p. 191), qui rattache à une Providence janséniste l'idée de perfectionne-

1. Cf. *Manon*, p. 13.

ment moral. Ailleurs, c'est le progrès intellectuel qui est évoqué, dont la source est la sensibilité : « Les lumières que je devois à l'amour, dit des Grieux, me firent trouver de la clarté dans quantité d'endroits d'Horace et de Virgile qui m'avoient parus obscurs auparavant » (p. 34). Enfin, dans l'*Avis au lecteur*, la *lumière* est liée aux idées de raison et d'expérience : chaque fait qu'on rencontre dans un roman écrit par « une personne d'honneur et de bon sens... est un degré de lumière et une instruction qui supplée à l'expérience ». C'est là l'idée principale de l'introduction qui précède le roman.

Les préoccupations morales n'ont en effet jamais abandonné ni Prévost ni son époque. Ce sont celles du XVIIe siècle, et déjà Huet écrivait dans l'*Origine des Romans*[1] : « Le divertissement du lecteur, que le Romancier habile semble se proposer pour but, n'est qu'une fin subordonnée à la principale, qui est l'instruction de l'esprit et la correction des mœurs ». La doctrine de l'art utilitaire qui remonte à Horace, dont Prévost était un admirateur, a dominé toute l'époque classique, mais alors qu'on pense généralement, vers 1660, que la littérature, pour être morale, doit surtout peindre des actions vertueuses, on présente de plus en plus, à partir de 1680, des personnages peu exemplaires. Les écrivains n'en croient pas moins faire œuvre utile et ils moralisent de manière souvent intempestive. C'est le cas de l'abbé Prévost qui fait prononcer à Tiberge, à l'Homme de qualité, à Cleveland et au doyen dans

1. 6e éd., 1685, p. 4.

le roman intitulé le *Doyen de Killerine, histoire morale*, des tirades emphatiques sur la vertu. L'idéal utilitaire de l'homme de lettres est proclamé par Prévost dans le nº 5 du *Pour et Contre :*

Un auteur est un homme qui est entré d'abord dans la carrière de l'étude pour satisfaire son propre goût... et s'étant enrichi peu à peu l'esprit et le cœur de tout ce qu'il y a d'utile et d'agréable dans les sciences, tourne ensuite un œil de tendresse et de compassion sur toutes les créatures de son espèce qu'il voit privées.... des fruits précieux qu'il a recueillis de son travail [1].

Pour être efficace, la morale d'un roman ne doit pas être imposée au lecteur mais suggérée grâce à l'art de l'écrivain; elle sera ainsi rendue plus efficace; cette idée qu'on rencontre chez Pascal et chez de nombreux auteurs du XVIIe siècle est exprimée ainsi par Prévost dans les *Mémoires et aventures d'un homme de qualité* [2] :

Mon premier dessein, en écrivant cette histoire, était de rapporter, dans l'occasion la plupart des discours que je lui tenais (à son élève) sur les mœurs et sur les sciences... mais plusieurs amis que j'ai consultés, m'ont détourné de cette méthode. Le public, m'ont-ils dit, n'aime pas l'air sec et pédant qui accompagne les préceptes... je me contenterai donc... de mêler à mon récit quelques sentiments, ou quelques réflexions, telles que les conjonctures peuvent les faire naître... Ce n'est point un traité de morale que j'écris, c'est une histoire.

Telle est la tâche réalisée dans *Manon* et dont

---

1. Cité par SCHRŒDER, *op. cit.*, p. 216, en note.
2. III, I, éd. de 1730, cité par SCHRŒDER, *op. cit.*, p. 218.

Prévost indique les principes dans l'*Avis de l'Auteur :* « c'est rendre à mon avis un service considérable au Public, que de l'instruire en le divertissant ».

Pour mener à bien un tel dessein, les lumières de la raison sont nécessaires. Les préceptes de la morale étant « vagues et généraux, il est très difficile d'en faire une application particulière au détail des mœurs et des actions » (*Manon*, p. 5); à défaut d'une *expérience* difficile à réaliser, seul l'*exemple* pourra jouer dans ce domaine un rôle utile, mais un exemple choisi par un auteur qui soit « une personne d'honneur et de bon sens ». Prévost va donc nous faire assister aux passions les plus folles, aux désordres les plus blâmables; dans *Manon*, il nous montrera dans quels tristes excès verse le « jeune aveugle » des Grieux, mais ce spectacle dégage une moralité, il constitue un « exemple » d'autant plus efficace qu'il aura été plus « terrible » et que notre sensibilité aura été *touchée* davantage. Grâce à la raison pratique et solide qu'est son *bon sens*, l'auteur pourra donc jouer auprès de ses lecteurs, pourvus eux aussi de *bon sens*, le rôle de guide moral, qui est sa principale raison d'être.

Nous avons marqué précédemment le rôle de la sensibilité dans l'esthétique de Prévost; celui des principes hérités du XVIIe siècle est assurément plus important. Classique est d'abord, dans le roman, sa composition. La volonté de donner à son œuvre le caractère de mémoires véridiques n'empêche pas Prévost d'introduire dans une technique du type picaresque (où un personnage nouveau comme des Grieux, est introduit, qui conte ses aventures) un découpage assez savant, s'apparentant à celui d'une pièce de théâtre, et conçu en fonction de péripéties qui font renaître l'intérêt du lecteur au moment où celui-ci commence à faiblir. Classique est aussi la volonté de supprimer, dans le récit, tout ce qui n'est pas indispensable à l'action; nous avons déjà montré la pauvreté de l'œuvre en détails concrets, aussi bien dans le domaine des sensations que dans celui du décor extérieur : meubles, costumes, etc. Prévost limite aussi à l'essentiel certaines indications psychologiques; à maintes reprises les personnages laissent dans le vague leurs sentiments : dans certains cas, il s'agit de sentiments confus, mêlés, que la mémoire imprécise du héros ne peut ressusciter[1], et dont il ne subsiste qu'une sensation globale; dans d'autres cas, le vague des termes a pour but de déterminer une impression de complexité que des détails nombreux seraient incapables de créer[2].

Le style de *Manon* manifeste les mêmes caractères de sobriété. On sait que pour les théoriciens post-classiques (Voltaire, Formey, Marmontel, etc.) il existe deux ou trois styles, dont les limites sont d'ailleurs assez imprécises : le *simple* ou *bas*, le *moyen*, le *sublime :* un ouvrage littéraire doit appartenir à l'une de ces catégories, et il doit satisfaire au principe de l'*analogie du style*, c'est-à-dire qu'il doit

1. Cf. POULET (*op. cit.*, p. 156), qui cite Cleveland (V, 266) ; le héros de ce roman dit, à propos de ses malheurs : « le sentiment qui m'en reste n'a point la variété de sa cause ; ce n'est plus, si j'ose parler ainsi, qu'une masse uniforme de douleur ».

2. « Je demeurai après cette lecture, dans un état qui me seroit difficile à décrire, car j'ignore encore aujourd'hui par quelle espèce de sentiment je fus alors agité » (*Manon*, p. 63).

comporter une unité de ton. Cette théorie est battue en brèche, au moins implicitement, par les « modernes », comme Marivaux, qui vont prétendre substituer à l'esthétique collective, un style fondé sur le goût et le tempérament individuels, et qui affirmeront que « chacun a sa façon de s'exprimer, qui vient de sa façon de sentir » (*Paysan parvenu*, I, p. 4). Prévost, lui, reste un classique, mais il est évident que le sujet original de son roman et l'accent nouveau donné à la sensibilité par la génération de 1725, vont modifier d'une manière parfois délicate à déterminer, le schéma traditionnel du « style moyen » et du ton uniforme.

Le lexique de *Manon* est pauvre : peu de termes techniques, sauf quelques expressions du vocabulaire de la religion et quelques termes de jeu; aucune tentative pour faire parler à chacun, comme le fait Marivaux, le langage de sa profession, de son milieu, etc. [1]. Pour Prévost, la simplicité est la première qualité du style, et dans le *Pour et Contre* (III, 119), il critiquera Marivaux qui faisait l'apologie du style néologiste. Dans le domaine du vocabulaire de la galanterie, la même opposition sépare les deux écrivains ; Marivaux, dans *Les Sincères*, se moque des expressions hyperboliques du style galant *adorer*, *désespérer*, *passion*, etc., auxquelles Prévost reste attaché, sans doute parce que qu'il continue à les

---

1. Ni Lescaut (p. 65), ni la fille envoyée par Manon (p. 127), ni les archers (p. 169), ni Manon elle-même qui cite Racine, n'utilisent un vocabulaire appartenant à une langue parlée. Marivaux, surtout dans ses romans, et Dancourt (p. ex. dans *Le Moulin de Javelle*, sc. 2) emploient un vocabulaire beaucoup plus réaliste.

charger d'affectivité. On rencontre en effet à chaque page, dans *Manon*, des expressions empruntées au vocabulaire affectif de Racine ou du *Télémaque :* aventure des plus extraordinaires et des plus *touchantes* (p. 11), *tendresse infinie* (16), *douce chaleur* (p. 18), *goût infini* (p. 34), la plus *aimable* des filles, etc., etc.

La syntaxe de Prévost présente elle aussi des caractères classiques, apparentés à ceux de Marivaux, que Deloffre a étudiés dans une thèse récente; l'emploi des temps n'offre aucune originalité : le temps normal de la narration est le passé-simple, le présent de narration n'intervenant que de manière assez rare. Les phrases de Prévost sont généralement courtes, binaires ou ternaires, quelques-unes de caractère explicatif ou oratoire présentant une structure plus compliquée, comportant de nombreuses relatives et utilisant le parallélisme et l'antithèse. Dans de telles phrases, où chacun des thèmes est indiqué par un mot, la répétition est poétique autant que logique mais alors que, chez Bossuet, le mot thématique est chargé de sens, chez Prévost, c'est fréquemment le relatif qui occupe une situation fondamentale. Dans de telles phrases, le nombre des syllabes détermine une harmonie dont le balancement est complexe, mais saisissable [1].

Les images de *Manon*, peu nombreuses, appartiennent au type classique de l'image-ornement;

1. Voir p. 2 : « J'ai à peindre un jeune homme aveugle, *qui* refuse..., *qui*, etc. » Sur le style indirect libre dans *Manon*, consulter Marguerite Lips, *Le Style indirect libre*, Paris, Payot, 1926, pp. 148-151.

beaucoup sont des clichés [1], des images non-réalisées [2].

Nous nous sommes interdit jusqu'ici de porter un jugement de valeur sur le texte que nous présentons; peut-être nous sera-t-il permis de le faire en terminant cette introduction. *Manon Lescaut* est une des rares œuvres classiques qui recueille à la fois le suffrage du grand public et des lettrés. Si, parmi ceux-ci, quelques délicats comme André Gide ont jugé avec sévérité l'art de Prévost, d'autres, comme Rousseau, Michelet, Flaubert, les Goncourt, plus soucieux de qualités psychologiques, historiques ou humaines ont accordé à *Manon* une place de premier plan dans notre littérature. Il nous semble que ce jugement mérite d'être ratifié. Nous avons essayé de montrer les liens qui unissent *Manon* à la génération de 1725, dont elle est le reflet fidèle ; mais l'œuvre témoigne d'autres qualités : tout en dominant les contradictions de son tempérament et de son esthétique, et en faisant de son roman une œuvre d'art, Prévost lui a communiqué un accent pathétique, une sensibilité, un enthousiasme qui permettent de citer *Manon Lescaut* parmi les œuvres dont Nietzsche disait que leur auteur les avait écrites avec son propre sang.

1. Je suis le malheureux objet de la plus noire de toutes les perfidies » (p. 33). — « le poison du plaisir » (p. 35). — « les fruits de la volupté et de la vertu » (p. 34), etc.

2. « lumières fort générales » (p. 7) ; — « son esprit, son cœur, sa douceur et sa beauté, formoient une chaîne si forte et si charmante que j'avois mis tout mon bonheur à n'en sortir jamais » (p. 21).

MEMOIRES

DU MARQUIS DE ***

TOME VII.

HISTOIRE

Du Chevalier Des Grieux & de Manon Lescaut.

AVIS DE L'AUTEUR.

Quoique j'eusse pû inserer dans mes Memoires * les avantures du malheureux Chevalier Des Grieux *, il m'a semblé que n'y ayant point un rapport nécessaire, le Lecteur trouveroit plus de satisfaction à les voir ici séparément. Un recit de cette longueur auroit interrompu trop long tems le fil de ma propre histoire. Tout éloigné que je suis de prétendre dans cet ouvrage à la qualité d'écrivain exact, je n'ignore point qu'une narration doit être quelquefois déchargée de
10 quantité de circonstances qui la rendroient pesante et embarrassée. C'est le précepte d'Horace * :

Ut jam nunc dicat jam nunc debentia dici
Pleraque differat ac præsens in tempus omittat.

Il n'est pas même besoin d'une si grave autorité pour prouver une verité si simple, car le bon sens * est la premiere source de ces sortes de régles. Si le Public a trouvé quelque chose d'agréable, et d'interessant dans l'histoire de ma vie, j'ose lui promettre qu'il ne sera point * mal satisfait de cette addition. Il verra dans la
20 conduite de M. Des Grieux un exemple terrible de la

1 faire entrer dans — 2 du Chevalier — 5 voir séparément. — 9 être déchargée des circonstances, — 16 de cette regle. — 19 pas

force des passions. J'ai à peindre un jeune homme aveugle, qui refuse d'être heureux pour se précipiter volontairement dans les dernieres infortunes; qui avec toutes les qualitez dont se forme le plus brillant mérite *, préfere par choix une vie obscure et vagabonde à tous les avantages de la fortune *, et de la nature *; qui prévoit ses malheurs sans vouloir les éviter; qui les sent et qui en est accablé, sans profiter des remedes qu'on lui présente sans cesse, et qui peuvent à tous momens les
30 finir; enfin un caractere ambigu, un mêlange de vertus et de vices, un contraste perpetuel de bons sentimens et d'actions mauvaises. Tel est le fond du tableau * que je vais présenter aux yeux de mes lecteurs. Les personnes de bon sens ne regarderont point un ouvrage de cette nature comme un amusement inutile. Outre le plaisir d'une lecture agréable, on y trouvera peu d'évenemens qui ne puissent servir à l'instruction des mœurs et c'est rendre à mon avis un service considerable au Public que de l'instruire en le divertissant.

40 On s'étonne * quelquefois, en réflechissant sur les préceptes de la Morale, de les voir tout à la fois estimez et négligez, et l'on se demande la raison de cette bizarrerie du cœur humain, qui lui fait goûter des idées de bien et de perfection, dont il s'éloigne continuellement dans la pratique. Si par exemple les personnes d'un certain * ordre d'esprit * et de politesse * veulent examiner quelle est la matiere la plus commune de leurs conversations, ou même de leurs rêveries * solitaires, il leur sera aisé de remarquer qu'elles tournent presque tou-
50 jours sur quelques considerations morales. Les plus doux * moments de la vie pour les gens d'un certain

moins satisfait — 21 jeune Aveugle — 26 éloigne dans — 29 qu'on lui offre sans — 33 je présente. Les — 35 un travail inutile. — 39 en l'amusant. — 40 On ne peut refléchir sur les préceptes de la Morale sans être étonné de — 45 Si les — 51 de leur vie sont — 59 tombe si

goût * sont ceux qu'ils passent ou seuls, ou avec un ami, à s'entretenir à cœur ouvert des charmes de la vertu *, des douceurs de l'amitié, des moiens d'arriver au bonheur, des foiblesses de la nature qui nous en éloignent et des remedes qui peuvent les guérir. Horace et Boileau * marquent cet entretien comme un des plus beaux traits dont ils composent l'image d'une vie heureuse. Comment arrive-t-il donc qu'on tombe ensuite si aisément
60 de ces hautes speculations, et qu'on se retrouve si-tôt au niveau commun des hommes ? Je suis trompé si la raison que j'en apporterai ici n'explique bien cette contradiction de nos idées et de notre conduite; c'est que tous les préceptes de la morale n'étant que des principes vagues et généraux, il est très-difficile d'en faire une application particuliere au détail des mœurs et des actions. Mettons la chose dans un exemple. Les ames bien nées * sentent que la douceur et l'humanité sont des vertus aimables, et elles sont portées d'incli-
70 nation à la pratiquer : mais sont-elles au moment de l'exercice ? * elles demeurent souvent suspenduës *. En est-ce réellement l'occasion ? sait-on bien qu'elle en doit être la mesure ? Ne se trompe-t-on point sur l'objet ? Cent pareilles difficultez arrêtent. On craint de devenir duppe en voulant être bienfaisant * et liberal *, de passer pour foible en paroissant trop tendre et trop sensible; en un mot, d'exceder ou de ne pas remplir assez des devoirs qui sont renfermez d'une maniere trop obscure dans les notions générales d'humanité * et de douceur *.
80 Dans cette incertitude, il n'y a que l'experience ou l'exemple qui puisse déterminer raisonnablement le penchant du cœur. Or l'experience n'est point un avantage qu'il soit libre à tout le monde de se donner; elle

facilement — 62 que je vais en apporter n' — 69, et sont — 70 les pratiquer — 74. Cent difficultés — 89 une extrême utilité ; du

dépend des situations differentes où l'on se trouve placé par la fortune. Il ne reste donc que l'exemple qui puisse servir de régle à quantité de personnes dans l'exercice de la vertu *. C'est précisement pour cette sorte de lecteurs que des ouvrages tels que celui-ci peuvent être d'une utilité extrême, j'entens lorsqu'ils sont écrits par
90 une personne d'honneur et de bon sens. Chaque fait qu'on y rapporte est un degré de lumiere * et une instruction qui supplée à l'experience; chaque avanture est un modele d'après lequel on peut se former; il n'y manque que d'être ajusté aux circonstances où l'on se trouve. L'ouvrage tout entier est un traité de morale reduit agréablement en exercice.

Un lecteur sévére s'offencera peut-être de me voir reprendre la plume à mon âge, pour écrire des avantures de fortune et d'amour : mais si la réflexion que je
100 viens de faire est juste, elle me justifie; si elle est fausse, mon erreur sera du moins mon excuse.

moins, lorsqu'ils — 91 lumiere, une — 101 sera mon

MEMOIRES

D'un homme de Qualité qui s'est retiré du monde.

HISTOIRE

Du Chevalier des Grieux & de Manon Lescaut.

LIVRE PREMIER.

Je suis obligé de faire rémonter mon Lecteur au tems de ma vie où je rencontrai pour la prémiere fois le Chevalier Des Grieux. Ce fut environ cinq ou six mois avant mon départ pour l'Espagne. Quoique je sortisse rarement de ma solitude, la complaisance que j'avois pour ma fille m'engageoit quelquefois à divers petits voyages, que j'abregeois autant qu'il m'étoit possible. Je revenois un jour de Roüen où elle m'avoit prié d'aller solliciter un affaire qui pendoit au Parlement,
10 pour la succession de quelques terres auxquelles elle prétendoit du côté de mon grand-pére maternel. Ayant repris mon chemin par Evreux où je couchai la premiere nuit, j'arrivai le lendemain pour dîner à Passy * qui en est éloigné de cinq ou six lieuës. Je fus surpris en entrant dans ce Bourg d'y voir tous les habitans en allarme.

4 environ six — 11 je lui avois laissé des prétentions du — 17 d'une

Ils se précipitoient de leurs maisons pour courir en foule à la porte d'un mauvais cabaret, au devant duquel étoient deux chariots couverts. Les chevaux qui étoient encore attelez et qui paroissoient tout fumans de
20 fatigue & de chaleur, marquoient que ces deux voitures ne faisoient qu'arriver. Je m'arrêtai un moment pour m'informer d'où venoit l'émotion; mais je tirai peu d'éclaircissement d'une populace curieuse, qui ne faisoit nulle attention à mes demandes, et qui s'avançoit toujours vers le cabaret, en se poussant avec beaucoup de confusion. Enfin un Archer * revêtu d'une bandouliere * et le mousquet sur l'épaule, ayant paru à la porte, je lui fis signe de la main de venir à moi. Je le priai de m'apprendre le sujet de ce tumulte. Ce n'est rien, Mon-
30 sieur, me dit-il, c'est une douzaine de filles de joye que je conduis avec mes compagnons jusqu'au Havre de Grace, où nous les ferons embarquer pour l'Amerique *. Il y en a quelques-unes de jolies, et c'est apparemment ce qui excite la curiosité de ces bons Paysans. J'aurois passé outre après cette explication, si je n'eusse été arrêté par les exclamations d'une vieille femme qui sortoit du cabaret en joignant les mains, et en criant que c'étoit une chose barbare, une chose qui faisoit horreur et compassion. De quoi s'agit il donc, lui dis-je ? Ah !
40 Monsieur, entrez, répondit-elle, et voyez, si ce spectacle n'est pas capable de fendre le cœur. La curiosité me fit descendre de mon cheval que je laissai à mon valet, et étant entré avec peine en perçant la foule, je vis en effet quelque chose d'assez touchant *. Parmi les douze filles * qui étoient enchaînées six à six par le milieu du corps *, il y en avoit une dont l'air et la figure étoient si peu conformes à sa condition, qu'en tout autre état

mauvaise Hôtellerie, devant laquelle — 22 le tumulte — 25 l'Hôtellerie, — 35 passé, après — 37 de l'Hôtellerie en — 42 mon Palfrenier.

je l'eusse prise pour une Princesse. Sa tristesse et la saleté de son linge et de ses habits l'enlaidissoient si peu, que sa vûë m'inspira du respect et de la pitié. Elle tâchoit néanmoins de se tourner autant que sa chaîne pouvoit le permettre, pour dérober son visage aux yeux des spectateurs. L'effort qu'elle faisoit pour se cacher étoit si naturel, qu'il paroissoit venir d'un sentiment de douceur et de modestie. Comme les six gardes qui accompagnoient cette malheureuse bande, étoient aussi dans la chambre, je pris le chef en particulier, et je lui demandai quelques lumieres sur le sort de cette belle fille. Il ne pût m'en donner que de fort générales. Nous l'avons tirée de l'Hôpital *, me dit-il, par ordre de Mr. le Lieutenant de Police *. Il n'y a pas d'apparence qu'elle y eût été renfermée pour ses bonnes actions. Je l'ai interrogée plusieurs fois sur la route, elle s'obstine à ne me rien répondre, mais quoique je n'aye point reçû ordre de la ménager plus que les autres, je ne laisse pas d'avoir quelques égards pour elle; parce qu'il me semble qu'elle vaut un peu mieux que ses compagnes. Voilà un jeune homme, ajoûta l'Archer, qui pourroit vous instruire mieux que moi sur son sujet. Il l'a suivie depuis Paris sans cesser presqu'un moment de pleurer *. Il faut que ce soit son frere ou son amant *. Je me tournai vers le coin de la chambre, où ce jeune homme étoit assis. Il paroissoit être dans une rêverie profonde. Je n'ai jamais vû de plus vive image de la douleur. Il étoit mis fort simplement; mais on distingue au premier coup d'œil une personne qui a de la naissance et de l'éducation. Je m'approchai de lui. Il se leva, et je découvris dans ses yeux, dans sa figure, et dans tous ses mouvemens un air si fin * et si noble, que je me sentis porté naturelle-

J'entrai avec — 48 pour une personne du premier rang. — 55 sentiment de modestie — 61 le Lieutenant Général de Police — 69 sur la cause de sa disgrace. — 73 paroissoit enseveli dans — 97 veulent pas

80 ment à lui vouloir du bien. Que je ne vous trouble point, lui dis-je, en m'asseyant auprès de lui. Voulez-vous bien satisfaire la curiosité que j'ai de connoître cette belle personne, qui ne me paroît point faite pour le triste état où je la vois ? Il me répondit honnêtement qu'il ne pouvoit m'apprendre qui elle étoit sans se faire connoître lui-même, et qu'il avoit de fortes raisons pour souhaiter de demeurer inconnu. Je puis vous dire néanmoins, ce que ces miserables n'ignorent point, continua-t-il en montrant les Archers; c'est que je
90 l'aime avec une passion si violente, qu'elle me rend le plus infortuné de tous les hommes. J'ai tout emploié à Paris pour obtenir sa liberté. Les sollicitations, l'adresse et la force m'ont été inutiles; j'ai pris le parti de la suivre, dût-elle aller au bout du monde. Je m'embarquerai avec elle. Je passerai en Amerique; mais ce qui est de la derniere inhumanité, c'est que ces lâches coquins, ajoûta-t-il, en parlant des Archers, ne veulent plus me permettre d'approcher d'elle. Mon dessein étoit de les attaquer à force ouverte à quelques lieuës
100 de Paris, je m'étois associé quatre hommes qui m'avoient promis leur secours pour une somme considerable. Les traitres m'ont laissé seul aux mains, et se sont enfuis avec mon argent. L'impossibilité de réüssir par la force m'a fait mettre les armes bas. J'ai proposé aux Archers de me permettre du moins de les suivre, en leur offrant de les recompenser. Le désir du gain les y a fait consentir. Ils ont voulu être payez chaque fois qu'ils m'ont accordé la liberté de parler à ma maitresse. Ma bourse s'est épuisée en peu de tems, et maintenant que je suis
110 sans un sou, ils ont la barbarie de me répousser brutalement, lorsque je fais un pas vers elle. Il n'y a qu'un moment qu'ayant ôsé m'en approcher malgré leurs

me — 99 attaquer ouvertement à — 102 et sont partis avec — 112 un

menaces, ils m'ont allongé deux ou trois grands coups du bout de leurs fusils. Je suis obligé pour satisfaire leur avarice et pour me mettre en état de continuer du moins la route à pied, de vendre ici un mauvais cheval qui m'a servi jusqu'à présent de monture.

Quoiqu'il parût faire ce recit assez tranquillement, il laissa tomber quelques larmes en le finissant. Cette avanture me parût des plus extraordinaires et des plus touchantes. Je ne vous presse pas, lui dis-je, de me découvrir le secret de vos affaires, mais si je puis vous être utile à quelque chose, je m'offre volontiers à vous rendre service. Hélas ! réprit-il, je ne vois point le moindre jour à l'esperance, il faut que je me soumette à toute la rigueur de mon sort. J'irai en Amerique. J'y serai du moins libre avec ce * que j'aime. J'ai écrit à un de mes amis qui me fera tenir quelques secours au Havre de Grace. Je ne suis embarrassé que pour me conduire jusques là; et pour procurer à cette pauvre créature, ajouta-t-il en regardant tristement sa maîtresse, quelque soulagement sur la route. Hé ! bien, lui dis-je, je vais finir votre embarras. Voici quelque argent que je vous prie d'accepter. Je suis fâché de ne pouvoir vous servir autrement. Je lui donnai quatre louïs d'or, sans que les Gardes s'en apperçussent; car je jugeois bien que s'ils lui sçavoient cette somme, ils lui vendroient plus cherement leurs secours. Il me vint même à l'esprit de faire marché avec eux pour obtenir au jeune amant la liberté de parler continuellement à sa maitresse jusqu'au Havre. Je fis signe au chef de s'aprocher & je lui en fis la proposition. Il en parût honteux malgré son effronterie. Ce n'est pas, Monsieur, répondit-il d'un air embarrassé, que nous refusions de le laisser parler à cette fille ; mais il voudroit

instant, — 113 menaces, ils ont eu l'insolence de lever contre moi le bout du fusil — 116 de continuer la route à pied — 118 faire assez tranquillement ce récit, — 119 pour m'y conduire — 162 je ne fus point

sans cesse être auprès d'elle, cela nous est incommode, il est bien juste qu'il paye pour l'incommodité. Voyons donc, lui dis-je, ce qu'il faut vous donner pour vous empêcher de la sentir. Il eut l'audace de me demander deux louïs. Je les lui donnai sur le champ; mais
150 prenez garde, lui dis-je, qu'il ne vous échape quelque friponnerie; car je vais laisser mon adresse à ce jeune homme, afin qu'il puisse m'en informer, et comptez que j'aurai le pouvoir de vous faire punir. Il m'en coûta six Louïs d'or. La bonne grace et la vive reconnoissance avec laquelle ce jeune homme me remercia, acheverent de me persuader qu'il étoit né quelque chose, et qu'il méritoit ma liberalité. Je dis quelques mots à sa maitresse * avant que de sortir. Elle me répondit avec une modestie si douce *, et si charmante, que je ne pûs m'empêcher de
160 faire en sortant mille réflexions sur le caractere incomprehensible des femmes.

Étant retourné à ma solitude, je ne pûs être informé de la suite de cette avanture. Il se passa environ deux ans qui me la firent oublier tout-à-fait, jusqu'à ce que le hazard me fit renaître l'occasion d'en apprendre à fond toutes les circonstances. J'arrivois de Londres à Calais avec le Marquis de..., * mon Eleve. Nous logeâmes, si je me souviens bien, au Lyon d'or, où quelques raisons nous obligerent de passer le jour entier, et
170 la nuit suivante. En marchant l'après midi dans les ruës, je crus appercevoir ce même jeune homme dont j'avois fait la rencontre à Passy. Il étoit en fort mauvais équipage *, et beaucoup plus pâle que je ne l'avois vû la premiere fois. Il portoit sur le bras un vieux portemanteau *, ne faisant qu'arriver dans la ville. Cependant comme il avoit la phisionomie * trop belle et trop frapante pour n'être pas reconnu facilement, je le

informé — 164 près de deux ans qui — 168 si je m'en souviens — 177 belle pour n'être — 191 ordonnai qu'on — 208 récit, auquel

remis aussitôt. Il faut, dis-je au Marquis, que nous abordions ce jeune homme. Sa joye fut plus vive que toute expression lors qu'il m'eut remis à son tour. Ah ! Monsieur, s'écria-t-il en me baisant la main *, je puis donc encore une fois vous marquer mon immortelle reconnoissance. Je lui demandai d'où il venoit. Il me répondit en deux mots qu'il arrivoit par mer du Havre de Grace où il étoit revenu d'Amerique peu auparavant. Vous ne me paroissez pas fort bien en argent, lui dis-je, allez vous en au Lyon d'or où je suis logé. Je vous rejoindrai dans un moment. J'y retournai en effet peu après, plein d'impatience d'apprendre le détail de son infortune, et les circonstances de son voyage d'Amerique. Je lui fis mille caresses *, & j'ordonnai dans l'auberge qu'on ne le laissât manquer de rien. Il n'attendit point que je le pressasse de me raconter l'histoire de sa vie. Mr., me dit-il, étant dans ma chambre, vous en usez si noblement avec moi que je me reprocherois comme une basse ingratitude d'avoir quelque chose de reservé pour vous. Je veux vous apprendre non seulement mes malheurs, et mes peines, mais encore mes desordres, et mes plus honteuses foiblesses. Je suis sûr qu'en me condamnant, vous ne pourrez pas vous empêcher de me plaindre.

Je dois avertir ici le Lecteur que j'écrivis son histoire presqu'aussi-tôt après l'avoir entenduë, et qu'on peut s'assurer par conséquent, que rien n'est plus exact et plus fidele que cette narration. Je dis fidele jusques dans la rélation des réflexions et des sentimens que le jeune Avanturier * exprimoit de la meilleure grace du monde. Voici donc son recit. Je n'y mêlerai jusqu'à la fin rien qui ne soit de lui.

J'avois dix-sept ans, et j'achevois mes études de Philosophie * à Amiens où mes parens qui sont d'une des meilleures maisons de P... * m'avoient envoié. Je

menois une vie si sage et si réglée, que mes maitres me proposoient pour l'exemple du College. Ce n'est pas que je fisse des efforts extraordinaires pour mériter cette qualité; mais j'ai l'humeur naturellement douce et tranquille, je m'appliquois à l'étude par inclination, et l'on me comptoit pour des vertus ce qui n'étoit qu'une exemption de vices grossiers. Ma naissance, le succès de mes
220 études, et quelques bonnes qualitez naturelles m'avoient fait connoître et estimer de tous les honnêtes gens * de la ville. Je me tirai de mes exercices publics * avec une approbation si générale, que Mr. * l'Evêque qui y assistoit me proposa d'entrer dans l'état Ecclesiastique, où je ne manquerois pas, disoit-il, de mattirer plus de distinction que dans l'ordre de Malte *, auquel mes parens me destinoient. Ils me faisoient déja porter la croix avec le nom de Chevalier Des Grieux *. Les vacances arrivant, je me préparois à retourner chez mon pére, qui
230 m'avoit promis de m'envoyer bientôt à l'Académie *. Tout mon regret en quittant Amiens, étoit d'y laisser un ami avec lequel j'avois toujours été tendrement uni. Il étoit de quelques années plus âgé que moi. Nous avions été élevez ensemble, mais le bien de sa maison étant des plus médiocres, il étoit obligé de prendre l'état Ecclésiastique, et il démeuroit à Amiens après moi, pour y faire les études qui conviennent à cette profession. Il avoit mille bonnes qualitez. Vous le connoîtrez par les meilleures dans la suite de mon histoire, et sur tout
240 par un zéle et une générosité en amitié qui surpassent les exemples les plus célébres de l'antiquité. Si j'eusse alors suivi ses conseils, j'aurois toujours été sage et heureux; si j'avois du moins profité de ses secours

je ne mêlerai — 215 . Non que je — 218 vertus quelques marques d'aversion naturelle pour le vice. — 220 quelques agrémens extérieurs m' — 222 J'achevai mes — 223 Monsieur l'Evêque — 231 . Mon seul regret — 236 et de demeurer — 243 ses reproches dans —

dans le précipice où mes passions m'ont entrainé, j'aurois sauvé quelque chose du naufrage de ma fortune et de ma réputation : mais il n'a point recueilli d'autre fruit de ses soins que le chagrin de les voir inutiles, et quelquefois durement recompensez par un ingrat qui qui s'en offençoit, et qui les traitoit d'importunitez.

250 J'avois marqué le tems de mon départ d'Amiens. Helas ! que ne le marquois-je un jour plus tôt ! J'aurois porté chez mon pére toute mon innocence. La veille même de celui que je pensois quitter cette ville étant à me promener avec mon ami, qui s'appeloit Tiberge *, nous vimes arriver le Coche * d'Arras, et nous le suivimes par curiosité jusqu'à l'auberge où ces voitures descendent. Nous n'avions point d'autre dessein que de sçavoir de quelles personnes il étoit rempli. Il en sortit quelques femmes qui se retirerent aussitôt; il n'en resta 260 qu'une, fort jeune, qui s'arrêta seule dans la cour; pendant qu'un homme d'un âge avancé qui paroissoit lui servir de conducteur s'empressoit pour faire tirer son équipage des paniers. Elle étoit si charmante *, que moi, qui n'avois jamais pensé à la difference des sexes, et à qui il n'étoit peut-être jamais arrivé de regarder une fille pendant une minute, moi dis-je, dont tout le monde admiroit la sagesse et la retenuë, je me trouvai enflamé tout d'un coup, jusqu'au transport et à la folie. J'avois le défaut naturel d'être excessivement 270 timide et facile à déconcerter, mais loin d'être arrêté alors par cette foiblesse, je m'avançai vers la maitresse de mon cœur. Quoiqu'elle fût encore moins âgée que moi, elle reçût le compliment honnête que je lui fis, sans paroître embarrassée. Je lui demandai ce qui l'amenoit

253 que je devois quitter — 256 suivîmes jusqu'à l'Hôtellerie — 256 autre motif que la curiosité. — 259 resta une — 263 Elle me parut si — 265 sexes, ni regardé une fille avec un peu d'attention ; moi — 268 jusqu'au transport. — 269 défaut d'être — 273 reçut

à Amiens, et si elle y avoit quelques personnes de connoissance. Elle me répondit ingenuëment qu'elle y étoit envoyée par ses parens pour être Religieuse. L'amour me rendoit déja si éclairé depuis un moment qu'il étoit dans mon cœur, que je regardai ce dessein
280 comme un coup mortel pour mes désirs. Je lui parlai d'une maniere qui lui fit comprendre mes sentimens, car elle étoit bien plus experimentée que moi; c'étoit malgré elle qu'on l'envoioit au Couvent *, et pour arrêter sans doute son penchant au plaisir, qui s'étoit déja déclaré *, et qui a causé dans la suite tous ses malheurs et les miens. Je combattis la cruelle intention de ses parens par toutes les raisons que mon amour naissant et mon éloquence scholastique purent me suggerer. Elle n'affecta ni rigueur, ni dédain. Elle me dit après un
290 moment de silence, qu'elle ne prévoyoit que trop qu'elle alloit être malheureuse, mais que c'étoit apparemment la volonté du Ciel, puis qu'il ne lui laissoit nul moyen de l'éviter. La douceur de ses regards, un air * charmant de tristesse en prononçant ces paroles, ou plutôt l'ascendant * de ma destinée qui m'entraînoit à ma perte, ne me permirent pas de balancer un moment sur ma réponse. Je l'assurai que si elle vouloit faire quelque fond sur mon honneur, et sur la tendresse * infinie qu'elle m'avoit déja inspirée, j'emploirois ma
300 vie pour la délivrer de la tyrannie de ses parens, et pour la rendre heureuse. Je me suis étonné mille fois, en y réflechissant depuis, d'où me venoit alors tant de hardiesse et de facilité à m'exprimer; mais on ne feroit pas une divinité de l'amour, s'il n'étoit accoûtumé à operer des prodiges. J'ajoûtai mille choses pressantes. Ma belle inconnuë sçavoit bien qu'on n'est point trompeur à

mes politesses, sans — 299 elle m'inspiroit déjà, — 302 : réfléchissant, d'où — 304 s'il n'opéroit souvent des — 314 secours

mon âge. Elle me confessa que si je voyois quelque jour à la pouvoir mettre en liberté, elle croiroit m'être redevable de quelque chose de plus cher que la vie. Je
310 lui répetai que j'étois prêt à tout entreprendre; mais n'ayant point assez d'experience pour imaginer tout d'un coup les moïens de la servir, je m'en tenois à cette assurance générale qui ne pouvoit être d'un grand secours pour elle. Son vieil Argus étant venu pendant ce tems-là nous rejoindre, mes esperances alloient échouër, si elle n'eût eû assez d'esprit pour suppléer à la sterilité du mien. Je fus surpris à l'arrivée de son conducteur qu'elle m'appella son cousin, et que sans paroître deconcertée le moins du monde, elle me dit que
320 •puisquelle étoit assez heureuse pour me rencontrer à Amiens, elle remettoit au lendemain son entrée dans le Couvent, afin de se procurer le plaisir de souper avec moi. J'entrai fort bien dans le sens de cette ruse. Je lui proposai de se loger dans un cabaret, dont l'hôte qui s'étoit établi à Amiens, après avoir été longtems cocher de mon pére, étoit dévoüé entierement à mes ordres. Je l'y conduisis moi-même, tandis que le vieux Conducteur paroissoit un peu murmurer, et que mon ami Tiberge, qui ne comprenoit rien à cette scene me suivoit sans
330 prononcer une parole. Il n'avoit point entendu notre entretien, s'étant promené dans la cour, pendant que je parlois d'amour à ma belle maitresse. Comme je rédoutois sa sagesse je me défis de lui sous prétexte d'une commission, dont je le priai de se charger; desorte qu'étant arrivé à l'auberge, j'eus le plaisir d'entretenir seul dans une chambre la souveraine de mon cœur. Je reconnus bientôt que j'étois moins enfant que je ne croïois

pour elle et pour moi. — 315 venu nous rejoindre — 324 dans une Hôtellerie, dont le Maître, qui — 331 entretien. Il étoit demeuré à se promener dans — 335 charger. Ainsi j'eus le plaisir en arrivant à l'Auberge, d'entretenir seule la — 337 ne le croyois.

l'être. Mon cœur s'ouvrit à mille sentimens de plaisir, dont je n'avois jamais eu l'idée. Une douce chaleur se
340 répandit dans toutes mes veines. J'étois dans une espece de transport qui m'ôta pour quelque tems la liberté de la voix, et qui ne s'exprimoit que par mes yeux. Mademoiselle Manon * Lescaut, c'est ainsi qu'elle me dit qu'on la nommoit, parût fort satisfaite de cet effet de ses charmes *, je crus appercevoir qu'elle n'étoit pas moins emuë que moi. Elle me confessa qu'elle me trouvoit aimable, et qu'elle seroit ravie de m'avoir l'obligation de sa liberté. Elle voulut sçavoir qui j'étois, et cette connoissance augmenta son affection; parce que n'étant point
350 de qualité *, quoique d'assez bonne naissance *, elle se trouva flattée d'avoir fait la conquête d'un amant tel que moi *. Nous nous entretinmes des moïens d'être l'un à l'autre. Après quantité de réflexions nous ne trouvâmes point d'autre voye que celle de la fuite. Il falloit tromper la vigilance du Conducteur qui étoit un homme à ménager, quoiqu'il ne fût qu'un domestique *. Nous réglames que je ferois préparer pendant la nuit une chaise de poste *, et que je viendrois de grand matin à l'auberge, avant qu'il fût éveillé; que nous nous déroberions
360 secretement, et que nous irions droit à Paris, où nous nous ferions marier en arrivant. J'avois environ cinquante écus qui étoient le fruit de mes petites épargnes; elle en avoit à peu près le double. Nous nous imaginâmes comme des enfans sans experience, que cette somme ne finiroit jamais, et nous ne comptâmes pas moins sur le succès de nos autres arrangemens.

Après avoir soupé avec plus de satisfaction que je n'en ai jamais ressenti, je me retirai pour exécuter notre projet. Cela me fut d'autant plus facle qu'ayant eû

— 350 parce qu'étant d'une naissance commune, elle — 358 je reviendrois — 365 autres mesures. — 368 n'en avois — 369. Mes

370 dessein de retourner le lendemain chez mon pére, mon petit équipage étoit déja préparé. Je n'eus donc nulle peine à faire transporter ma malle, et à faire tenir une chaise prête pour cinq heures du matin, qui étoit le tems où les portes de la ville devoient être ouvertes. Mais je trouvai un obstacle, dont je ne me défiois point, et qui faillit à rompre entierement mon dessein.

Tiberge, quoiqu'âgé seulement de trois ans plus que moi, étoit un garçon d'un sens mûr, et d'une conduite fort reglée. Il m'aimoit avec une tendresse extraordinaire. 380 La vûë d'une aussi jolie * fille que Mademoiselle Manon, mon empressement à la conduire, et le soin que j'avois eû de me défaire de lui en l'éloignant, lui firent naître quelques soubçons de mon amour. Il n'avoit ôsé revenir à l'auberge où il m'avoit laissé, depeur de m'offencer par son retour, mais il étoit allé m'attendre à mon logis, où je le trouvai en arrivant, quoiqu'il fût neuf heures du soir. Sa présence me chagrina. Il s'apperçut facilement de la contrainte où elle me mettoit. Je suis sûr, me dit-il, sans déguisement, que vous 390 méditez quelque dessein que vous me voulez cacher; je le vois à votre air. Je lui répondis assez brusquement que je n'étois pas obligé à lui rendre compte de tous mes desseins. Non, reprit-il, mais vous m'avez toujours traité en ami, et cette qualité suppose un peu de confiance, et d'ouverture. Il me pressa si fort et si longtems de lui découvrir mon secret, que n'ayant jamais eu de réserve avec lui, je lui fis l'entiere confidence de ma passion. Il la reçut avec une apparence de mecontentement qui me fit fremir. Je me répentis surtout de l'in-400 discretion, avec laquelle je lui avois découvert le dessein de ma fuite. Il me dit, qu'il étoit trop parfaitement mon

arrangemens furent d'autant plus faciles — 373 qui étoient le — 376 faillit de rompre — 387 dix heures — 388 qu'elle me causoit — 400 et qui finit encore par la menace — 437 a toujours été — 449 . Nos

ami pour ne pas s'y opposer de tout son pouvoir ; qu'il vouloit me représenter d'abord tout ce qu'il croïoit capable de m'en détourner, mais que si je ne renonçois point ensuite à cette miserable résolution, il avertiroit des personnes qui pourroient l'arrêter à coup sûr. Il me tint là-dessus un discours sérieux qui dura plus d'un quart d'heure, et il finit en renouvellant la menace qu'il m'avoit faite de me dénoncer, si je ne lui donnois ma
410 parole de me conduire avec plus de sagesse, et de raison. J'étois au désespoir de m'être trahi si mal à propos. Cependant l'amour m'ayant ouvert extrêmement l'esprit depuis deux ou trois heures, je fis attention que je ne lui avois pas découvert que mon dessein devoit s'exécuter le lendemain, et je résolus de le tromper à la faveur d'une équivoque *. Tiberge, lui dis-je, j'ai crû jusqu'à présent que vous étiez mon ami, et j'ai voulû vous éprouver par cette confidence. Il est vrai que j'aime, je ne vous ai pas trompé, mais pour ce qui régarde ma
420 fuite, ce n'est point une entreprise à former au hazard. Venez me prendre demain à neuf heures, je vous ferai voir s'il se peut ma maitresse, et vous jugerez si elle mérite que je fasse cette démarche pour elle. Il me laissa seul après mille protestations d'amitié. J'employai la nuit à mettre ordre à mes affaires, et m'étant rendu à l'auberge de Mademoiselle Manon, vers la pointe du jour, je la trouvai qui m'attendoit. Elle étoit à sa fenêtre, qui donnoit sur la ruë; de sorte que m'ayant apperçu, elle vint m'ouvrir elle-même. Nous sortimes sans bruit.
430 Elle n'avoit point d'autre équipage à emporter que son linge dont je me chargeai même. La chaise * étoit en état de partir. Nous nous éloignâmes aussi-tôt de ville. Je rapporterai dans la suite quelle fut la conduite de Tiberge, lorsqu'il s'apperçût que je l'avois trompé. Son zèle n'en devint pas moins ardent. Vous verrez à quel excès il le poussa, et combien je dévrois

verser de larmes, en songeant quelle en a été la récompense.

Nous nous hâtames tellement d'avancer que nous
440 arrivâmes à St. Denis avant la nuit *. J'avois couru à cheval à côté de la chaise, ce qui ne nous avoit gueres permis de nous entretenir qu'en changeant de chevaux; mais lorsque nous nous vimes si proche de Paris, c'est-à-dire presqu'en sureté ; nous primes le tems de nous rafraichir, n'ayant rien mangé depuis notre départ d'Amiens. Quelque passionné que je fusse pour Manon, elle sçût me persuader qu'elle ne l'étoit pas moins pour moi. Nous étions si peu reservez dans nos caresses que nous n'avions pas la patience d'attendre que nous fussions
450 seuls. Nos hôtes et nos Postillons nous régardoient avec admiration et je rémarquois qu'ils étoient surpris de voir deux enfans de nôtre âge qui paroissoient s'aimer jusqu'à la fureur. Nos projets de mariage furent oubliez à St. Denis. Nous fraudâmes les droits de l'Eglise, et nous nous trouvâmes Epoux sans y avoir fait réflexion. Il est sûr que du naturel tendre * et constant dont je suis, j'étois heureux pour toute ma vie, si Manon m'eût été fidèle. Plus je la connoissois, plus je découvrois en elle de nouvelles qualitez aimables. Son esprit,
460 son cœur, sa douceur et sa beauté, formoient une chaîne si forte et si charmante que j'avois mis tout mon bonheur à n'en sortir jamais. Terrible changement ! Ce qui fait mon désespoir auroit pû faire ma félicité. Je me trouve le plus malheureux de tous les hommes par cette même constance dont je devois attendre le plus doux de tous les sorts, et les plus parfaites recompenses de l'amour.

Nous primes un appartement meublé à Paris. Ce fut dans la ruë V... * et pour mon malheur auprès de la

postillons et nos Hôtes — 461 que j'aurois mis — 463 a pu faire —

470 maison de Mr. B... * le célèbre Fermier général... * Trois semaines se passerent, pendant lesquelles j'avois été si occupé de ma passion que j'avois peu songé à ma famille, et au chagrin que mon pére avoit dû ressentir de mon absence. Cependant, comme la débauche n'avoit nulle part à ma conduite, et que Manon se comportoit aussi avec beaucoup de retenuë, la tranquilité où nous vivions servit à me faire rappeller peu à peu l'idée de mon dévoir. Je résolus de me reconcilier s'il étoit possible avec mon pére. Ma maîtresse étoit si aimable
480 que je ne doutai point qu'elle ne pût lui plaire si je trouvois moyen de lui faire connoître sa sagesse, et son mérite. En un mot, je me flattai d'obtenir de lui la liberté de l'épouser, ayant été desabusé de l'esperance de le pouvoir sans son consentement. Je communiquai ce projet à Manon, et je lui fis entendre qu'outre les motifs de l'amour, et du devoir, celui de la nécessité pouvoit y entrer aussi pour quelque chose, car nos fonds étoient extremement alterez, et je commençois à revenir de l'opinion qu'ils étoient inepuisables. Manon
490 reçût froidement cette proposition. Cependant les difficultez qu'elle y opposa n'étant prises que de sa tendresse même, et de la crainte de me perdre, si mon pére n'entroit point dans notre dessein après avoir connu le lieu de notre retraite, je n'eus pas le moindre soubçon du coup cruel qu'on se préparoit à me porter. A l'objection de la nécessité, elle répondit qu'il nous restoit encore de quoi vivre quelques semaines, et qu'elle trouveroit après cela des ressources dans l'affection de quelques parens à qui elle écriroit en Province.
500 Elle adoucit son refus par des caresses si tendres et si passionnées, que moi qui ne vivois que dans * elle, et qui n'avois pas la moindre défiance de son cœur, j'applaudis

472 si rempli de — 539 près d'une — 540 sur mes — 545 Manon

à toutes ses réponses et à toutes ses résolutions. Je lui avois laissé la disposition de notre bourse, et le soin de païer notre dépense ordinaire. Je m'apperçus peu après que notre table étoit mieux servie; et qu'elle s'étoit donné quelques ajustemens * d'un prix considérable. Comme je n'ignorois pas qu'il dévoit nous rester à peine douze ou quinze pistoles, je lui marquai mon étonnement de cette augmentation apparente de notre opulence. Elle me pria en riant d'être sans embarras. Ne vous ai-je pas promis, me dit-elle, que je trouverois des ressources ? Je l'aimois avec trop de simplicité pour m'allarmer facilement.

Un jour que j'étois sorti l'après midi, et que je l'avois avertie que je serois dehors plus longtems qu'à l'ordinaire, je fus étonné qu'à mon retour, on me fit attendre deux ou trois minutes à la porte. Nous étions servis par une petite fille * qui étoit à peu près de notre âge. Étant venuë m'ouvrir je lui démandai pourquoi elle avoit tardé si longtems. Elle me répondit d'un air embarrassé, qu'elle ne m'avoit point entendu frapper. Je n'avois frappé qu'une fois; je lui dis : mais si vous ne m'avez pas entendu, pourquoi étes-vous donc venuë m'ouvrir ? Cette question la déconcerta tellement, que n'ayant point assez de présence d'esprit pour y répondre, elle se mit à pleurer, en m'assurant que ce n'étoit point sa faute, et que Madame lui avoit défendu d'ouvrir la porte jusqu'à ce que Mr. de B... fût sorti par l'autre escalier qui répondoit au cabinet. Je demeurai si confus que je n'eus point la force d'entrer dans l'appartement. Je pris le parti de descendre sous prétexte d'une affaire, et j'ordonnai à cet enfant de dire à sa maitresse que je retournerois dans le moment, et de ne pas faire connoître qu'elle m'eût parlé de Mr. B...

Ma consternation fut si grande que je versois des larmes en déscendant l'escalier, sans sçavoir encore de

quel sentiment elles partoient. J'entrai dans le prémier caffé *; et m'y étant assis auprès d'une table, j'appuyai
540 la tête sur les deux mains, pour y déveloper ce qui se passoit dans mon cœur. Je n'osois rappeller ce que je venois d'entendre. Je voulois le considerer comme une illusion, et je fus prêt deux ou trois fois de rétourner au logis, sans marquer que j'y eusse fait attention. Il me paroissoit si impossible que Manon pût me trahir, que je craignois de lui faire injure en la soubçonnant. Je l'adorois, cela étoit sûr; je ne lui avois pas donné plus de preuves d'amour, que je n'en avois reçu d'elle; pourquoi l'aurois-je accusée d'être moins sincere et
550 moins constante que moi ? quelle raison auroit-elle eu de me tromper ! Il n'y avoit que trois heures qu'elle m'avoit accablé de ses plus tendres caresses, et qu'elle avoit reçû les miennes avec transport *; je ne connoissois pas mieux mon cœur que le sien. Non, non, répris-je, il n'est pas possible que Manon me trahisse. Elle n'ignore pas que je ne vis que pour elle. Elle sçait trop bien que je l'adore *. Ce n'est pas-là un sujet de me haïr.

Cependant j'étois embarrassé à expliquer la visite et la sortie furtive de Mr. B... Je rappellois aussi les
560 petites acquisitions de Manon, qui me sembloient surpasser nos richesses présentes. Cela paroissoit sentir les liberalitez d'un nouvel amant. Et cette confiance qu'elle m'avoit marquée pour des ressources qui m'étoient inconnuës; j'avois peine à donner à tout cela un sens aussi favorable que mon cœur le souhaitoit. D'un autre côté, je ne l'avois presque pas perdüe de vûë, depuis que nous étions à Paris : occupations, promenades, divertissemens, nous avions toujours été l'un à côté de l'autre; mon Dieu ! un instant de séparation nous auroit

m'eut trahi, — 559 Cependant la visite et la sortie furtive de M. de B., me causoient de l'embarras. Je — 565 donner à tant d'énigmes, un

570 causé sûrement trop de peine. Il falloit nous dire sans cesse que nous nous aimions, nous serions morts d'inquietude sans cela. Je ne pouvois donc m'imaginer presqu'un seul moment, où Manon eût pû s'occuper d'un autre que de moi. A la fin je crus avoir trouvé le dénouëment de ce mistere. Mr. B... disois-je en moi-même, est un homme qui fait de grosses affaires, et qui a de grandes rélations; les parens de Manon se sont sans doute servis de cet homme pour lui faire tenir quelque argent. Elle en a peut-être déjà reçû de lui, et il est venu aujourd'hui 580 lui en apporter encore. Elle s'est fait un jeu de me le cacher pour me surprendre agréablement. Peut-être m'en auroit-elle parlé si j'étois rentré à mon ordinaire au lieu de venir m'affliger ici. Elle ne me le cachera pas du moins, lorsque je lui en parlerai moi-même.

Je me remplis si fortement de cette opinion, qu'elle eut la force de diminuer beaucoup ma tristesse. Je retournai sur le champ au logis. J'embrassai tendrement Manon à mon ordinaire. Elle me reçût fort bien. J'étois tenté d'abord de découvrir mes conjectures, que je 590 régardois plus que jamais comme certaines; je me retins dans l'esperance qu'il lui arriveroit peut-être de me prévenir en m'apprenant tout ce qui s'étoit passé. On nous servit à souper. Je me mis à table avec un air fort gaï; mais à la lumiere de la chandelle qui étoit entre nous deux, je crus appercevoir de la tristesse sur le visage, et dans les yeux de ma chere maitresse. Cette pensée m'en inspira aussi. Je remarquai que ses régards s'attachoient sur moi, d'une autre façon qu'ils n'avoient accoûtumé. Je ne pouvois démêler si c'étoit de l'amour, 600 ou de la compassion ; quoiqu'il me parût que c'étoit un sentiment doux et languissant. Je la régardai avec

— 570 nous auroit trop affligés — 573 Manon pût s'être occupée d'un — 575 dis-je en — 582 à l'ordinaire — 583 ici m'affliger. — 588 avec ma tendresse ordinaire — 595 entre elle et moi — 620 , qu'elle ferma

la même attention; et peut-être n'avoit-elle pas moins de peine à juger de la situation de mon cœur par mes regards. Nous ne pensions, ni à parler ni à manger. Enfin, je vis tomber des larmes de ses beaux yeux : perfides larmes ! ah Dieux ! m'écriai-je, vous pleurez, ma chere Manon; vous êtes affligée jusqu'à pleurer, et vous ne me dites pas un seul mot de vos peines. Elle ne me répondit que par quelques soupirs, qui augmen-
610 terent mon inquiétude. Je me levai en tremblant. Je la conjurai avec tous les empressemens de l'amour de me découvrir le sujet de ses pleurs; j'en versai moi-même, en essuiant les siennes; j'étois plus mort que vif. Un barbare auroit été attendri des témoignages de ma douleur, et de ma crainte. Dans le tems que j'étois ainsi tout occupé d'elle, j'entendis le bruit de plusieurs personnes qui montoient l'escalier. On frappa doucement à notre porte. Manon me donna un baiser, et s'échapant de mes bras, elle entra rapidement dans le cabinet *,
620 dont elle ferma la porte après elle. Je me figurai qu'étant un peu en desordre, elle vouloit se cacher aux yeux des étrangers qui avoient frappé. J'allai leur ouvrir moi-même. A peine avois-je ouvert que je me vis saisir par trois hommes que je reconnus aussi-tôt pour les laquais de mon pére. Ils ne me firent point de violence; mais deux d'entr'eux m'ayant pris par les bras, le troisieme visita mes poches dont il tira un petit coûteau qui étoit le seul fer que j'eusse sur moi. Ils me démanderent pardon de la nécessité où ils étoient de me manquer ainsi de
630 respect, et ils me dirent naturellement qu'ils agissoient par l'ordre de mon pére, et que mon frere aîné m'attendoit en bas dans un carrosse. J'étois si troublé que je me laissai conduire sans resister et sans répondre. Mon frere étoit effectivement à m'attendre. On me mit dans

aussitôt sur elle — 624 reconnus pour — 630 respect; ils —

le carrosse * auprés de lui, et le cocher qui avoit ses ordres nous conduisit à grand train jusqu'à St. Denis. Mon frere m'embrassa tendrement; mais il ne me parla point; desorte que j'eus tout le loisir dont j'avois besoin pour réver à mon infortune.

640 J'y trouvai d'abord tant d'obscurité que je ne voïois pas de jour à la moindre conjecture. J'étois trahi cruellement ; mais par qui ? Tiberge fut le prémier qui me vint à l'esprit. Traître ! disois-je, c'est fait de ta vie, si mes soubçons se trouvent justes. Cependant je fis réflexion qu'il ignoroit le lieu de ma demeure, et qu'on ne pouvoit par conséquent l'avoir appris de lui. Accuser Manon, c'est dequoi mon cœur n'osoit se rendre coupable. Cette tristesse extraordinaire dont je l'avois vûë comme accablée, ses larmes, le tendre baiser qu'elle 650 m'avoit donné en se retirant, me paroissoient bien un énigme; mais je me sentois porté à l'expliquer comme un pressentiment de notre malheur commun, et dans le tems que je me désesperois de l'accident qui m'arrachoit à elle, j'avois la crédulité de m'imaginer qu'elle étoit encore plus à plaindre que moi. Le résultat de ma méditation fut de me persuader que j'avois été apperçû dans les ruës de Paris par quelques personnes de connoissance, qui en avoient donné avis à mon pére. Cette pensée me consola. Je comptois d'en être quitte pour 660 des réproches ou pour quelques mauvais traitemens qu'il me faudroit essuier de l'autorité paternelle. Je résolus de les souffrir avec patience, et de promettre tout ce qu'on exigeroit de moi, pour me faciliter l'occasion de rétourner plus promptement à Paris et d'aller rendre la vie et la joye à ma chere Manon.

Nous arrivâmes en peu de tems à St. Denis. Mon frere surpris de mon silence, s'imagina qu'il étoit un effet de ma crainte. Il entreprit de me consoler en m'assurant que je n'avois rien à apprehender de la severité

670 de mon pére, pourvû que je fusse disposé à rentrer doucement dans le devoir, et à mériter l'affection qu'il avoit pour moi. Il me fit passer la nuit à St. Denis, avec la précaution de faire coucher les trois laquais dans ma chambre. Ce qui me causa une peine sensible fut de me voir dans le même cabaret où je m'étois arrêté avec Manon en venant d'Amiens à Paris. L'hôte, et les domestiques me reconnurent et devinerent en même tems la verité de mon histoire. J'entendis dire à l'hôte : Ha, c'est ce joli * Monsieur qui passoit il y a un mois avec
680 une petite Demoiselle qu'il aimoit si fort. Mon Dieu ! qu'elle étoit charmante ! les pauvres enfans comme ils se baisoient ! Pardi, c'est dommage, qu'on les ait séparez. Je faisois semblant de ne rien entendre, et je me laissois voir le moins qu'il m'étoit possible. Mon frere avoit à S. Denis une chaise à deux, dans laquelle nous partimes de grand matin, et nous nous rendimes chez nous le lendemain. Il vit mon pére avant moi pour le prévenir en ma faveur, en lui apprenant avec quelle douceur je m'étois laissé conduire; de sorte que j'en
690 fus reçû moins durement que je n'avois compté. Il se contenta de me faire quelques réproches généraux sur la faute que j'avois commise en m'absentant sans sa permission. Pour ce qui régardoit ma maitresse, il me dit que j'avois bien mérité ce qui venoit de m'arriver, en me livrant à une inconnuë; qu'il avoit eu meilleure opinion de ma prudence ; mais qu'il esperoit que cette petite avanture me rendroit plus sage. Je ne pris ces paroles que dans le sens qui s'accordoit avec mes idées. Je remerciai mon pére de la bonté qu'il avoit de me
700 pardonner, et je lui promis de prendre une conduite plus soumise, et plus reglée. Je triomphois au fond du cœur,

675 même Hôtellerie — 679 a six semaines, avec — 682 se caressoient ! — 683 Je feignois de — 690 que je ne m'y étois attendu. —

car de la maniere dont les choses s'arrangeoient, je ne doutois point que je n'eusse la liberté de me dérober de la maison, même avant la fin de la nuit. On se mit à la table pour souper; on me railla sur ma conquête d'Amiens et sur ma fuite avec cette fidelle maitresse. Je reçus les coups de bonne grace. J'étois même charmé qu'il me fût permis de m'entretenir de ce qui m'occupoit continuellement le cœur. Mais quelques mots lâchez
710 par mon pére me firent prêter l'oreille avec la derniere attention. Il parla de perfidie, et de service interessé rendu par Mr. B... Je demeurai interdit en lui entendant prononcer ce nom, et je le priai humblement de s'expliquer davantage. Il se tourna vers mon frere pour lui demander s'il ne m'avoit pas raconté toute l'histoire. Mon frere lui répondit, que je lui avois parû si tranquille sur la route, qu'il n'avoit pas crû que j'eusse besoin de ce remede pour me guérir de ma folie. Je rémarquai que mon pére balançoit s'il acheveroit de
720 s'expliquer. Je l'en suppliai si instamment qu'il me satisfit, ou plutôt qu'il m'assassina cruellement par le plus horrible de tous les recits.

Il me demanda d'abord si j'avois toujours eu la simplicité de croire que je fusse aimé de ma maitresse. Je lui dis hardiment que j'en étois si sûr, que rien ne pouvoit m'en donner la moindre défiance. Ha ha ha, s'écria-t-il en riant de toute sa force, cela est excellent. Tu es une jolie duppe, et j'aime à te voir dans ces sentimens-là. C'est grand dommage, mon pauvre Chevalier,
730 de te faire entrer dans l'Ordre de Malte, puisque tu as tant de disposition à faire un mari patient et commode. Il ajoûta mille railleries de cette force sur ce qu'il appelloit ma sottise et ma credulité. Enfin comme je demeurois dans le silence, il continua à me dire que suivant le

705 à table — 709 continuellement l'esprit. — 740 parfaite connoissance avec —

calcul qu'il pouvoit faire du tems depuis mon départ d'Amiens, Manon m'avoit aimé environ douze jours; car ajoûta-t-il, je sçais que tu partis d'Amiens le 28. de l'autre mois; nous sommes au 29. du présent; il y en a onze que Mr. B... m'a écrit; je suppose qu'il lui en
740 a fallû huit pour lier une parfaite amitié * avec ta maitresse; ainsi qui ôte onze et huit de trente un jours qu'il y a depuis le vingt-huit d'un mois jusqu'au 29. de l'autre, reste douze, un peu plus ou moins. Là-dessus les éclats de rire recommencerent. J'écoutois tout avec un saisissement de cœur, auquel j'apprehendois de ne pouvoir résister jusqu'à la fin de cette triste comedie. Tu sçauras donc, reprit mon pére, puisque tu l'ignores, que Mr. B... a gagné le cœur de ta Princesse; car il se moque de moi de prétendre me persuader que c'est
750 par un zéle desinteressé pour mon service qu'il a voulu te l'enlever. C'est bien d'un homme tel que lui, de qui d'ailleurs je ne suis pas connu, qu'il faut attendre des sentimens si nobles. Il a appris d'elle que tu es mon fils ; et pour se délivrer de tes importunitez, il m'a écrit le lieu de ta démeure et le desordre où tu vivois, en me faisant entendre qu'il falloit main forte pour s'assûrer de toi. Il s'est offert de me faciliter les moyens de te saisir au collet, et c'est par sa direction et celle de ta maitresse même, que ton frere a trouvé le moment de te prendre
760 sans verd. Félicite toi maintenant de la durée de ton triomphe. Tu sçais vaincre assez rapidement, Chevalier, mais tu ne sçais pas conserver tes conquêtes.

Je n'eus pas la force de soutenir plus longtems un discours, dont chaque mot m'avoit percé le cœur. Je me levai de table, et je n'avois pas fait quatre pas pour sortir de la salle que je tombai sur le plancher sans sentiment et sans connoissance. On me les rappella par de promts secours. J'ouvris les yeux pour verser un torrent de pleurs, et la bouche pour proferer les plaintes

770 les plus tristes, et les plus touchantes. Mon pére, qui m'a toujours aimé tendrement, s'emploïa avec toute son affection pour me consoler. Je l'écoutois, mais sans l'entendre. Je me jettai à ses genoux, je le conjurai en joignant les mains de me laisser rétourner à Paris pour aller poignarder B... Non, disois-je, il n'a pas gagné le cœur de Manon, il lui a fait violence, il l'a séduite par un charme ou un poison, il l'a peut-être forcée brutalement. Manon m'aime, ne le sçai-je pas bien ? il l'aura menacée le poignard à la main pour la contraindre à 780 m'abandonner. Que n'aura-t-il par fait pour me ravir une si charmante maitresse ! O Dieux ! Dieux ! seroit-il possible que Manon m'eût trahi et qu'elle eût cessé de m'aimer ! Comme je parlois toujours de retourner promptement à Paris, et que je me levois même à tous momens pour cela, mon pére vit bien que dans le transport où j'étois, rien ne seroit capable de m'arrêter. Il me conduisit dans une chambre haute où il laissa deux domestiques avec moi pour me garder à vûë. Je ne me possedois point. J'aurois donné mille vies pour être 790 seulement un quart d'heure à Paris. Je compris que m'étant declaré si ouvertement, on ne me permettroit pas aisément de sortir de ma chambre. Je mesurai des yeux la hauteur des fenêtres. Ne voïant nulle possibilité de m'échaper par là, je m'adressai doucement à mes deux domestiques. Je m'engageai par mille sermens à faire un jour leur fortune, s'ils vouloient consentir à mon évasion. Je les pressai, je les caressai, je les menaçai; mais cette tentative fut encore inutile. Je perdis alors toute esperance. Je resolus de mourir, et je me jettai 800 sur un lit avec le dessein de ne le quitter qu'avec la vie. Je passai la nuit et le jour suivant dans cette situation. Je réfusai la nourriture qu'on m'apporta le lendemain. Mon pére vint me voir l'après-midi. Il eût la bonté de flâter mes peines par les plus douces consolations. Il

m'ordonna si absolument de manger quelque chose, que je le fis par respect pour ses ordres. Quelques jours se passerent pendant lesquels je ne pris rien qu'en sa présence et pour lui obeïr. Il continuoit toujours à m'apporter les raisons qui pouvoient me ramener au
810 bon sens, et m'inspirer du mépris pour l'infidelle Manon. Il est certain que je ne l'estimois plus; comment aurois-je estimé la plus volage et la plus perfide de toutes les créatures ? mais son image, ses traits charmans que je portois au fond du cœur, y subsistoient toujours. Je me sentois bien. Je puis mourir, disois-je, je le devrois même après tant de honte et de douleur, mais je souffrirois mille morts sans pouvoir oublier l'ingrate Manon.

Mon pére étoit surpris de me voir toujours si fortement touché *. Il me connoissoit des principes d'hon-
820 neur, et ne pouvant douter que sa trahison ne me la fit mépriser, il s'imagina que ma constance venoit moins de cette passion en particulier que d'un penchant général pour les femmes. Il s'attacha tellement à cette pensée, que ne consultant que sa tendre affection, il vint un jour m'en faire l'ouverture. Chevalier, me dit-il, j'ai eû dessein jusqu'à présent de te faire porter la croix de Malte; mais je vois que tes inclinations ne sont point tournées de ce côté-là. Tu aimes les jolies femmes. Je suis d'avis de t'en chercher une qui te plaise. Explique-
830 moi naturellement ce que tu penses là-dessus. Je lui répondis que je ne mettois plus de distinction entre les femmes, et qu'après le malheur qui venoit de m'arriver, je les détestois toutes également. Je t'en chercherai une, réprit mon pére en souriant, qui ressemblera à Manon, et qui sera plus fidele. Ah ! si vous avez quelque bonté pour moi, lui dis-je, c'est-elle qu'il faut me rendre. Soyez sûr, mon cher pére, qu'elle ne m'a point trahi, elle n'est pas capable d'une telle lâcheté. C'est le perfide B... qui nous trompe, vous, elle, et moi... Si vous

840 sçaviez combien elle est tendre et sincere, si vous la connoissiez, vous l'aimeriez vous-même. Vous étes un enfant, répartit mon pére. Comment pouvez-vous vous aveugler jusqu'à ce point, après ce que je vous ai raconté d'elle ? C'est elle-même qui vous a livré à votre frere. Vous dévriez oublier jusqu'à son nom, et profiter si vous étes sage de l'indulgence que j'ai pour vous. Je réconnoissois trop clairement qu'il avoit raison. C'étoit un mouvement involontaire qui me faisoit prendre ainsi le parti de mon infidelle ? Helas ! répris-je, après un
850 moment de silence, il n'est que trop vrai que je suis le malheureux objet de la plus noire de toutes les perfidies. Ouï ! continuai-je, en versant des larmes de dépit, je vois bien que je ne suis qu'un enfant. Ma credulité ne leur coûtoit guéres à tromper. Mais je sçais bien ce que j'ai à faire pour me venger. Mon pére voulut sçavoir quel étoit mon dessein. J'airai à Paris, lui dis-je, je mettrai le feu à la maison de B... et je le brûlerai tout vif avec la perfide Manon. Cet emportement fit rire mon pére, et ne servit qu'à me faire garder plus étroite-
860 ment dans ma prison.

J'y passai six mois tout entiers, pendant le premier desquels il y eut peu de changement dans mes dispositions. Tous mes sentimens n'étoient qu'une alternative perpetuelle de haine, et d'amour, d'esperance ou de désespoir, selon l'idée sous laquelle Manon s'offroit à mon esprit. Tantôt je ne considerois en elle que la plus aimable de toutes les filles, et je languissois du désir de la révoir; tantôt je n'y appercevois qu'une lâche et perfide maitresse, et je faisois mille sermens de ne la
870 chercher que pour la punir. On me donna des livres qui servirent à rendre un peu de tranquillité à mon ame. Je relus tous mes Autheurs. J'acquis de nouvelles con-

851 plus lâche de toutes — 861 mois entiers — 873 Je repris un —

noissances. Je pris un goût infini * pour l'étude. Vous verrez de quelle utilité, il me fut dans la suite. Les lumieres que je devois à l'amour me firent trouver de la clarté dans quantité d'endroits d'Horace et de Virgile qui m'avoient parus obscurs auparavant. Je fis un commentaire amoureux sur le quatriéme livre de l'Eneïde; je le déstine à voir le jour, et je me flâte que le public
880 en sera satisfait. Helas ! disois-je, en le faisant, c'étoit un cœur comme le mien qu'il falloit à la fidelle Didon. Tiberge vint me voir un jour dans ma prison. Je fus surpris du transport avec lequel il m'embrassa. Je n'avois point encore eû de preuves de son affection, qui eussent pû me la faire regarder autrement que comme une simple amitié de College, telle qu'elle se forme entre des jeunes gens qui sont à peu près du même âge. Je le trouvai si changé, et si formé depuis cinq ou six mois que j'avois passez sans le voir, que sa
890 figure et le ton de son discours m'inspira quelque respect. Il me parla en conseiller sage, plûtôt qu'en ami d'école. Il plaignit l'égarement où j'étois tombé. Il me félicita de ma guérison qu'il croyoit avancée, et il m'exhorta à profiter de cette erreur de jeunesse pour ouvrir les yeux sur la vanité des plaisirs. Je le régardai avec étonnement. Il s'en apperçût. Mon cher Chevalier, me dit-il, je ne vous dis rien qui ne soit solidement vrai, et dont je ne me sois convaincu par un serieux examen. J'avois autant de penchant * que vous vers la
900 volupté; mais le Ciel m'avoit donné en même tems du goût pour la vertu. Je me suis servi de ma raison pour comparer les fruits de l'une et de l'autre et je n'ai pas tardé longtems à en découvrir les differences. Le secours du Ciel s'est joint à mes réflexions. J'ai conçu pour le monde un mépris qui n'a point son égal. Dévineriez-

890 m'inspirèrent du respect — 903 découvrir leurs d. — 934 aucun

vous ce qui m'y retient, ajoûta-t-il, et ce qui m'empêche de courir à la solitude ? C'est uniquement la tendre amitié que j'ai pour vous. Je connois l'excellence de votre cœur et de votre esprit; il n'y a rien de bon dont
910 vous ne puissiez vous rendre capable. Le poison du plaisir vous a fait écarter du chemin. Quelle perte pour la vertu ! Votre fuite d'Amiens m'a causé tant de douleur, que je n'ai pas goûté depuis un seul moment de satisfaction. Jugez-en par les démarches qu'elle m'a fait faire. Il me raconta qu'après s'être apperçû que je l'avois trompé, et que j'étois parti avec ma maitresse, il étoit monté à cheval pour me suivre; mais qu'ayant sur lui quatre ou cinq heures d'avance, il lui avoit été impossible de me joindre : qu'il étoit arrivé néanmoins à St.
920 Denis une demie-heure après mon départ; qu'étant bien certain que je me serois arrêté à Paris, il y avoit passé six semaines à me chercher inutilement ; qu'il alloit dans tous les lieux où il y avoit apparence qu'il pourroit me trouver, et qu'un jour enfin il avoit reconnu ma maitresse à la Comedie; qu'elle y étoit dans une parure si éclatante, qu'il s'étoit imaginé qu'elle devoit cette fortune à un nouvel amant; qu'il avoit suivi son carrosse jusqu'à sa maison, et qu'il avoit appris d'un domestique qu'elle étoit entretenuë par les liberalitez de Mr. B...
930 Je ne m'arrêtai point là. J'y retournai le lendemain pour apprendre d'elle-même ce que vous étiez devenu : elle me quitta brusquement lorsqu'elle m'entendit parler de vous, et je fus obligé de revenir en Province sans autre éclaircissement. J'y ai appris votre avanture et la consternation extrême qu'elle vous a causée; je n'ai pas voulu vous voir que je ne fusse assuré de vous trouver plus tranquille.

Vous avez donc vû Manon, lui répondis-je en sou-

autre éclaircissement. J'y appris — 936 ; mais je n'ai pas voulu vous

pirant ? Helas, vous étes plus heureux que moi, qui
940 suis condamné à ne la revoir jamais. Il me fit des réproches de ce soupir qui marquoit encore de la foiblesse pour elle. Il me flatta si adroitement sur la bonté de mon caractere *, et sur mes inclinations, qu'il me fit naître dès cette premiere visite, une forte envie de renoncer comme lui à tous les plaisirs du siécle, pour entrer dans l'Etat Ecclésiastique. Je goûtai tellement cette idée, que lorsque je me trouvai seul, je ne m'occupai point d'autre chose. Je me rappelai les discours de Mr. l'Evêque d'Amiens qui m'avoit donné le même conseil, et les
950 présages heureux qu'il avoit formez en ma faveur, s'il m'arrivoit d'embrasser ce parti-là. La pieté se mêla aussi dans mes considérations. Je menerai une vie simple et chrétienne, disois-je, je m'occuperai de l'étude et de la religion, qui ne me permettront point de penser aux dangereux plaisirs de l'amour. Je mépriserai ce que le commun des hommes admire; et comme je sens assez que mon cœur ne desirera que ce qu'il estime, j'aurai aussi peu d'inquiétudes que de désirs. Je formai là-dessus par avance un sistême * de vie paisible et solitaire.
960 J'y faisois entrer une maison écartée, avec un petit bois et un ruisseau d'eau pure au bout du jardin; une Bibliotheque composée de Livres choisis; un petit nombre d'amis vertueux et de bon sens, une table propre *, mais frugale et moderée. J'y joignois un commerce * de lettres avec un ami qui demeureroit à Paris, et qui m'informeroit des nouvelles publiques; moins pour satisfaire ma curiosité que pour me faire un divertissement des folles agitations des hommes. Ne serai-je pas heu-
970 reux ? ajoûtois-je ; toutes mes prétentions ne serontelles pas remplies ? Il est certain que ce projet flattoit

voir sans être assuré — 947 occupai plus d' — 951 ce parti. — 953 vie sainte et chrétienne — 961 d'eau douce au — 965 qui feroit

extrêmement mes inclinations; mais à la fin d'un si sage arrangement, je sentois que mon cœur attendoit encore quelque chose, et que pour n'avoir rien à désirer dans la plus charmante solitude, il y auroit fallû être avec Manon.

Cependant Tiberge continuant de me rendre de fréquentes visites, dans le dessein qu'il m'avoit inspiré, je pris occasion d'en faire l'ouverture à mon pére. Il me déclara que ses intentions étoient de laisser ses enfans
980 libres dans le choix de leur condition, et que de quelque maniere que je voulusse disposer de moi, il ne se reservoit que le droit de m'aider de ses conseils. Il m'en donna de fort sages, qui tendoient moins à me dégoûter de mon projet qu'à me le faire embrasser avec connoissance. Le renouvellement de l'année Scolastique * s'aprochoit. Je convins avec Tiberge de nous mettre ensemble au Seminaire de St. Sulpice *; lui pour achever ses études de Théologie, et moi pour commencer les miennes. Son mérite qui étoit connu de l'Evêque du
990 Diocese lui fit obtenir de ce Prélat un benefice considerable avant notre départ.

Mon pére me croïant tout à fait révenu de ma passion, ne fit nulle difficulté de me laisser partir. Nous arrivâmes à Paris. L'habit Ecclesiastique prit la place de la Croix de Malte et le nom d'Abbé Des Grieux celle de Chevalier. Je m'attachai à l'étude avec tant d'application que je fis des progrez extraordinaires en peu de mois. J'y emploïois une partie de la nuit, et je ne perdois pas un moment du jour. Ma réputation devint
1000 telle qu'on me félicitoit déja sur les dignitez que je ne pouvois manquer d'obtenir, et sans l'avoir sollicité, mon nom fut couché sur la feuïlle des benefices. La piété n'étoit pas plus négligée ! J'avois de la ferveur

son séjour à Paris — 975 il y falloit être — 1016 ascendant on —

pour tous les exercices *. Tiberge étoit charmé de ce qu'il régardoit comme son ouvrage, et je l'ai vû plusieurs fois répandre des larmes en s'applaudissant de ce qu'il appelloit ma conversion. Que les résolutions humaines soient sujettes à changer, c'est ce qui ne m'a jamais causé d'étonnement; une passion les fait naître, une
1010 autre passion peut les détruire; mais quand je pense à la sainteté de celles qui m'avoient conduit à St. Sulpice, et à la joïe interieure que le ciel m'y faisoit goûter en les exécutant, je suis effraïé de la facilité avec laquelle j'ai pû les rompre. S'il est vrai que les secours celestes sont à tous momens d'une force égale à celle des passions, qu'on m'explique donc par quel funeste ascendant l'on se trouve emporté tout d'un coup loin de son devoir, sans se trouver capable de la moindre résistance, et sans ressentir le moindre rémord. Je me croïois délivré
1020 absolument des foiblesses de l'amour. Il me sembloit que j'aurois préferé la lecture d'une page de St. Augustin, ou un quart d'heure de méditation chrétienne à tous les plaisirs des sens, je dis même à ceux qui m'auroient été offerts par Manon : cependant un instant malheureux me fit rétomber dans le précipice, et ma chûte fût d'autant plus irréparable, que me rétrouvant tout d'un coup au même degré de profondeur d'où j'étois sorti, les nouveaux desordres où je tombai me porterent bien plus loin vers le fond de l'abîme.

1030 J'avois passé près d'un an à Paris sans m'informer des affaires de Manon. Il m'en avoit d'abord coûté beaucoup pour me faire violence là dessus; mais les conseils toujours présens de Tiberge, et mes propres réflexions m'avoient fait obtenir cette victoire. Les derniers mois s'étoient écoulez si tranquillement, que je me croïois

1019 absolument délivrés des — 1023 sens ; sans excepter ceux — 1031 Il m'en avoit d'abord coûté beaucoup pour me faire cette violence ; mais — 1034 obtenir la victoire — 1042 sous le nom

sur le point d'oublier éternellement cette charmante et perfide créature. Le tems arriva auquel je devois soûtenir un exercice public dans l'école de Théologie, je fis prier plusieurs personnes de consideration * de
1040 m'honorer de leur présence. Mon nom fut ainsi répandu dans tous les quartiers de Paris. Il alla jusqu'aux oreilles de mon infidelle. Elle ne le reconnût pas avec certitude sous le déguisement d'Abbé; mais un reste de curiosité, ou bien quelque répentir de m'avoir trahi, je n'ai jamais pû démêler lequel de ces deux sentimens, lui fit prendre intérêt à un nom si semblable au mien ; elle vint en Sorbonne avec quelques autres Dames. Elle assista à mon exercice, et sans doute qu'elle n'eut nulle peine à me remettre. Je n'eus pas la moindre connois-
1050 sance de cette visite. On sçait qu'il y a dans ces lieux des cabinets particuliers pour les Dames, où elles sont cachées derriere une jalousie. Je retournai à St. Sulpice, couvert de gloire et chargé de complimens. Il étoit six heures du soir. On vint m'avertir un moment après mon retour qu'une Dame demandoit à me voir. J'allai au parloir sur le champ. Dieux ! quelle apparition surprenante ? j'y trouvai Manon. C'étoit elle; mais plus aimable et plus brillante que je ne l'avois jamais vûë. Elle étoit dans sa dix-huitiéme année. Ses charmes sur-
1060 passoient tout ce qu'on peut décrire. C'étoit un air si fin, si doux, si engageant ! l'air de l'amour même. Toute sa figure me parût un enchantement.

Je démeurai interdit à sa vûë, et ne pouvant conjecturer quel étoit le dessein de cette visite, j'attendois les yeux baissez et avec tremblement qu'elle s'expliquât. Son embarras fut pendant quelque tems égal au mien; mais voïant que mon silence continuoit, elle mit la main devant ses yeux pour cacher quelques larmes,

d'Abbé ; — 1047 Dames. Elle fut présente à — 1048 qu'elle eut peu de

elle me dit d'un ton timide qu'elle confessoit que son
1070 infidelité méritoit ma haine, mais que s'il étoit vrai
que j'eusse jamais eû quelque tendresse pour elle, il y
avoit eu aussi bien de la dureté à laisser passer deux ans
sans prendre soin de m'informer d'elle, et qu'il y en
avoit bien encore à la voir dans l'état où elle étoit en
ma présence sans lui dire une parole. Le desordre de
mon ame en entendant ce discours ne sçauroit être
exprimé. Elle s'assit, je demeurai débout, le corps à
demi tourné, n'osant l'envisager directement. Je commençai plusieurs fois une réponse, que je n'eus pas la
1080 force d'achever. Enfin, je fis un effort pour m'écrier
douloureusement : Perfide Manon ! ah ! perfide ! perfide ! Elle me repeta en pleurant à chaudes larmes,
qu'elle ne prétendoit point justifier sa perfidie. Que
prétendez-vous donc, m'écriai-je encore ? Je pretens
mourir, répondit-elle, si vous ne me rendez votre cœur,
sans lequel il est impossible que je vive. Demande donc
ma vie, infidelle ! repris-je, en versant moi-même des
pleurs, que je m'efforçai en vain de retenir, demande
ma vie qui est l'unique chose qui me reste à te sacrifier;
1090 car mon cœur n'a jamais cessé d'être à toi. A peine
eus-je achevé ces derniers mots qu'elle se leva avec
transport pour venir m'embrasser. Elle m'accabla de
mille caresses passionnées. Elle m'appella par tous
les noms que l'amour invente pour exprimer ses plus
vives tendresses. Je n'y répondois encore qu'avec langueur. Quel passage en effet de la situation tranquille où
j'avois été, aux mouvemens tumultueux que je sentois
renaître. J'en étois épouvanté. Je frémissois comme il
arrive lorsqu'on se trouve la nuit dans une campagne
1100 écartée : On se croit transporté dans un nouvel ordre
de choses. On y est saisi d'une horreur secrette, dont on

peine — 1072 avoit beaucoup encore — 1076 en l'écoutant, ne —

ne se remet qu'après avoir consideré longtems tous les environs.

Nous nous assimes l'un auprès de l'autre. Je pris ses mains dans les miennes. Ah ! Manon, lui dis-je, en la regardant d'un œil triste, je ne m'étois pas attendu à la noire trahison dont vous avez païé mon amour. Il vous étoit bien facile de tromper un cœur, dont vous étiez la souveraine absoluë, et qui mettoit sa félicité à
1110 vous plaire et à vous obéïr. Dites moi maintenant si vous en avez trouvé d'aussi tendres, et d'aussi soumis. Non, non, la nature n'en fait guéres de la même trempe que le mien. Dites-moi, du moins si vous l'avez quelquefois regretté. Quel fond dois-je faire sur ce retour de bonté qui vous ramene aujourd'hui pour le consoler ? Je ne vois que trop que vous étes plus charmante que jamais, mais au nom de toutes les peines que j'ai souffertes pour vous, belle Manon, dites-moi si vous serez plus fidelle. Elle me répondit des choses si touchantes
1120 sur son repentir, et elle s'engagea à la fidelité par tant de protestations et de sermens qu'elle m'attendrit à un degré inexprimable. Chere Manon ! lui dis-je, avec un mêlange profane d'expressions amoureuses et Théologiques, Tu est trop adorable pour une créature. Je me sens le cœur emporté par une délectation * victorieuse. Tout ce qu'on dit de la liberté à St. Sulpice est une Chimere. Je vais perdre ma fortune, et ma réputation pour toi, je le prévois bien, je lis ma destinée dans tes beaux yeux; mais de quelles pertes ne serois-je pas consolé par ton amour ?
1130 Les faveurs de la fortune ne me touchent point, la gloire me paroît une fumée, tous mes projets de vie Ecclesiastique étoient de folles imaginations, enfin tous les biens differens de ceux que j'espere avec toi sont des biens méprisables, puisqu'ils ne sçauroient tenir un

1109 toute sa félicité — 1175 moi je sentis, dans ce moment, que j'

moment dans mon cœur contre un seul de tes régards. En lui promettant néanmoins un oubli général de ses fautes, je voulus être informé de quelle maniere elle s'étoit laissée séduire par B... Elle m'apprit que l'ayant vûë à sa fenêtre, il étoit dévenu passionné pour elle;
1140 qu'il avoit fait sa déclaration en Fermier Général, c'est-à-dire, en lui marquant dans une lettre que le payement seroit proportionné aux faveurs; qu'elle avoit capitulé d'abord, mais sans autre dessein que de tirer de lui quelque somme considérable, qui pût servir à nous faire vivre commodément; mais qu'il l'avoit éblouie par de si magnifiques promesses qu'elle s'étoit laissée ébranler peu à peu; que je devois juger pourtant de ses remors par la douleur dont elle m'avoit laissé voir des témoignages la veille de notre séparation. Que
1150 malgré l'opulence dans laquelle il l'avoit entretenuë elle n'avoit jamais goûté de bonheur avec lui, non seulement parce qu'elle n'y trouvoit point, me dit-elle, la délicatesse * de mes sentimens, et l'agrément * de mes manieres; mais parce qu'au milieu même des plaisirs qu'il lui procuroit sans cesse, elle portoit au fond du cœur le souvenir de mon amour, et le remord de son infidelité. Elle me parla de Tiberge et de la confusion extrême que sa visite lui avoit causée. Un coup d'épée dans le cœur, ajoûta-t-elle, m'auroit moins émû le sang.
1160 Je lui tournai le dos sans pouvoir soûtenir un moment sa présence. Elle continua de me raconter par quels moïens elle avoit été instruite de mon séjour à Paris, du changement de ma condition, de mes exercices de Sorbonne. Elle m'assura qu'elle avoit été si agitée pendant la dispute, qu'elle avoit eû beaucoup de peine, non seulement à retenir ses larmes, mais ses gémissemens mêmes et ses cris, qui avoient été plus d'une fois sur le point d'éclater. Enfin elle me dit qu'elle étoit sortie de ce lieu la derniere pour cacher son desordre; et que

170 ne suivant que le mouvement de son cœur, et l'impetuosité de ses désirs, elle étoit venuë droit au Seminaire avec la résolution d'y mourir, si elle ne me trouvoit pas disposé à lui pardonner.

Où trouver un barbare qu'un répentir si vif et si tendre n'auroit pas touché ! pour moi j'avouë que j'aurois sacrifié pour Manon tous les Evêchez du monde Chrétien. Je lui démandai quel nouvel ordre elle jugeoit à propos de mettre dans nos affaires. Elle me dit qu'il falloit sur le champ sortir du Seminaire, et remettre
180 à nous arranger dans un lieu plus assuré. Je consentis à toutes ses volontez sans replique. Elle entra dans son carosse pour aller m'attendre au coin de la ruë. Je m'échapai un moment après sans être apperçû du portier; je montai avec elle. Nous passâmes à la fripperie. Je répris les galons et l'épée. Manon fournit aux frais, car j'étois sans un sou, et dans la crainte que ne trouvasse de l'obstacle à ma sortie de St. Sulpice, elle n'avoit pas voulu que je retournasse un moment à ma chambre pour y prendre mon argent. Mon trésor d'ailleurs étoit
190 mediocre, et elle étoit assez riche des liberalitéz de B... pour mépriser si peu de chose. Nous conferâmes chez le fripier même sur le parti que nous allions prendre. Pour me faire valoir davantage le sacrifice qu'elle me faisoit de B... elle résolut de ne pas garder avec lui le moindre ménagement. Je veux lui laisser ses meubles, me dit-elle, ils sont à lui; mais j'emporterai comme de justice les bijoux et environ soixante mille francs que j'ai tirez de lui depuis deux ans. Je ne lui ai donné nul pouvoir sur moi, ajouta-t-elle, ainsi nous
200 pouvons demeurer sans crainte à Paris, en prenant une maison commode où nous vivrons heureusement

— 1180 plus sûr. — 1190 et elle assez riche — 1191 mépriser ce qu'elle me faisoit abandonner. — 1197 et près de soixante — 1202

ensemble. Je lui représentai que s'il n'y avoit point de péril pour elle, il y en avoit beaucoup pour moi qui ne manquerois point tôt ou tard d'être reconnu, et qui serois continuellement exposé au malheur que j'avois déjà essuyé. Elle me laissa entendre qu'elle auroit du regret à quitter Paris. Je craignois tant de la chagriner, qu'il n'y avoit point de hazards que je ne méprisasse pour lui plaire : cependant nous trouvâmes un milieu rai-
1210 sonnable, qui fut de loüer une maison dans quelque village aux environs de Paris, d'où il nous seroit aisé d'aller à la ville, lorsque le plaisir ou le besoin nous y appelleroit. Nous choisîmes Chaillot * qui n'en est pas éloigné. Manon retourna sur le champ chez elle. J'allai l'attendre à la petite porte du Jardin des Thuileries *. Elle revint une heure après dans un carosse de loüage avec une fille qui la servoit, et quelques malles où ses habits et tout ce qu'elle avoit de précieux étoit renfermé.

1220 Nous ne tardâmes point à gagner Chaillot. Nous logeâmes la premiere nuit à l'auberge, pour nous donner le tems de chercher une maison, ou du moins un appartement commode. Nous en trouvâmes dès le lendemain un de notre goût. Mon bonheur me parût alors établi d'une maniere inebranlable. Manon étoit la douceur, et la complaisance même. Elle avoit pour moi des attentions si délicates, que je me crus trop parfaitement dédommagé de toutes mes peines passées. Comme nous avions acquis tous deux un peu d'experience, nous raisonnâmes sur
1230 la solidité de notre fortune. Soixante-mille francs qui faisoient le fond de nos richesses n'étoient pas une somme qui pût s'étendre autant que le cours d'une longue vie. Nous n'étions pas disposez d'ailleurs à

heureusement. Je — 1209 trouvâmes un tempéramment raisonnable — 1211 voisin de Paris — 1228 de toutes mes peines. — 1241

resserrer trop notre dépense. La premiere vertu de Manon, non plus que la mienne, n'étoit pas l'économie. Voici le plan que je lui proposoit. Soixante mille francs, lui dis-je, peuvent nous soutenir pendant dix ans. Deux mille écus nous suffiront chaque année si nous continuons de vivre à Chaillot. Nous y menerons une vie honnête,
240 mais simple. Notre unique dépense sera pour l'entretien d'un carosse *, et pour les spectacles et les plaisirs de Paris. Nous nous réglerons; Vous aimez l'opéra *, nous irons trois fois la semaine. Pour le jeu nous nous bornerons tellement que nos pertes ne passeront jamais dix pistoles. Il est impossible que dans l'espace de dix ans, il n'arrive point de changement dans ma famille; mon pére est âgé, il peut mourir. Je me trouverai du bien, et nous serons alors au-dessus de toutes nos autres craintes. Cet arrangement n'eût pas été la plus folle action de
250 ma vie, si nous eussions été assez sages pour nous y assujettir constamment. Mais nos résolutions ne durerent guéres plus d'un mois. Manon était passionnée pour le plaisir. Je l'étois pour elle. Il nous naissoit à tous momens de nouvelles occasions de dépense, et loin de regretter les sommes qu'elle emploïoit quelquefois avec profusion, je fus le premier à lui procurer tout ce que je croïois propre à lui plaire. Notre demeure de Chaillot commença même à lui devenir à Charge. L'hyver approchoit, tout le monde retournoit à la ville, la campagne
260 devenoit deserte. Elle me proposa de reprendre une maison à Paris, je n'y consentis point; mais pour la satisfaire en quelque chose, je lui dis que nous pouvions y loüer un appartement meublé, et que nous y passerions la nuit, lorsqu'il nous arriveroit de quitter trop tard l'assemblée, * où nous allions plusieurs fois la semaine; car l'incommodité de revenir si tard à Chaillot

spectacles. — 1243 deux fois — 1244 deux pistoles — 1308 accou-

étoit le prétexte qu'elle apportoit pour le vouloir quitter. Nous nous donnâmes ainsi deux logemens l'un à la ville et l'autre à la campagne. Ce changement mit
1270 bientôt le dernier desordre dans nos affaires, en faisant naître deux avantures qui causèrent notre ruine.

Manon avoit un frere qui étoit Garde du corps * Il se trouva malheureusement logé à Paris dans la même ruë que nous. Il reconnût sa sœur, en la voïant le matin à sa fenêtre. Il accourût aussitôt chez nous. C'étoit un homme brutal, et sans principes d'honneur. Il entra dans notre chambre, en jurant horriblement ; et comme il sçavoit une partie des avantures de sa sœur, il l'accabla d'injures et de reproches. J'étois sorti un moment
1280 auparavant; ce qui fut sans doute un bonheur pour lui ou pour moi, qui n'étois rien moins que disposé à souffrir une insulte. Je ne retournai au logis qu'après son départ. La tristesse de Manon me fit juger qu'il s'étoit passé quelque chose d'extraordinaire. Elle me raconta la scene fâcheuse qu'elle venoit d'essuyer et les menaces brutales de son frere. J'en eus tant de ressentiment, que j'eusse couru sur le champ à la vengeance, si elle ne m'eût arrêté par ses larmes. Pendant que je m'entretenois avec elle de cette avanture, le Garde du corps
1290 rentra dans la chambre où nous étions, sans s'être fait annoncer. Je ne l'aurois pas reçu aussi civilement que je fis, si je l'eusse connu; mais nous aïant salué d'un air riant, il eut le tems de dire à Manon qu'il venoit lui faire des excuses de son emportement, qu'il la croïoit dans le desordre, et que cette opinion avoit allumé sa colere; mais que s'étant informé qui j'étois d'un de nos domestiques, il avoit appris de moi des choses si avantageuses, qu'elles lui faisoient désirer de bien vivre avec nous. Quoique cette information qui
1300 lui venoit d'un de mes laquais, eût quelque chose de bizarre et de choquant, je reçus son compliment *

avec honnêteté. Je crûs faire plaisir à Manon. Elle paroissoit charmée de le voir porté à se reconcilier. Nous le retinmes à dîner. Il se rendit en peu de momens si familier, que nous aïant entendu parler de notre retour à Chaillot, il voulût absolument nous tenir compagnie. Il fallut lui donner une place dans notre carosse. Ce fut une prise de possession; car il s'accoûtuma à nous voir avec tant de plaisir, qu'il fit bientôt sa maison
1310 de la notre, et qu'il se rendit maitre en quelque sorte de tout ce qui nous appartenoit. Il m'appeloit son frere, et sous prétexte de la liberté fraternelle, il se mit sur le pied d'amener tous ses amis dans notre maison de Chaillot, et de les y traiter à nos dépens. Il se fit habiller magnifiquement à nos frais, et il nous engagea à païer toutes ses dettes : je fermois les yeux sur cette tyrannie pour ne pas déplaire à Manon. Je fis même semblant de ne pas m'appercevoir qu'il tiroit d'elle de tems en tems des sommes considerables. Il est vrai qu'étant
1320 grand joüeur, il avoit la fidelité de lui en remettre une partie, lorsque la fortune le favorisoit. Mais la notre étoit trop mediocre pour fournir longtems à des dépenses si peu moderées. J'étois sur le point de m'expliquer fortement avec lui, pour nous délivrer de ses importunitez, lorsqu'un funeste accident m'épargna cette peine, en nous en causant une autre qui nous a abîmez sans ressource.

Nous étions demeurez un jour à Paris pour y coucher, comme il nous arrivoit fort souvent. La servante qui
1330 restoit seule à Chaillot dans ces occasions vint m'avertir le matin, que le feu avoit pris pendant la nuit dans ma maison, et qu'on avoit eu beaucoup de difficulté à l'éteindre. Je lui demandai si nos meubles avoient

tuma bientôt à — 1309 fit sa — 1317 Manon ; jusqu'à feindre de ne pas — 1326 nous abîma — 1335 multitude d'étrangers qui —

souffert quelque dommage. Elle me répondit, qu'il y avoit eu une si grande confusion causée par la multitude de personnes qui étoient venuës au secours, qu'elle ne pouvoit être assurée de rien. Je tremblai pour notre argent, qui étoit renfermé dans une petite caisse. Je me rendis promptement à Chaillot. Diligence
1340 inutile, la caisse avoit déjà disparu. J'éprouvai alors qu'on peut aimer l'argent sans être avare. Cette perte me pénétra d'une si vive douleur que j'en pensai perdre la raison. Je compris tout d'un coup à quels nouveaux malheurs j'allois me trouver exposé. L'indigence étoit le moindre. Je connoissois Manon; je n'avois déjà que trop éprouvé que quelque fidele, et quelque attachée qu'elle me fût dans la bonne fortune, il ne falloit pas compter sur elle dans la misere. Elle aimoit trop l'abondance et les plaisirs pour me les sacrifier. Je la perdrai,
1350 m'écriai-je. Malheureux Chevalier ! tu vas donc perdre encore tout ce que tu aimes ! Cette pensée me jetta dans un trouble si affreux, que je balançai pendant quelques momens, si je ne ferois pas mieux de finir tous mes maux par la mort. Cependant je conservai assez de prudence pour vouloir examiner auparavant s'il ne me restoit nulle ressource. Le Ciel me fit naître une pensée qui arrêta mon désespoir. Je crus qu'il ne me seroit pas impossible de cacher notre perte à Manon, et que soit par industrie *, soit par quelque bonheur de
1360 fortune, je pourrois fournir assez honnêtement à son entretien, pour l'empêcher de sentir la nécessité. J'ai compté, disois-je, pour me consoler, que nos vingt-mille écus nous suffiroient pendant dix ans; supposons que les dix ans soient écoulez; et que nul des changemens que j'esperois ne soit arrivé dans ma famille. Quel parti prendrois-je ? Je ne le sçais pas trop bien;

1359 , ou par quelque faveur du hazard, je — 1376 a là-dedans

mais ce que je ferois alors, qui m'empêche de le faire
aujourd'hui ? Combien de personnes vivent à Paris,
qui n'ont ni mon esprit, ni mes qualitez naturelles, et
1370 qui doivent néanmoins leur entretien à leurs talens,
tels qu'ils les ont ? La Providence, ajoutois-je, en refle-
chissant sur les differens états de la vie, n'a-t-elle pas
arrangé les choses fort sagement ? * La plûpart des
Grands, et des Riches sont des sots ; cela est clair à qui
connoît un peu le monde. Or il y a une justice admirable
là dedans. S'ils joignoient l'esprit aux richesses, ils
seroient trop heureux, et le reste des hommes trop
miserable. Les qualitez du corps et de l'ame sont accor-
dées à ceux-ci, comme des moïens pour se tirer de la
1380 misere et de la pauvreté. Les uns prennent part aux
richesses des Grands en servant à leur plaisirs, ils en
font des dupes : d'autres servent à leur instruction, ils
tachent d'en faire d'honnêtes gens ; il est rare à la verité
qu'ils y réussissent, mais ce n'est pas-là le but de la
divine sagesse : ils tirent toujours un fruit de leurs
soins, qui est de vivre à leurs dépens ; et de quelque
façon qu'on le prenne, c'est un fond excellent de revenu
pour les petits que la sottise des riches et des Grands.

Ces pensées me remirent un peu le cœur et la tête.
1390 Je résolus d'abord d'aller consulter Mr. Lescaut frere
de Manon. Il connoissoit parfaitement son Paris, et
je n'avois eu que trop d'occasions de reconnoître que
ce n'étoit ni de son bien, ni de la paye du Roy qu'il
tiroit son plus clair revenu. Il me restoit à peine vingt
pistoles qui s'étoient trouvées heureusement dans ma
poche. Je lui montrai ma bourse, en lui expliquant mon
malheur et mes craintes, et je lui demandai s'il y avoit
pour moi un milieu à esperer entre mourir de faim et me

une justice — 1386 dépens de ceux qu'ils instruisent ; — 1391 parfaitement Paris — 1398 un parti à choisir, entre celui de mourir

casser la tête de désespoir. Il me répondit que se casser
1400 la tête étoit la ressource des sots. Pour mourir de faim,
qu'il y avoit quantité de gens d'esprit qui se voïoient
reduits-là quand ils ne vouloient pas faire usage de
leurs talens; que c'étoit à moi à examiner de quoi j'étois
capable ; qu'il m'assuroit de son secours et de ses conseils
dans toutes mes entreprises. Cela est bien vague,
Mr. Lescaut, lui dis-je, mes besoins demanderoient un
remede plus présent ; car que voulez-vous que je dise
à Manon ? A propos de Manon, réprit-il; qu'est-ce qui
vous embarrasse ? N'avez-vous pas toujours avec
1410 elle dequoi finir vos inquietudes quand vous voudrez ?
Une fille comme elle dévroit vous entretenir, vous, elle
et moi. Il me coupa la réponse que cette impertinence
méritoit, pour continuer de me dire, qu'il me garantissoit
avant le soir mille écus à partager entre nous, si
je voulois suivre son conseil; qu'il connoissoit un
Seigneur si liberal sur le chapitre des plaisirs qu'il étoit
sûr que mille écus ne lui coûteroient rien pour passer
une nuit avec une fille comme Manon. Je l'arrêtai.
J'avois meilleure opinion de vous, lui répondis-je,
1420 je m'étois figuré que le motif que vous aviez eû de
m'accorder votre amitié étoit un sentiment pour votre
sœur tout opposé à celui où vous étes maintenant. Il
me confessa impudemment qu'il avoit toujours pensé
de même, et qu'après avoir passé les bornes de l'honneur
comme elle avoit fait il ne se seroit jamais reconcilié
avec elle, si ce n'eût été dans l'esperance de profiter
de sa mauvaise conduite. Il me fut aisé de juger que
nous avions été ses duppes jusqu'alors. Quelque émo-

de faim, ou de me casser — 1401 qui s'y voyoient — 1410 quand
vous le voudrez — 1417 rien pour obtenir les faveurs d'une —
1421 : pour m'accorder votre amitié, étoit un sentiment tout —
1424 et que sa Sœur ayant une fois violé les loix de son sexe, quoiqu'en
faveur de l'homme qu'il aimoit le plus, il ne s'étoit réconcilié —
1426 elle, que dans l'espérance de tirer parti — 1428 que jusqu'alors,

tion néanmoins que ce discours m'eût causé, le besoin que
1430 j'avois de lui m'obligea de lui répondre en riant, que
son conseil étoit une derniere ressource, qu'il falloit
remettre à l'extrémité. Je le priai de m'ouvrir quelque
autre voïe. Il me proposa de profiter de ma jeunesse,
et de la figure avantageuse que j'avois reçuë de la nature
pour me mettre en liaison avec quelque Dame vieille
et liberale. Je ne goûtai pas non plus ce parti, qui m'auroit rendu infidelle à Manon. Je lui parlai du jeu * comme
du moïen le plus facile, et le plus convenable à ma
1440 situation. Il me dit que le jeu à la verité étoit une ressource; mais que cela demandoit d'être expliqué : qu'entreprendre de joüer simplement avec les esperances
communes étoit le vrai moïen d'achever ma perte : que
de prétendre exercer seul, et sans être soûtenu, les petits
moïens qu'un habile homme emploie pour corriger la
fortune, étoit un mêtier trop dangereux; qu'il y avoit
une troisiéme voïe, qui étoit celle de l'association; mais
que ma jeunesse lui faisoit craindre que Mrs. les con-
federez * ne me jugeassent point encore les qualitez
propres à la ligue. Il me promit néanmoins ses bons
1450 offices auprès d'eux, et ce que je n'aurois pas attendu
de lui, il m'offrit quelque argent, lorsque je me trouverois pressé du besoin. L'unique grace que je lui demandai pour le présent, fut de ne rien apprendre à Manon
de la perte que j'avois faite, et du sujet de notre conversation.

Je sortis de chez lui moins satisfait encore que je
n'y étois entré. Je me repentis même de lui avoir confié
mon secret. Il n'avoit rien fait pour moi que je n'eusse
pû en obtenir de même sans cette ouverture, et je crai-
1460 gnois mortellement qu'il ne manquât à la promesse
qu'il m'avoit faite de ne rien découvrir à Manon.

nous avions été ses dupes. — 1447 messieurs les — 1452 demandai,

J'avois lieu d'apprehender aussi, par la déclaration qu'il m'avoit faite de ses sentimens, qu'il ne formât le dessein de tirer parti d'elle en l'enlevant de mes mains; ou du moins en lui conseilllant de me quitter pour s'attacher à un amant plus riche et plus heureux. Je fis là-dessus mille réflexions, qui n'aboutirent qu'à me tourmenter et à renouveller le désespoir où j'avois été le matin. Il me vint plusieurs fois à l'esprit d'écrire à mon pére et
1470 de feindre une nouvelle conversion, pour obtenir de lui quelque secours d'argent; mais je me rappellai aussi-tôt que malgré toute sa bonté, il m'avoit resserré six mois dans une étroite prison pour ma premiere faute; j'étois assuré qu'après un éclat tel qu'avoit dû causer ma fuite de St. Sulpice, il me traiteroit beaucoup plus rigoureusement. Enfin, cette confusion de pensées en produisit une qui remit le calme tout d'un coup dans mon esprit, et que je m'étonnai de n'avoir pas eûë plutôt. Ce fut de recourir à mon ami Tiberge; dans lequel
1480 j'étois bien assuré de retrouver toujours le même fond de zéle et d'amitié. Rien n'est plus admirable, et ne fait plus d'honneur à la vertu, que la confiance avec laquelle on s'adresse aux personnes dont on connoît parfaitement la probité; on sent qu'il n'y a point de péril à courir. Si elles ne sont pas toujours en état d'offrir du secours, on est sûr qu'on en obtiendra du moins de la bonté et de la compassion. Le cœur qui se ferme avec tant de soin au reste des hommes, s'ouvre naturellement en leur présence comme une fleur s'épanouit à
1490 la lumiere du soleil, dont elle n'attend qu'une douce et utile influence.

Je regardai comme un effet de la protection du ciel de m'être souvenu si à propos de Tiberge, et je résolus

dans les circonstances, fut — 1462 déclaration de ses — 1464 elle, suivant ses propres termes, en — 1466 à quelque Amant — 1474 tel que l'avait dû — 1484 point de risque — 1491 douce influence —

de chercher les moïens de le voir même avant la fin du jour. Je retournai sur le champ au logis pour lui écrire un mot, et lui assigner un lieu propre à notre entretien. Je lui recommandois le silence et la discretion, comme un des plus importans services qu'il pût me rendre dans la situation de mes affaires. La joïe que
1500 l'esperance de le voir m'inspiroit, effaça les traces du chagrin que Manon n'auroit pas manqué d'appercevoir sur mon visage. Je lui parlai de notre malheur de Chaillot comme d'une bagatelle qui ne devoit point l'allarmer, et comme Paris étoit le lieu du monde où elle se voyait avec le plus de plaisir, elle ne fut pas fâchée de m'entendre dire qu'il étoit à propos d'y demeurer jusqu'à ce qu'on eût réparé à Chaillot quelques legers effets de l'incendie. Une heure après je reçus la réponse de Tiberge, qui me promettoit de se rendre au
1510 lieu de l'assignation. J'y courus avec impatience. Je sentois néanmoins quelque honte d'aller paroître aux yeux d'un ami, dont la seule présence seroit un reproche de mes desordres; mais l'opinion que j'avois de la bonté de son cœur, et l'interêt de Manon soûtinrent ma hardiesse. Je l'avois prié de se trouver au jardin du Palais Royal. Il y étoit avant moi. Il vint m'embrasser aussi-tôt qu'il m'eût apperçû. Il me tint serré longtems entre ses bras, et je sentis mon visage mouillé de ses larmes. Je lui dis que je ne me présentois à lui qu'avec
1520 confusion, et que je portois dans mon cœur un vif sentiment de mon ingratitude, que la premiére chose dont je le conjurois étoit de m'apprendre, s'il m'étoit encore permis de le regarder comme mon ami, après avoir mérité si justement de perdre son estime et son affection. Il me répondit du ton le plus tendre et le

1496 lui marquer un — 1504 et Paris étant le lieu — 1512 présence devait être un reproche — 1520 dans le cœur — 1532 sa perte sans —

plus naturel, que rien n'étoit capable de le faire renoncer
à cette qualité; que mes malheurs mêmes, et si je lui
permettoit de le dire, mes fautes et mes desordres
avoient rédoublé sa tendresse pour moi; mais que
1530 c'étoit une tendresse mêlée de la plus vive douleur, telle
qu'on la sent pour une personne chere qu'on voit
toucher à sa ruïne sans pouvoir la secourir. Nous nous
assimes sur un banc. Helas ! lui dis-je, avec un soupir
parti du fond du cœur, votre compassion doit être
excessive, mon cher Tiberge, si vous m'assurez qu'elle
est égale à mes peines. J'ai honte de vous le laisser voir;
car je confesse que la cause n'en est pas glorieuse; mais
l'effet en est si triste, qu'il n'est pas besoin de m'aimer
autant que vous faites pour en être attendri. Il me
1540 demanda comme une marque d'amitié de lui raconter
sans déguisement ce qui m'étoit arrivé depuis mon
départ de Saint-Sulpice. Je le satisfis, et loin d'altérer
quelque chose à la verité ou de diminuer mes fautes
pour les faire trouver plus excusables, je lui parlai de
ma passion avec toute la force qu'elle m'inspiroit.
Je la lui représentai comme un de ces coups particuliers
du destin, qui s'attache à la ruine d'un miserable, et
dont il est aussi impossible à la vertu de se défendre
qu'il l'a été à la sagesse de les prévoir. Je lui fis une
1550 vive peinture de mes agitations, de mes craintes, du
désespoir où j'étois deux heures avant que de le voir,
et de celui dans lequel j'allois retomber, si j'étois abandonné par mes amis, aussi impitoïablement que par la
fortune ; enfin, j'attendris tellement le bon Tiberge,
que je le vis aussi affligé par la compassion que je l'étois
par le sentiment de mes peines. Il ne se lassoit point
de m'embrasser et de m'exhorter à prendre du courage
et de la consolation; mais comme il supposoit toûjours
qu'il falloit me séparer de Manon, je lui fis entendre
1560 nettement que c'étoit cette séparation même que je

regardois comme la plus grande de mes infortunes, et que j'étois disposé à souffrir non seulement le dernier excès de la misere, mais la mort même la plus cruelle, avant que de recevoir un remede plus insupportable que tous mes maux ensemble. Expliquez-vous donc, me dit-il; quelle espece de secours suis-je capable de vous donner, si vous vous revoltez contre toutes mes propositions ? Je n'osois lui déclarer que c'étoit de sa bourse que j'avois besoin. Il le comprit pourtant à la

570 fin, et m'ayant confessé qu'il croïoit m'entendre, il demeura quelque tems suspendu avec l'air d'une personne qui balance. Ne croïez pas, réprit-il bien-tôt, que ma rêverie vienne d'un refroidissement de zéle et d'amitié; mais à quelle alternative me reduisez-vous, s'il faut que je vous refuse le seul secours que vous voulez accepter; ou que je blesse mon devoir en vous l'accordant; car n'est-ce pas prendre part à votre desordre que de vous y faire perséverer ? Cependant, continua-t-il, après avoir réfléchi un moment, je m'imagine que c'est
580 peut-être l'état violent où l'indigence vous jette, qui ne vous laisse pas assez de liberté pour choisir le meilleur parti; il faut un esprit tranquille pour goûter la sagesse et la vérité. Je trouverai le moïen de vous faire avoir quelque argent. Permettez-moi, mon cher Chevalier, ajoûta-t-il en m'embrassant, d'y mettre seulement une condition, c'est que vous m'apprendrez le lieu de votre demeure, et que vous souffrirez que je fasse du moins mes efforts pour vous ramener à la vertu que je sçais que vous aimez, et dont il n'y a que la violence de vos
590 passions qui vous écarte. Je lui accordai sincerement tout ce qu'il souhaitoit, et je le priai de plaindre la malignité de mon sort, qui me faisoit profiter si mal des conseils d'un ami si vertueux. Il me mena aussi-tôt chez un Banquier de sa connoissance, qui m'avança cent pistoles sur son billet *; car il n'étoit rien moins

qu'en argent comptant. J'ai déjà dit qu'il n'est pas riche. Son benefice valoit deux mille francs, mais comme c'étoit la premiére année qu'il le possedoit, il n'avoit encore rien touché du revenu; c'étoit sur les fruits futurs qu'il me faisoit cette avance.

Je sentis tout le prix de sa générosité. J'en fus touché jusqu'au point de déplorer l'aveuglement d'un amour fatal, qui me faisoit violer tous les devoirs. La vertu eut assez de force pendant quelques momens pour s'élever dans mon cœur contre ma passion, et j'apperçus du moins dans cet instant de lumiere, la honte, et l'indignité de mes chaînes. Mais ce combat fut léger et dura peu. La vûë de Manon m'auroit fait précipiter du ciel, et je m'étonnai en me retrouvant auprès d'elle, que j'eusse pû traiter un moment de honteuse une tendresse si juste pour un objet si charmant.

Manon étoit une créature d'un caractere extraordinaire. Jamais fille n'eut moins d'attachement qu'elle pour l'argent, et elle ne pouvoit néanmoins être tranquille un moment avec la crainte d'en manquer. C'étoit du plaisir et des passe-tems qu'il lui falloit. Elle n'eût jamais voulu toucher un sou, si l'on pouvoit se divertir sans qu'il en coûte. Elle ne s'informoit pas même quel étoit le fond de nos richesses, pourvû qu'elle pût passer agréablement la journée, de sorte que n'étant ni excessivement adonnée au jeu, ni d'humeur à aimer le faste des grandes dépenses, rien n'étoit plus facile que de la satisfaire, en lui faisant naître tous les jours des amusemens de son goût; mais c'étoit une chose si nécessaire pour elle d'être ainsi occupée par le plaisir qu'il n'y avoit pas le moindre fond à faire sans cela sur son humeur, et sur ses inclinations. Quoiqu'elle m'aimât

1596 il n'était pas — 1597 valoit mille écus ; — 1614 pouvoit être — 1620 excessivement livrée au jeu, ni capable d'être éblouie par le

tendrement, et que je fusse le seul, comme elle en convenoit volontiers, qui pût lui faire goûter parfaitement
630 les douceurs de l'amour, j'étois presque certain que sa tendresse ne tiendroit point contre de certaines craintes. Elle m'auroit préferé à toute la terre avec une fortune mediocre; mais je ne doutois nullement qu'elle ne m'abandonnât pour quelque nouveau B... lorsqu'il ne me resteroit que de la confiance et de la fidélité à lui offrir. Je résolus donc de régler si bien ma dépense particuliere, que je fusse toujours en état de fournir aux siennes, et de me priver plutôt de mille choses nécessaires que de la borner même pour le superflu. Le
640 carosse m'effraïoit plus que tout le reste, car il n'y avoit point d'apparence de pouvoir entretenir des chevaux, et un cocher. Je découvris ma peine à Mr. Lescaut. Je ne lui avois point caché que j'eusse reçu cent pistoles d'un ami. Il me repeta que si je voulois tenter le hazard du jeu, il ne désesperoit point qu'en sacrifiant de bonne grace une centaine de francs pour traiter ses associez, je ne pusse être admis à sa recommandation dans la ligue de l'industrie *. Quelque répugnance que j'eusse à tromper, je me laissai entraîner par la nécessité.
650 Mr. Lescaut me présenta le soir même, comme un de ses parents; il ajouta que j'étois d'autant mieux disposé à réüssir, que j'avois besoin des plus grandes faveurs de la fortune. Cependant pour faire connoître que ma misere n'étoit pas celle d'un homme de néant, il leur dit que j'étois dans le dessein de leur donner à souper. L'offre fut acceptée. Je les traitai magnifiquement. On s'entretint longtemps de la gentillesse de ma figure, et de mes heureuses dispositions. On prétendit qu'il y avoit beaucoup à esperer de moi, parce qu'aïant

— 1635 resteroit que de la constance et de la fidélité — 1649 par une cruelle nécessité. — 1662 rendit graces à M. —

1660 quelque chose dans la phisionomie qui sentoit l'honnête homme, personne ne se défieroit de mes artifices. Enfin on remercia Mr. Lescaut d'avoir procuré à l'ordre un novice de mon mérite, et l'on chargea un des Chevaliers de me donner, pendant quelques jours, les instructions nécessaires. Le principal théatre de mes exploits devoit être l'Hôtel de Transilvanie *, où il y avoit une table de Pharaon dans une salle, et divers autres jeux de cartes et de dez dans la galerie. Cette Académie se tenoit au profit de Mr. le Prince de R... qui demeuroit alors à Clagny,
1670 et la plûpart de ses officiers étoient de notre societé. Je profitai en peu de tems des leçons de mon maitre. J'acquis sur tout beaucoup d'habileté à faire une volte-face, à filer la carte, et avec le secours d'une longue paire de Manchettes, j'escamottois assez proprement pour tromper les yeux des plus habiles, et ruïner sans affectation quantité d'honnêtes joueurs. Cette adresse extraordinaire hâta si fort les progrez de ma fortune, que je me trouvai en peu de semaines des sommes considerables, outre celles que je partageois de bonne
1680 foi avec mes associez. Je ne craignis plus alors de découvrir à Manon notre perte de Chaillot, et pour la consoler en lui apprenant cette fâcheuse nouvelle, je loüai une maison garnie où nous nous établîmes avec un air d'opulence et de propreté.

Tiberge n'avoit pas manqué pendant ce tems-là de me rendre de fréquentes visites. Sa morale ne finissoit point. Il recommençoit sans cesse à me répresenter le tort que je faisois à ma conscience, à mon honneur et à ma fortune. Je recevois ses avis avec amitié, et quoique
1690 je n'eusse pas la moindre disposition à les suivre, je lui sçavois bon gré de son zéle, parce que j'en connois-sois la source. Quelquefois je le raillois agréablement

1671 Société. Le dirai-je à ma honte ? Je profitai — 1684 de

dans la présence même de Manon; et je l'exhortois à n'être pas plus scrupuleux que la plûpart des Evêques, et des autres Prêtres, qui sçavent accorder fort bien une maitresse avec un benefice. Voyez, lui disois-je, en lui montrant les yeux de la mienne, et dites moi s'il y a des fautes qui ne soient pas justifiée par une si belle cause. Il prenoit patience et il la poussa jusqu'à un
700 certain point; mais lorsqu'il vit que mes richesses s'augmentoient et que non seulement je lui avois restitué ses cent pistoles, mais qu'ayant loüé une nouvelle maison et embelli mon équipage, j'allois me réplonger plus que jamais dans les plaisirs, il changea entiérement de ton et de maniéres. Il se plaignit de mon endurcissement, il me menaça des châtimens du ciel, et il me prédit une partie des malheurs qui ne tarderent guéres à m'arriver. Il est impossible, me dit-il, que les richesses qui servent à l'entretien de vos desordres, vous soient
710 venues par des voïes légitimes. Vous les avez acquises injustement, elles vous seront ravies de même. La plus terrible punition de Dieu seroit de vous en laisser jouir tranquillement. Tous mes conseils, ajoûta-t-il, vous ont été inutiles, je ne prévois que trop qu'ils vous seroient bientôt importuns. Adieu, ingrat et foible ami : puissent vos criminels plaisirs s'évanouïr comme une ombre ! Puisse votre fortune, et votre argent périr sans ressource, et vous, rester seul et nud pour sentir la vanité des biens qui vous ont follement enyvré ! C'est alors que vous me
720 retrouverez disposé à vous aimer et à vous servir; mais je romps aujourd'hui tout commerce avec vous, et je déteste la vie que vous menez. Ce fut dans ma chambre, aux yeux de Manon, qu'il me fit cette harangue Apostolique. Il se leva pour se retirer. Je voulus le

sécurité — 1695 qu'un grand nombre d'Evêques et d'autres Prêtres. — 1699 patience. Il la poussa même assez loin : mais — 1701 richesses augmentoient.

retenir; mais je fus arrêté par Manon, qui me dit que c'étoit un fou qu'il falloit laisser sortir.

Son discours ne laissa pas de faire quelque impression sur moi. Je remarque ainsi les diverses occasions, où mon cœur sentit un retour vers le bien, parce que c'est
1730 à ce souvenir que j'ai dû ensuite une partie de ma force dans les plus malheureuses circonstances de ma vie. Les caresses de Manon dissiperent en un moment le chagrin que cette scene m'avoit causé. Nous continuâmes de mener une vie toute composée de plaisir et d'amour. L'augmentation de nos richesses redoubla notre affection. Venus, et la Fortune n'avoient point d'esclaves plus heureux, et * plus tendres. Dieux ! Pourquoi appeller le monde un lieu de miseres, puis qu'on y peut goûter de si charmantes délices ! mais helas ! leur
1740 foible est de passer trop vîte. Quelle autre felicité voudroit-on se proposer, si elles étoient de nature à durer toujours ? Les notres eurent le sort commun, c'est-à-dire, de durer peu, et d'être suivies par des regrets amers. J'avois fait au jeu des gains si considerables, que je pensois à placer une partie de mon argent. Mes domestiques n'ignoroient pas mes succès, surtout mon valet de chambre, et la suivante de Manon, devant lesquels nous nous entretenions souvent sans défiance. Cette fille étoit jolie. Mon valet en étoit amoureux. Ils
1750 avoient à faire à des maîtres jeunes et faciles, qu'ils s'imaginerent pouvoir tromper aisément. Ils en conçurent le dessein et ils l'excutèrent si malheureusement pour nous qu'ils nous mirent dans un état, dont il ne nous a jamais été possible de nous rélever.

Mr. Lescaut nous aïant un jour donné à souper, il étoit environ minuit lorsque nous retournâmes au logis. J'appellai mon valet, et Manon sa fille de chambre; ni l'un, ni l'autre ne parurent. On nous dit qu'ils n'avoient
1760 point été vûs dans la maison depuis huit heures, et

qu'ils étoient sortis après avoir fait transporter quelques caisses selon les ordres qu'ils disoient avoir reçûs de moi. Je pressentis une partie de la vérité; mais je ne formai point de soupçons qui ne fussent surpassez par ce que j'apperçus en entrant dans ma chambre. La serrure de mon cabinet avoit été forcée, et mon argent enlevé avec tous les habits. Dans le tems que je réfle-chissois seul sur cet accident, Manon vint toute effraïée m'apprendre qu'on avoit fait le même ravage dans son
1770 appartement. Le coup me parût si cruel qu'il n'y eût qu'un effort extraordinaire de raison qui m'empêcha de me livrer aux cris et aux pleurs. La crainte de communiquer mon désespoir à Manon me fit affecter de prendre un visage tranquille. Je lui dis en badinant que je me vangerois sur quelque duppe à l'Hôtel de Transilvanie. Cependant elle me sembla si sensible à notre malheur, que sa tristesse eut bien plus de force pour m'affliger, que ma joye feinte n'en avoit eu pour l'empêcher d'être trop abatuë. Nous sommes perdus, me dit-elle, les
1780 larmes aux yeux. Je m'efforçai en vain de la consoler par mes caresses. Mes propres pleurs trahissoient mon désespoir, et ma consternation. En effet nous étions ruinez si absolument qu'il ne nous restoit pas une chemise.

Je pris le parti d'envoyer chercher sur le champ Mr. Lescaut. Il me conseilla d'aller à l'heure même chez Mr. le Lieutenant de Police, et Mr. le Grand Prévôt * de Paris. J'y allai; mais ce fût pour mon plus grand malheur; car outre que cette démarche, et celles que je
1790 fis faire à ces deux Officiers de Justice, ne produisirent rien, je donnai le tems à Lescaut d'entretenir sa sœur, et de lui inspirer pendant mon absence une horrible résolution. Il lui parla de M. de M... G..., vieux voluptueux qui païoit prodiguement les plaisirs, et il lui fit envisager tant d'avantages à se mettre à sa solde, que

troublée comme elle étoit par notre disgrace, elle entra dans tout ce qu'il entreprit de lui persuader. Cet honorable marché fut conclu avant mon retour, et l'exécution remise au lendemain, après que Lescaut auroit prévenu
1800 Mr. de M... G... Je le retrouvai qui m'attendoit au logis; mais Manon s'étoit couchée dans son appartement, et elle avoit donné ordre à un laquais de me dire qu'ayant besoin d'un peu de répos, elle me prioit de la laisser seule pendant cette nuit. Lescaut me quitta après m'avoir offert quelques pistoles que j'acceptai. Il étoit presque quatre heures lorsque je me mis au lit, et m'y étant encore entretenu longtems des moïens de rétablir ma fortune, je m'endormis si tard que je ne pus me réveiller que vers les onze heures. Je me levai
1810 promptement pour m'aller informer de la santé de Manon. On me dit qu'elle étoit sortie une heure auparavant avec son frere, qui l'étoit venue prendre dans un carosse de loüage. Quoiqu'une telle partie faite avec Lescaut me parût misterieuse, je me fis violence pour suspendre mes soubçons. Je laissai couler quelques heures que je passai à lire. Enfin n'étant plus le maître de mon inquiétude, je me promenai à grands pas dans nos appartemens *. J'apperçus dans celui de Manon une lettre cachetée qui étoit sur sa table. L'adresse
1820 étoit à moi, et l'écriture de sa main. Je l'ouvris avec un frisson mortel : elle étoit dans ces termes :

Je te jure, mon cher Chevalier, que tu es l'idole de mon cœur *, et qu'il n'y a que toi au monde que je puisse aimer de la façon dont je t'aime; mais ne vois-tu pas, ma pauvre chere ame *, que dans l'état où nous sommes réduits, c'est une sotte vertu que la fidelité ? Crois-tu qu'on puisse être bien tendre lorsqu'on manque de pain ? La faim me causeroit quelque méprise fatale, je

1809 vers onze heures ou midi. — 1844 aucun sentiment connu, —

rendrois quelque jour le dernier soupir en croïant en
1830 pousser un d'amour *. Je t'adore, compte là-dessus, mais laisse moi pour quelque tems le ménagement de notre fortune. Malheur à qui va tomber dans mes filets *, je travaille pour rendre mon Chevalier riche et heureux. Mon frere t'apprendra des nouvelles de ta Manon, et qu'elle a pleuré de la nécessité de te quitter.

Je demeurai après cette lecture dans un état qui me seroit difficile à décrire; car j'ignore encore aujourd'hui par quelle espece de sentimens je fus alors agité. Ce fut une de ces situations uniques auxquelles on n'a rien
1840 éprouvé qui soit semblable; on ne sçauroit les expliquer aux autres, parce qu'ils n'en ont pas l'idée; et l'on a peine à se les bien démêler à soi-même; parce qu'étant seules de leur espece, cela ne se lie à rien dans la mémoire, et ne peut même être raproché d'aucuns sentimens connus. Cependant de quelque nature que les miens fussent, il est certain qu'il devoit y entrer de la douleur, du dépit, de la jalousie, et de la honte. Heureux, s'il n'y fût pas entré encore plus d'amour ! Elle m'aime, je le veux croire, mais ne faudroit-il pas, m'écriai-je, qu'elle
1850 fut un monstre pour me haïr ? Quels droits eut-on jamais sur un cœur, que je n'aye pas sur le sien ? que me reste-t-il à faire pour elle, après tout ce que je lui ai sacrifié ? Cependant elle m'abandonne, et l'ingrate se croit à couvert de mes reproches, en me disant, qu'elle ne cesse pas de m'aimer. Elle apprehende la faim; Dieu d'amour ! quelle grossiereté de sentimens, et que cela répond mal à ma délicatesse ! Je ne l'ai pas apprehendée, moi qui m'y expose si volontiers pour elle en rénonçant à ma fortune, et aux douceurs de la maison de mon pére;
1860 moi qui me suis retranché jusqu'au nécessaire, pour satisfaire ses petites humeurs et ses caprices : elle m'adore,

1845 que fussent les miens, — 1856 que c'est répondre mal. —

dit-elle ! si tu m'adorois, ingrate, je sçais bien de qui tu aurois pris des conseils; tu ne m'aurois pas quitté du moins sans me dire adieu. C'est à moi qu'il faut demander quelles peines cruelles on sent à se séparer de ce qu'on adore. Il faudroit avoir perdu l'esprit pour s'y exposer volontairement.

Mes plaintes furent interrompuës par une visite à laquelle je ne m'attendois pas. Ce fut celle de Lescaut. 1870 Bourreau ! lui dis-je, en mettant l'épée à la main, où est Manon ? qu'en as-tu fait ? Ce mouvement l'effraïa, il me répondit que si c'étoit ainsi que je le recevois, lorsqu'il venoit me rendre compte du service le plus considerable qu'il eût pû me rendre, il alloit se retirer et ne remettroit jamais le pied chez moi. Je courus à la porte de la chambre, que je refermai soigneusement. Ne t'imagine pas, lui dis-je en me retournant, que tu puisses me prendre encore une fois pour duppe, et me tromper par des fables. Il faut défendre ta vie, ou 1880 me faire retrouver Manon. Là ! que vous êtes vif ! repartit-il; c'est l'unique sujet qui m'amene. Je viens vous annoncer un bonheur auquel vous ne pensez pas, et pour lequel vous reconnoîtrez peut-être que vous m'avez quelque obligation. Je voulus être éclairci sur le champ. Il me raconta que Manon ne pouvant soûtenir la crainte de la misere, et sur-tout l'idée d'être obligée tout d'un coup à la réforme de notre équipage, l'avoit prié de lui procurer la connoissance de Mr. de M. G. * qui passoit pour un homme généreux. Il n'eut 1890 garde de me dire que le conseil étoit venu de lui, ni qu'il eût préparé les voïes avant que de l'y conduire. Je l'y ai menée ce matin, continua-t-il, et cet honnête homme a été si charmé de son mérite, qu'il l'a invitée d'abord à lui tenir compagnie à sa maison de campagne,

1877 me tournant vers lui, — 1908 récit n'a pas manqué de

où il est allé passer quelques jours. Moi, ajoûta Lescaut, qui ai pénétré tout d'un coup de quel avantage cela pouvoit être pour vous, je lui ai fait entendre adroitement que Manon avoit essuïé des pertes considérables, et j'ai tellement piqué sa générosité, qu'il a commencé
1900 par lui faire un présent de deux cents pistoles. Je lui ai dit que cela étoit honnête pour le présent; mais que l'avenir ameneroit à ma sœur, de grands besoins; qu'elle s'étoit chargée d'ailleurs du soin d'un jeune frere qui nous étoit resté sur les bras, après la mort de nos pére et mére, et que s'il la croïoit digne de son estime, il ne la laisseroit pas souffrir dans ce pauvre enfant, qu'elle régardoit comme la moitié d'elle-même. Ce recit l'a attendri, il s'est engagé à loüer une maison commode pour vous et pour Manon; car c'est vous-
1910 même qui étes ce pauvre petit frere si à plaindre; il a promis de vous meubler proprement, et de vous fournir tous les mois quatre cens bonnes livres qui en feront si je compte bien quatre mille huit cens à la fin de chaque année. Il a laissé ordre à son Intendant avant que de partir pour sa campagne, de chercher une maison, et de la tenir préparée pour son rétour. Vous reverrez alors Manon, qui m'a chargé de vous embrasser mille fois pour elle, et de vous assurer qu'elle vous aime plus que jamais.

1920 Je m'assis en rêvant à cette bizarre disposition de mon sort. Je me trouvai dans un partage de sentimens et par conséquent dans une incertitude si difficile à terminer, que je demeurai longtemps sans répondre à quantité de questions que Lescaut me faisoit l'une sur l'autre. Ce fut dans ce moment que l'honneur et la vertu me firent sentir encore les pointes du remord, et je jettai les yeux en soupirant, vers Amiens, vers

l'attendrir. Il — 1910 Frère orphelin il — 1916 tenir prête pour —

la maison de mon pére, vers St. Sulpice, et vers tous les lieux où j'avois vêcu dans l'innocence. Par quel
1930 espace immense n'étois-je pas séparé de cet heureux état ! je ne le voïois que de loin, comme une ombre qui s'attiroit encore mes regrets et mes désirs, mais qui étoit trop foible pour exciter mes efforts. Par quelle fatalité, disois-je, suis-je devenu si criminel ? l'amour est une passion innocente; comment s'est-il changé pour moi en une source de miseres, et de desordres ? Qui m'empêchoit de vivre tranquille, et vertueux avec Manon ? Pourquoi ne l'épousois-je point avant que d'obtenir rien de son amour ? Mon pére, qui m'aimoit si tendre-
1940 ment, n'y auroit-il pas consenti, si je l'en eusse pressé avec des instances légitimes ! Ah ! il l'auroit cherie lui-même comme une fille charmante, trop digne d'être l'épouse de son fils ; je serois heureux avec l'amour de Manon, avec l'affection de mon pére, avec l'estime des honnêtes gens, avec les biens de la fortune, et la tranquilité de la vertu. Revers funeste ! Quel est l'infame personnage qu'on vient ici me proposer ? Quoi j'irais partager... mais y a-t-il à balancer, si c'est Manon qui la réglé, et si je la perds sans cette complaisance ?
1950 Mr. Lescaut, m'écriai-je, en fermant les yeux comme pour écarter de si chagrinantes réflexions, si vous avez eu dessein de me servir je vous rends graces. Vous auriez peut-être pû prendre une voïe plus honnête; mais c'est une chose finie, n'est-ce pas ? ne pensons donc plus qu'à profiter de vos soins, et à remplir votre projet. Lescaut à qui ma colère et ensuite mon silence avoient causé de l'embarras, fut ravi de me voir prendre un parti tout different de celui qu'il avoit apprehendé pendant quelques momens; il n'étoit rien moins que

1941 Ah ! mon Pere l'auroit — 1944 être la Femme de son Fils — 1952 auriez pû — 1956 colere suivie d'un fort long silence, — 1959 appréhendé sans doute ; il — 1964 ne vous y attendez. —

1960 brave, j'en eus encore de meilleures preuves dans la suite. Ouï, ouï, se hâta-t-il de me répondre, c'est un fort bon service que je vous ai rendu, et vous verrez que nous en tirerons plus d'avantage que vous ne pensez. Nous concertâmes de quelle maniere nous pourrions prévenir les défiances que Mr. M. G... pourroit avoir de notre fraternité en me voyant plus grand, et un peu plus âgé peut-être qu'il ne se l'imaginoit. Nous ne trouvâmes point d'autre moyen que de prendre devant lui un air simple et provincial, et
1970 de lui faire croire que j'étois dans le dessein d'entrer dans l'état Ecclesiastique, et que j'allois pour cela tous les jours au college. Nous résolumes aussi que je me mettrois fort mal, la premiere fois que je serois admis à l'honneur de le saluër. Il revint à la ville cinq ou six jours après. Il conduisit lui-même Manon dans la maison que son Intendant avoit eû soin de tenir prête. Elle fit avertir aussi-tôt son frere de son retour, et celui-ci m'en ayant donné avis, nous nous rendimes tous deux chez elle. Le vieil amant en étoit déjà sorti.

1980 Malgré la résignation avec laquelle je m'étois soumis à ses volontez, je ne pûs réprimer le murmure de mon cœur en la revoïant. Je lui parus triste et languissant. La joïe de la rétrouver ne l'emportoit pas tout-à-fait sur le chagrin de son infidelité. Elle au contraire paroissoit transportée du plaisir de me revoir. Elle me fit des reproches de ma froideur. Je ne pus m'empêcher de laisser échapper les mots de perfide et d'infidelle, que j'accompagnai d'autant de soupirs. Elle me railla d'abord de ma simplicité; mais lorsqu'elle vit mes
1990 regards s'attacher toujours tristement sur elle, et la peine que j'avois à digerer un changement si contraire à mon humeur et à mes désirs, elle passa seule dans son

1966 pouvoit concevoir de — 1976 de préparer. — 2004 sans un

cabinet. Je la suivis un moment après. Je l'y trouvai toute en pleurs. Je lui demandai ce qui les causoit. Il t'est bien aisé de le voir, me dit-elle; comment veux-tu que je vive, si ma vûë n'est plus propre qu'à te causer un air sombre et chagrin? tu ne m'as pas fait une seule caresse depuis une heure que tu es ici, et tu as reçeu les miennes avec la majesté du grand Turc au
2000 Serrail. Ecoutez, Manon, lui répondis-je en l'embrassant, je ne puis vous cacher que j'ai le cœur mortellement affligé. Je ne parle point à présent des allarmes où votre fuite imprévûë m'a jetté, ni de la cruauté que vous avez eû de m'abandonner sans me dire un mot de consolation, et après avoir passé la nuit dans un autre lit que moi. Le charme de votre présence m'en feroit bien oublier davantage. Mais croïez-vous que je puisse penser sans soupirs et même sans larmes, continuai-je, en en versant quelques-unes à la triste et malheureuse
2010 vie que vous voulez que je méne dans cette maison. Laissons ma naissance, et mon honneur à part; ce ne sont plus ces raisons legeres qui doivent entrer en concurrence avec un amour tel que le mien; mais cet amour même ne vous imaginez-vous pas qu'il gémit de se voir si mal récompensé, je n'ose dire traité si tyranniquement par une ingrate et dure maitresse? Elle m'interrompit : tenez, dit-elle, mon Chevalier; il est inutile de me tourmenter par des réproches qui me perçent le cœur, lorsqu'ils viennent de vous. Je vois ce qui vous
2020 blesse. J'avois esperé que vous consentiriez au projet que j'avois fait pour rétablir un peu notre fortune, et c'étoit pour ménager votre délicatesse que j'avois commencé à l'exécuter sans votre participation, mais j'y rénonce puisque vous ne l'approuvez pas. Elle ajoûta, qu'elle ne me démandoit qu'un peu de ma

mot — 2012 plus des raisons si foibles, qui — 2015 traité si cruellement, par — 2025 peu de complaisance — 2030 pension annuelle

complaisance pour le reste du jour; qu'elle avoit déja reçû deux cens pistoles de son vieil amant, et qu'il lui avoit promis de lui apporter le soir un beau collier de perles avec d'autres bijoux, et par dessus cela la moitié 2030 de la pension qu'il lui avoit promise châque année. Laissez moi seulement le tems, me dit-elle, de recevoir ses présens, je vous jure qu'il n'aura pas la satisfaction d'avoir passé une seule nuit avec moi, car je l'ai remis, jusqu'à présent, à la ville. Il est vrai qu'il m'a baisé plus d'un million de fois les mains; il est juste qu'il païe ce plaisir, et ce ne sera point trop de cinq ou six mille francs en proportionnant le prix à ses richesses et à son âge.

Sa résolution me fut beaucoup plus agréable que 2040 l'espérance des 5000. livres. J'eus lieu de reconnoître que mon cœur n'avoit point encore perdu tout sentiment d'honneur, puisqu'il étoit si satisfait d'échaper à l'infamie. Mais j'étois né pour les courtes joies, et les longues douleurs. La fortune ne me délivra d'un précipice que pour me faire tomber dans un autre. Lorsque j'eus marqué à Manon par mille caresses, combien je me croïois heureux de son changement, je lui dis qu'il falloit en instruire Mr. Lescaut, afin que nos mesures se prissent de concert. Il en murmura 2050 d'abord, mais les quatre ou cinq mille livres d'argent comptant le firent entrer dans mes raisons. Il fut donc réglé que nous nous trouverions tous à souper avec Mr. de G. M., et cela pour deux raisons : l'une pour nous donner le plaisir d'une scene agréable, en me faisant passer pour un écolier frere de Manon ; l'autre pour empêcher ce vieux libertin de s'émanciper trop avec ma maitresse, par le droit qu'il croiroit s'être

qu'il lui avoit promise. — 2032 qu'il ne pourra se vanter des avantages que je lui ai donnés sur moi, — 2051 entrer gaiment dans nos

acquis en païant si liberalement d'avance. Nous devions nous retirer Lescaut et moi, lorsqu'il monteroit à la
2060 chambre où il comptoit de passer la nuit, et Manon au lieu de le suivre nous promit de sortir et de la venir passer avec moi. Lescaut se chargea du soin d'avoir exactement un carosse à la porte.

L'heure de souper étant venuë, Mr. de G. M. ne se fit pas attendre longtems. Lescaut étoit avec sa sœur dans la salle. Le premier compliment du vieillard fût d'offrir à sa belle un collier, des bracelets, et des pendants de perles qui valoient au moins cent pistoles. Il lui compta ensuite en beaux louïs d'or la somme de
2070 deux mille quatre cents livres qui faisoient la moitié de la pension. Il assaisonna son présent de quantité de douceurs dans le goût de la vieille Cour *. Manon ne pût lui refuser quelques baisers; c'étoit autant de droits qu'elle acqueroit sur la somme qu'il lui mettoit entre la mains. J'étois à la porte où je prêtois l'oreille, en attendant que Lescaut m'avertit d'entrer. Il vint me prendre par la main, lorsque Manon eut serré l'argent et les bijoux, et me conduisant vers Mr. de G. M. il m'ordonna de lui faire la reverence. J'en fis
2080 deux ou trois des plus profondes. Excusez, Monsieur, lui dit Lescaut, c'est un enfant fort neuf. Il est bien éloigné comme vous voïez d'avoir les airs de Paris, mais nous esperons qu'un peu d'usage le façonnera. Vous aurez l'honneur de voir ici souvent Monsieur, ajoûta-t-il, en se tournant vers moi, faites bien votre profit d'un si bon modele. Le vieil amant parût prendre plaisir à me voir. Il me donna deux ou trois petits coups sur la jouë, en me disant que j'étois un joli garçon, mais qu'il falloit être sur mes gardes à Paris,
2090 où les jeunes gens se laisser aller facilement à la débauche.

vûes. — 2068 moins mille écus. — 2074 : sur l'argent — 2106 tout

Lescaut l'assura que j'étois naturellement si sage, que je ne parlois que de me faire Prêtre, et que tout mon plaisir étoit à faire de petites Chapelles *. Je lui trouve l'air de Manon, reprit le vieillard en me haussant le menton avec la main. Je répondis d'un air niais : Monsieur, c'est que nos deux chairs se touchent de bien proche; aussi j'aime ma sœur Manon comme un autre moi-même. L'entendez-vous, dit-il à Lescaut; il a de l'esprit. C'est dommage que cet enfant-là n'ait pas un
100 peu plus de monde. Ho, Monsieur, répris-je, j'en ai vû beaucoup chez nous dans les Eglises, et je crois bien que j'en trouverai de plus sots que moi à Paris. Voïez, ajouta-t-il, cela est admirable pour un enfant de Province. Toute notre conversation fut à peu près du même goût pendant le souper. Manon qui étoit badine fut sur le point plusieurs fois de gâter tout en éclatant de rire. Je trouvai l'occasion en soupant de lui raconter sa propre histoire, et le mauvais sort qui le menaçoit. Lescaut, et Manon trembloient pendant mon recit, sur
110 tout lorsque je faisois son portrait au naturel; mais j'étois bien sûr que l'amour propre l'empêcheroit de s'y reconnoître, et je l'achevai si adroitement qu'il fut le premier à le trouver fort risible. Vous verrez que ce n'est pas sans raison que je me suis étendu sur cette ridicule scene. Enfin l'heure de se coucher étant arrivée, il proposa à Manon d'aller au lit. Nous nous retirâmes Lescaut et moi. On le conduisit à sa chambre, et Manon étant sortie sous le prétexte d'un besoin, nous vint joindre à la porte. Le carosse qui nous attendoit trois
120 ou quatre maisons plus bas, s'avança pour nous recevoir. Nous nous éloignâmes en un instant du quartier.

Quoiqu'il y eût quelque chose de fripon dans cette

par ses éclats de rire — 2111 mais l'amour propre l'empêcha — 2113 sous prétexte — 2115 l'heure du sommeil étant arrivée, il parla d'amour et d'impatience. — 2122 Quoique à mes propres yeux, cette

action, ce n'étoit pas l'argent que je croïois avoir gagné le plus injustement. J'avois plus de scrupule sur celui que j'avois acquis au jeu. Cependant nous profitâmes aussi peu de l'un que de l'autre, et le ciel permit que la plus légère de ces deux injustices fût la plus rigoureusement punie. Mr. de G. M. ne tarda pas longtems à s'appercevoir qu'il étoit duppé. Je ne sçais s'il fit
2130 dès le soir même quelques démarches pour nous découvrir, mais il eut assez de crédit pour n'en pas faire longtems d'inutiles, et nous assez d'imprudence pour compter sur la grandeur de Paris, et sur l'éloignement qu'il y avoit de notre quartier au sien. Non seulement il fut informé de notre demeure, et de nos affaires présentes, mais il apprit aussi qui j'étois, la vie que j'avois menée à Paris, l'ancienne liaison de Manon avec B... la tromperie qu'elle lui avoit faite; en un mot toutes les parties scandaleuses de notre histoire. Il prit là-dessus
2140 la résolution de nous faire arrêter, et de nous traiter moins comme des criminels que comme de fiefez libertins. Nous étions encore au lit lorsqu'un exempt * du Lieutenant de Police entra dans notre chambre avec une demie douzaine de Gardes. Ils se saisirent d'abord de notre argent ou plutôt de celui de Monsieur de G. M. et nous aïant fait lever brusquement, ils nous conduisirent à la porte, où nous trouvâmes deux carosses; dans l'un desquels la pauvre Manon fut menée à l'Hôpital général *, et moi dans l'autre à
2150 St. Lazare *. Il faut avoir éprouvé de tels revers pour juger du désespoir qu'ils peuvent causer. Nos Gardes eurent la dureté de ne pas me permettre d'embrasser Manon, ni de lui dire une parole. J'ignorai long-tems ce qu'elle étoit devenuë. Ce fut sans doute un bonheur

action fût une véritable friponnerie, ce n'étoit pas la plus injuste que je crusse avoir à me reprocher. — 2124 : sur l'argent que j'avois — 2142 un Exempt de Police — 2149 fut enlevée sans explication,

pour moi de ne l'avoir pas sçu d'abord, car une catastrophe si terrible m'auroit fait perdre le sens, et peut-être la vie.

Ma malheureuse maitresse fût donc conduite à l'Hôpital. Quel sort pour une créature toute charmante, qui
160 eût occupé le premier trône du monde, si tous les hommes eussent eû mes yeux, et mon cœur ! On ne l'y traita pas barbarement, mais elle fut resserrée dans une étroite prison, seule, et condamnée à remplir tous les jours une certaine taxe d'ouvrage, comme une condition nécessaire pour obtenir quelque dégoûtante nourriture. Je n'appris ce triste détail que long-tems après, lorsque j'eus essuïé moi-même plusieurs mois d'une rude et ennuïeuse pénitence. Mes Gardes ne m'aïant point averti du lieu où ils avoient ordre de me
170 conduire, je ne connus mon destin qu'à la porte de St Lazare. J'aurois préferé la mort dans ce moment à l'état où je me crus prêt de tomber. J'avois de terribles idées de cette maison. Ma fraïeur augmenta lorsque mes Gardes en entrant visiterent mes poches une seconde fois, pour s'assurer qu'il ne me restoit ni armes ni moïens de défense. Le Superieur parut à l'instant, il étoit prévenu sur mon arrivée. Il me salua avec beaucoup de douceur. Mon Pére, lui dis-je, point d'indignitez. Je perdrai mille vies avant que d'en souffrir une. Non,
180 non, Monsieur, répondit-il, vous prendrez une conduite sage, et nous serons contens l'un de l'autre. Il me pria de monter dans une chambre haute. Je le suivis sans resistance. Les Archers nous accompagnerent jusqu'à la porte, et le Superieur y étant entré avec moi, il leur fit signe de se retirer.

et moi traîné dans — 2158 donc enlevée, à mes yeux, et menée dans une Retraite que j'ai horreur de nommer. Quel — 2164 certaine tâche de travail, — 2169 averti non plus du — 2173 augmenta, lorsqu'en entrant, les Gardes visitèrent une seconde

Je suis donc votre prisonnier, lui dis-je; eh bien mon Pére, que pretendez-vous faire de moi ? Il me dit qu'il étoit charmé de me voir prendre un ton si raisonnable; que son devoir par rapport à moi seroit de tra-
2190 vailler à m'inspirer le goût de la vertu et de la religion, et le mien de profiter de ses exhortations et de ses conseils; que pour peu que je voulusse répondre aux attentions qu'il auroit pour moi, je ne trouverois que du plaisir et de la satisfaction dans ma solitude. Ah ! du plaisir, repris-je; vous ne sçavez pas, mon Pére, l'unique, chose qui est capable de m'en faire goûter ! Je le sçais. reprit-il; mais j'espere que votre inclination * changera. Sa réponse me fit comprendre, qu'il étoit instruit de mes avantures et peut-être de mon nom. Je le priai de
2200 m'éclaircir là-dessus. Il me dit naturellement qu'on l'avoit informé de tout. Cette connoissance fut le plus rude de tous mes châtimens. Je me mis à verser un ruisseau de larmes avec toutes les marques du désespoir. Je ne pouvois me consoler d'une humiliation qui alloit me rendre la fable de toutes les personnes de ma connoissance, et la honte de ma famille. Je passai ainsi huit jours dans le plus profond abbatement, sans être capable de rien entendre ni de m'occuper d'autre chose que de mon opprobre. Le souvenir même de Manon
2210 n'ajoûtoit rien à ma douleur. Il n'y entroit du moins que comme un sentiment qui avoit precedé cette nouvelle peine, et la passion dominante de mon ame étoit la honte et la confusion. Il y a peu de personnes qui connoissent la force de ces mouvemens particuliers du cœur. Le commun des hommes n'est sensible qu'à cinq ou six passions dans le cercle desquelles leur vie se passe et où toutes leurs agitations se reduisent. Otez

fois mes poches, pour — 2188 raisonnable ; que son devoir seroit — 2194 : plaisir dans ma Solitude. — 2203 d'un affreux désespoir —

leur l'amour et la haine, le plaisir et la douleur, l'esperance et la crainte, ils ne sentent plus rien. Mais les personnes d'un certain caractere peuvent être remuées de mille façons differentes; il semble qu'elles aïent plus de cinq sens, et qu'elles puissent recevoir des idées et des sensations qui passent les bornes ordinaires de la nature. Et comme elles ont un sentiment de cette grandeur qui les éleve au-dessus du vulgaire, il n'y a rien dont elles soient plus jalouses. De là vient qu'elles souffrent si impatiemment le mépris et la risée, et que la honte est une de leurs passions les plus violentes.

J'avois ce triste avantage à St. Lazare. Ma tristesse parut si excessive au Superieur qu'en apprehendant les suites, il crût devoir me traiter avec beaucoup de douceur, et d'indulgence. Il me visitoit deux ou trois fois le jour. Il me prenoit souvent avec lui pour faire un tour de jardin, et il s'épuisoit en exhortations et en avis salutaires. Je les recevois avec douceur. Je lui marquois même de la reconnoissance. Il en tiroit l'espoir de ma conversion. Vous étes d'un naturel si doux et si aimable, me dit-il un jour, que je ne puis comprendre les desordres dont on vous accuse. Deux choses m'étonnent; l'une, comment avec de si bonnes qualitez vous avez pû vous livrer à l'exces du libertinage; et l'autre que j'admire encore plus, comment vous recevez si volontiers mes conseils, et mes instructions, après avoir vêcu plusieurs années dans l'habitude du desordre. Si c'est repentir vous étes un exemple signalé des misericordes du Ciel; si c'est bonté naturelle, vous avez du moins un excellent fond de rectitude morale qui me fait esperer que nous n'aurons pas besoin de vous retenir ici long-tems pour vous ramener à une vie honnête et réglée. Je fus ravi de lui voir cette opinion de moi. Je

2220 d'un caractère plus noble peuvent. — 2247 fond de caractère

resolus de l'augmenter par une conduite qui le satisferoit entierement, persuadé que c'étoit le plus sûr moïen d'abreger ma prison. Je lui demandai des livres. Il fut surpris que m'ayant laissé le choix de ceux que je voulois lire, je me déterminai pour quelques Auteurs sérieux et chrétiens. Je fis semblant de m'appliquer à l'étude avec le dernier attachement, et je lui donnai ainsi dans toutes les occasions des preuves du changement qu'il desiroit.

2260 Cependant il n'étoit qu'exterieur. Je le dois confesser à ma honte. Je jouai à St. Lazare un personnage d'hipocrite. Au lieu d'étudier, quand j'étois seul, je ne m'occupois qu'à gémir de ma destinée. Je maudissois ma prison, et la tyrannie qui m'y retenoit. Je n'eus pas plutôt quelque relâche du côté de cet accablement où m'avoit jetté la confusion, que je retombai dans les tourmens de l'amour. L'absence de Manon, l'incertitude de son sort, la crainte de ne la revoir jamais, étoient l'unique objet de mes tristes méditations. Je me la figurois dans 2270 les bras de M. de G. M., car c'étoit la pensée que j'avois eû d'abord, et loin de m'imaginer qu'il lui eût fait le même traitement qu'à moi, j'étois persuadé qu'il ne m'avoit fait éloigner que pour la posseder tranquillement. Je passois ainsi des jours et des nuits dont la longueur me paroissoit éternelle. Je n'avois point d'autre esperance que celle du succès de mon hipocrisie. J'observois soigneusement le visage et le discours du Superieur, pour m'assurer de ce qu'il pensoit de moi, et je me faisois une étude de lui plaire comme à l'arbitre 2280 de ma destinée. Il me fut aisé de voir que j'étois parfaitement dans ses bonnes graces. Je ne doutai point qu'il ne fût disposé à me rendre service. J'en pris un jour la hardiesse de lui demander, si c'étoit de lui que

qui — 2251 qui pût le satisfaire entièrement — 2255 Auteurs sérieux, Je feignis de — 2276 Je n'avois d'espérance que dans le succès —

mon élargissement dépendoit. Il me dit qu'il n'en étoit pas le maître absolument; mais que sur son témoignage il esperoit que Mr. de G. M. à la sollicitation duquel Mr. le Lieutenant de Police m'avoit fait renfermer, consentiroit à me rendre la liberté. Puis-je me flatter, repris-je doucement, que deux mois de prison que j'ai
2290 déjà essuïez, lui paroîtront une expiation suffisante? il me promit de lui en parler si je le souhaitois. Je le priai instamment de me rendre ce bon office. Il m'apprit deux jours après que Mr. de G. M. avoit été si touché du bien qu'il avoit entendu de moi, que non seulement il paroissoit être dans le dessein de me laisser voir le jour, mais qu'il avoit même marqué beaucoup d'envie de me connoître plus particulierement, et qu'il se proposoit de me rendre une viste dans ma prison. Quoique sa présence ne pût m'être agréable, je la regardai comme
2300 un acheminement prochain à ma liberté.

Il vint effectivement à St. Lazare. Je lui trouvai l'air plus grave et moins sot, qu'il ne l'avoit eû dans la maison de Manon. Il me tint quelques discours de bon sens sur ma mauvaise conduite, et il ajoûta pour justifier sans doute ses propres desordres, qu'il étoit permis à la foiblesse des hommes de se procurer certains plaisirs que la nature exigeoit, mais que la friponnerie et les artifices honteux méritoient d'être punis. Je l'écoutai avec un air de soumission dont il me parût
2310 satisfait. Je ne m'offençai pas même de l'entendre lâcher quelques railleries sur ma fraternité avec Lescaut et Manon, et sur les petites Chapelles, dont il supposoit, me dit-il, que j'avois dû faire un grand nombre à St. Lazare, puisque je trouvois tant de plaisir à cette pieuse occupation; mais il lui échappa malheureusement pour lui et pour moi-même de me dire, que Manon en auroit

2285 pas absolument le maître; — 2287 M. le lieutenant Général de Police — 2307 Nature exige,

fait aussi sans doute de fort jolies à l'Hôpital. Malgré le frémissement que le nom d'Hôpital me causa, j'eus encore le pouvoir de le prier avec douceur de s'expli-
2320 quer. Hé, ouï, réprit-il, il y a deux mois qu'elle apprend la sagesse à l'Hôpital général, et je souhaite qu'elle en ait tiré autant de profit que vous à St. Lazare.

Quand j'aurois eû une prison éternelle, ou la mort même présente à mes yeux, je n'aurois pas été le maître de mon transport à cette affreuse nouvelle ! Je me jettai sur lui avec une si furieuse rage que j'en perdis la moitié de mes forces. J'en eus assez néanmoins pour le précipiter par terre, et le prendre à la gorge. Je l'étranglois, lorsque le bruit de sa chûte et quelques gémisse-
2330 mens que je lui laissois à peine la liberté de pousser, attirerent le Supérieur, et plusieurs Religieux dans ma chambre. On le délivra de mes mains. J'avois presque perdu moi-même la force et la respiration. O Dieu ! m'écriai-je, en poussant mille soupirs, justice du Ciel ! faut-il , que je vive un moment après une telle infamie ! Je voulus me jetter encore sur le barbare qui venoit de m'assassiner. On m'arrêta. Mon désespoir, mes cris, et mes larmes passoient toute imagination. Je fis des choses si étonnantes que tous les assistans qui en igno-
2340 roient la cause, se regardoient les uns les autres avec autant de fraïeur que de surprise. Mr. de G. M. rajustoit pendant ce tems-là sa perruque * et sa cravate, et dans le dépit d'avoir été si maltraité, il ordonnoit au Superieur de me resserrer plus étroitement que jamais, et de me punir, par tous les châtimens qu'on sçait être propres à St. Lazare. Non, Monsieur, lui dit le Superieur, ce n'est point avec une personne de la naissance de Mr. le Chevalier que nous en usons de cette maniere. Il est si doux d'ailleurs, et si honnête, que j'ai peine à

2328 le renverser par terre et pour le prendre — 2329 quelques cris aigus que —

2350 comprendre qu'il se soit porté à cet excès sans de fortes raisons. Cette réponse acheva de déconcerter M. de G. M. Il sortit en disant qu'il sçauroit faire plier et le Superieur, et moi, et tous ceux qui oseroient lui resister.

Le Superieur aïant ordonné à ses Religieux de le conduire, demeura seul avec moi. Il me conjura de lui apprendre promptement d'où venoit ce desordre. O mon Pére ! lui dis-je en continuant de pleurer comme un enfant, figurez-vous la plus horrible cruauté, imaginez-vous la plus détestable de toutes les barbaries,
2360 c'est l'action que l'indigne G. M. a eu la lâcheté de commettre. Oh ! il m'a percé le cœur, je n'en reviendrai jamais; je veux vous raconter tout, ajoûtai-je en sanglottant, vous étes bon, vous aurez pitié de moi. Je lui fis un recit abregé de la longue et insurmontable passion, que j'avois pour Manon, de la situation florissante de notre fortune avant que nous eussions été dépouillez par nos propres domestiques, des offres que G. M. avoit faites à ma maîtresse, de la conclusion de leur marché et de la maniere dont il avoit été rompu. Je
2370 lui représentai les choses à la verité du côté le plus favorable pour nous; voilà continuai-je, de quelle source est venu le zéle de Mr. de G. M. pour ma conversion. Il a eu le credit de me faire renfermer ici par un pur motif de vangeance. Je lui pardonne; mais mon Pére, helas ! ce n'est pas tout. Il a fait enlever cruellement la plus chere moitié de moi-même ; il l'a fait mettre honteusement à l'Hôpital, il a eu l'impudence de me l'annoncer aujourd'hui de sa propre bouche. A l'Hôpital, mon Pére, ô Ciel, ma charmante maîtresse, ma chere
2380 Reine à l'Hôpital, comme la plus infame de toutes les créatures ! où trouverai-je assez de force pour supporter un si étrange malheur sans mourir ! Le bon Pére me

2381 force, pour ne pas mourir de douleur et de honte !

voïant dans un tel excès d'affliction, entreprit de me consoler. Il me dit, qu'il n'avoit jamais compris mon avanture de la maniere dont je la racontois; qu'il avoit sçu à la vérité que je vivois dans le desordre, mais qu'il s'étoit figuré que ce qui avoit obligé Mr. de G. M. à y prendre interêt étoit quelque liaison d'estime, et d'amitié avec ma famille; qu'il ne s'en étoit expliqué
2390 à lui-même que sur ce pied-là; que ce que je venois de lui apprendre mettroit beaucoup de changement dans mes affaires, et qu'il ne doutoit point que le recit fidele qu'il avoit dessein d'en faire à Mr. le Lieutenant de Police, ne pût contribuër à ma liberté. Il me demanda ensuite pourquoi je n'avois point pensé à écrire à ma famille, puisqu'elle n'avoit point eu de part à ma captivité. Je satisfis à cette objection par quelques raisons prises de la douleur que j'avois apprehendé de causer à mon pére, et de la honte que j'en aurois ressenti moi-
2400 même. Enfin il me promit d'aller de ce pas chez Mr. le Lieutenant de Police, ne fût-ce, ajoûta-t-il que pour prévenir quelque chose de pis de la part de M. de G. M. qui est sorti de cette maison fort mal satisfait, et qui est assez consideré pour se rendre redoutable.

J'attendis le retour du Pére avec toutes les agitations d'un malheureux, qui touche au moment de sa sentence. C'étoit pour moi un supplice inexprimable que de me représenter Manon à l'Hôpital. Outre l'infamie de cette demeure, j'ignorois de quelle maniere elle y étoit traitée,
2410 et le souvenir de quelques particularitez que j'avois entenduës de cette maison d'horreur, renouvelloit à tous momens mes transports. J'étois tellement résolu de la secourir à quelque prix, et par quelque moïen que ce pût être, que j'aurois mis le feu à St. Lazare,

— 2390 pied ; que — 2395 pas encore pensé à donner de mes nouvelles à — 2404 se faire redouter. — 2407 inexprimable, de — 2424 faire sçavoir ma situation ? —

s'il m'eût été impossible d'en sortir autrement. Je réfléchis donc sur les voïes que je pourrois prendre, s'il arrivoit que Mr. le Lieutenant de Police continuât de m'y retenir malgré moi. Je mis mon industrie à toutes les épreuves, je parcourus toutes les possiblitez; je ne vis rien qui pût m'assurer d'une évasion certaine, et je craignis d'être renfermé plus étroitement, si je faisois une tentative malheureuse. Je me rappellai le nom de quelques amis de qui je pouvois esperer du secours; mais quel moïen de leur faire sçavoir seulement de mes nouvelles ! Enfin je crus avoir formé un plan si adroit qu'il pourroit réüssir et je remis à l'arranger encore mieux après le retour du P. Superieur, si l'inutilité de sa démarche me le rendoit nécessaire. Il ne tarda point à revenir. Je ne vis point sur son visage les marques de joïe qui accompagnent une bonne nouvelle. J'ai parlé, me dit-il, à Mr. le Lieutenant de Police, mais je lui ai parlé trop tard. Mr. de G. M. l'est allé voir en sortant d'ici, et l'a si fort prévenu contre vous, qu'il étoit sur le point de m'envoïer de nouveaux ordres pour vous resserrer davantage.

Cependant lorsque je lui ai appris le fond de vos affaires il a parû s'adoucir beaucoup, et après avoir un peu ri de l'incontinence du vieux Mr. de G. M. il m'a dit qu'il falloit vous laisser ici six mois pour le satisfaire, d'autant mieux, a-t-il dit, que cette demeure * ne sçauroit vous être inutile. Il m'a recommandé de vous traiter honnêtement, et je vous répons que vous ne vous plaindrez point de mes manieres.

Cette explication du bon Superieur fut assez longue, pour me donner le tems de faire une sage réflexion. Je conçus que je m'exposerois à renverser mes desseins, si je lui marquois trop d'empressement pour ma liberté. Je lui témoignai au contraire, que dans la nécessité de demeurer, c'étoit une douce consolation pour moi

2450 d'avoir quelque part à son estime. Je le priai ensuite sans affectation de m'accorder une grace qui n'étoit de nulle importance pour personne et qui serviroit beaucoup à ma tranquillité, c'étoit de faire avertir un de mes amis, un saint Ecclesiastique qui demeuroit à St. Sulpice, que j'étois à St. Lazare; et de me permettre de recevoir quelquefois son édifiante visite. Cette faveur me fût accordée sans déliberer. C'étoit mon ami Tiberge dont il étoit question; non que j'esperasse de lui les secours nécessaires pour ma liberté; mais je voulois l'y 2460 faire servir comme un instrument éloigné sans qu'il en eût même connoissance. En un mot, voici mon projet. Je voulois écrire à Lescaut, et le charger, lui, et nos amis communs du soin de me délivrer. La premiere difficulté étoit à lui faire tenir ma lettre, ce devoit être l'office de Tiberge. Cependant comme il le connoissoit pour le frere de ma maîtresse, je craignois qu'il n'eût peine à accepter cette commission. Mon dessein étoit de renfermer ma Lettre à Lescaut dans une autre lettre que j'adresserois à un honnête homme de ma connoissance, 2470 en le priant de rendre promptement l'incluse à son adresse; et comme il étoit nécessaire que je visse Lescaut pour nous accorder dans nos mesures, je voulois lui marquer de venir à St. Lazare, et de demander à me voir sous le nom de mon frere aîné qui étoit venu exprès à Paris pour prendre connoissance de mes affaires. Je remettois à convenir avec lui des moïens qui nous paroitroient les plus expeditifs et les plus sûrs. Le Pére Superieur fit avertir Tiberge dès le lendemain du désir que j'avois de l'entretenir. Ce fidelle ami ne 2480 m'avoit pas tellement perdu de vûë qu'il ignorât mon avanture; il sçavoit que j'étois à St. Lazare, et peut-être

2455 permettre que je reçusse quelquefois sa visite. — 2468 Lettre, que je devois adresser à — 2470 promptement la première à son

n'avoit-il pas été fâché de cette disgrace, qu'il esperoit pouvoir servir à me ramener au devoir. Il accourut aussitôt à ma chambre.

Notre entretien fut plein d'amitié. Il voulut être informé de mes dispositions. Je lui ouvris mon cœur sans reserve, excepté sur le dessein de ma fuite. Ce n'est pas à vos yeux, cher ami, lui dis-je, que je veux paroître ce que je ne suis point. Si vous avez cru trouver ici
2490 un ami sage et réglé dans ses desirs, un libertin reveillé par les châtimens du ciel, en un mot un cœur dégagé de l'amour et revenu des charmes de sa Manon, vous avez jugé trop favorablement de moi. Vous me revoïez tel que vous me laissâtes il y a quatre mois, toujours tendre, et toujours malheureux par cette fatale tendresse dans laquelle je ne me lasse point de chercher mon bonheur. Il me répondit que l'aveu que je faisois me rendoit inexcusable; qu'on voïoit bien des Pécheurs qui s'enivroient du faux bonheur du Vice, jusqu'à le
2500 préferer hautement à celui de la vertu; mais que c'étoit du moins à une image de bonheur qu'ils s'attachoient, et qu'ils étoient les duppes de l'apparence; mais que de reconnoître comme je faisois, que l'objet de mes attachemens, n'étoit propre qu'à me rendre coupable et malheureux et de continuër à me précipiter volontairement dans l'infortune et dans le crime, c'étoit une contradiction d'idées et de conduite, qui ne faisoit pas honneur à ma raison. Tiberge ! repris-je, qu'il vous est aisé de vaincre, lorsqu'on n'oppose rien à vos armes !
2510 laissez-moi raisonner à mon tour. Pouvez-vous prétendre que ce que vous appellez le bonheur de la vertu soit exempt de peines, de traverses, et d'inquietudes ? quel nom donnerez-vous à la prison, aux croix, aux

— 2482 qu'il croyoit capable de me ramener — 2501 à des images — 2503 je le faisois —

supplices, et aux tortures des tyrans ? direz-vous comme font les Mistiques que ce qui tourmente le corps est un bonheur pour l'ame ? vous n'oseriez le dire, c'est un paradoxe insoutenable. Ce bonheur que vous relevez tant est donc mêlé de mille peines, ou, pour parler plus juste, ce n'est qu'un tissu de malheurs, au travers des-
2520 quels on tend à la felicité. Or si la force de l'imagination fait trouver du plaisir dans ces maux mêmes, parce qu'ils peuvent conduire à un terme heureux qu'on espere, pourquoi traitez-vous de contradictoire et d'insensée dans ma conduite une disposition toute semblable ? J'aime Manon; je tends au travers de mille douleurs à vivre heureux et tranquille auprès d'elle. La voïe par où je marche est malheureuse, mais l'esperance d'arriver à mon terme y répand toujours de la douceur; et je me croirai trop bien païé par un moment passé avec elle,
2530 de tous les chagrins que j'essuïe pour l'obtenir. Toutes choses me paroissent donc égales de votre côté et du mien; ou s'il y a quelque difference, elle est encore à mon avantage; car le bonheur que j'espere est proche, et l'autre est éloigné; le mien est de la nature des peines, c'est-à-dire, sensible au corps; et l'autre est d'une nature inconnuë, qui n'est certaine que par la foi.

Tiberge parut effraïé de ce raisonnement. Il recula deux pas en me disant de l'air le plus sérieux, que non seulement ce que je venois de dire blessoit le bon sens,
2540 mais que c'étoit un malheureux sophisme d'impieté et d'irreligion; car cette comparaison, ajoûta-t-il, du terme de vos peines avec celui qui est proposé par la religion est une idée des plus libertines *, et des plus monstrueuses. J'avouë, repris-je, qu'elle n'est pas juste, mais prenez y garde, ce n'est pas sur elle que porte mon raisonnement. J'ai eu dessein d'expliquer ce que vous regardez comme une contradiction dans la perseverance d'un amour malheureux, et je crois avoir prouvé fort

bien que si c'en est une, vous ne sçauriez vous en sauver
2550 non plus que moi. C'est à cet égard seulement que j'ai
traité les choses d'égales, et je soutiens encore qu'elles
le sont. Répondrez-vous que le terme de la vertu est
infiniment superieur à celui de l'amour ? Qui réfuse
d'en convenir ? Mais est-ce de quoi il est question ?
Ne s'agit-il pas de la force qu'ils ont l'un et l'autre
pour faire supporter les peines ? Jugeons en par l'effet.
Combien trouve-t-on de deserteurs de la severe vertu,
et combien en trouverez-vous peu de l'amour ? Repondrez-vous encore que s'il y a des peines dans l'exercice
2560 du bien, elles ne sont pas infaillibles et nécessaires;
qu'on ne trouve plus de Tyrans ni de croix, et qu'on
voit quantité de personnes vertueuses mener une vie
douce et tranquille ? Je vous dirai de même qu'il y a
des amours paisibles et fortunez; et ce qui fait encore
une difference qui m'est extrêmement avantageuse,
j'ajoûterai que l'amour quoiqu'il trompe assez souvent,
ne promet du moins que des satisfactions et des joïes,
au lieu que la religion veut qu'on s'attende à une pratique
triste et mortifiante. Ne vous allarmez pas, ajoûtai-je,
2570 en voïant son zéle prêt à se chagriner. L'unique chose
que je veux conclure ici, c'est qu'il n'y a point de plus
mauvaise methode pour dégoûter un cœur de l'amour,
que de lui en décrier les douceurs et de lui promettre
plus de bonheur dans l'exercice de la vertu. De la
maniere dont nous sommes faits, il est certain que notre
félicité consiste dans le plaisir; je défie qu'on s'en forme
une autre idée : or le cœur n'a pas besoin de se consulter
long-tems pour sentir que de tous les plaisirs, les plus
doux sont ceux de l'amour. Il s'apperçoit bien-tôt qu'on
2580 le trompe lorsqu'on lui en promet ailleurs de plus
charmans, et cette tromperie le dispose à se défier des

2550 sauver plus —

promesses les plus solides. Prédicateurs qui voulez me ramener à la vertu, dites moi qu'elle est indispensablement nécessaire, mais ne me déguisez pas qu'elle est sévere et penible. Etablissez bien que les délices de l'amour sont passageres, qu'elles sont défenduës, qu'elles seront suivies par d'éternelles peines, et ce qui fera peut-être encore plus d'impression sur moi, que plus elles sont douces et charmantes, plus le ciel sera
2590 magnifique à récompenser un si grand sacrifice; mais confessez qu'avec des cœurs tels que nous les avons, elles sont ici bas nos plus parfaites félicitez. Cette fin de mon discours rendit sa bonne humeur à Tiberge. Il convint qu'il y avoit quelque chose de raisonnable dans mes pensées. La seule objection qu'il ajouta fut de me demander, pourquoi je n'entrois pas du moins dans mes propres principes, en sacrifiant mon amour à l'esperance de cette rémuneration dont je me faisois une si grande idée. O cher ami ! lui répondis-je, c'est ici que je
2600 reconnois ma misere et ma foiblesse; helas ouï, c'est mon devoir d'agir comme je raisonne; mais l'action est-elle en mon pouvoir ? De quel secours n'aurois-je pas besoin pour oublier les charmes de Manon ? Dieu me pardonne, réprit Tiberge, je pense que voici encore un de nos Jansenistes *. Je ne sçais ce que je suis, repliquai-je, et je ne vois pas trop clairement ce qu'il faut être, mais j'éprouve la vérité de ce qu'ils disent.

Cette conversation servit du moins à renouveller la pitié de mon ami. Il vit bien qu'il y avoit plus de
2610 foiblesse que de malignité dans mes desordres. Son amitié en fut plus disposée dans la suite à me donner des secours, sans lesquels j'aurois péri infailliblement de misere. Je ne lui fis pas pourtant la moindre ouverture du dessein que j'avois de m'échapper de St. Lazare.

2607 . je n'éprouve que trop la — 2613 . Cependant je ne lui fis pas la —

Je le priai seulement de se charger de ma lettre. Je l'avois préparée avant qu'il fût venu, et je ne manquai point de prétextes pour colorer la nécessité où j'étois d'écrire. Il eut la fidelité de la porter exactement, et Lescaut reçut celle qui étoit pour lui avant la fin du
620 jour. Il me vint voir le lendemain et il passa heureusement sous le nom de mon frere. Ma joïe fut grande en l'appercevant dans ma chambre, j'en fermai la porte avec soin. Ne perdons pas un seul moment, lui dis-je, apprenez moi d'abord des nouvelles de Manon, et donnez moi ensuite un bon conseil pour rompre mes fers. Il m'assura qu'il n'avoit pas vû sa sœur depuis le jour qui avoit précedé mon emprisonnement, qu'il n'avoit appris son sort et le mien qu'à force d'informations et de soins, que s'étant présenté deux ou trois fois à l'Hôpital, on
630 lui avoit refusé la liberté de lui parler. Malheureux G.M., m'écriai-je que tu me la païeras cher !

Pour ce qui regarde votre délivrance, continua Lescaut, c'est une entreprise moins facile que vous ne pensez. Nous passâmes hier la soirée deux de mes amis et moi, à observer toutes les parties exterieures de cette maison, et nous jugeâmes que vos fenêtres étant sur une cour entourée de bâtimens, comme vous nous l'aviez marqué, il y auroit bien de la difficulté à vous tirer de là. Vous étes d'ailleurs au troisiéme étage, et
640 nous ne pouvons introduire ici, ni cordes, ni échelle. Je ne vois donc nulle ressource du côté du dehors; c'est dans la maison même qu'il faudroit imaginer quelque artifice. Non, répris-je, j'ai tout examiné, sur tout depuis que ma cloture est un peu moins rigoureuse par l'indulgence du Superieur. La porte de ma chambre ne se ferme plus avec la clef, j'ai la liberté de me promener dans les galeries des Religieux; mais tous les escaliers sont bouchez par des portes épaisses qu'on a soin de tenir fermées la nuit et le jour; de sorte qu'il est impos-

2650 sible que la seule adresse me puisse sauver. Attendez, repris-je, après avoir un peu refléchi sur une idée qui me parut excellente, pourriez-vous m'apporter un pistolet ? Aisément, me dit Lescaut; mais voulez-vous tuer quelqu'un ? je l'assurai que j'avois si peu dessein de tuër, qu'il n'étoit pas même nécessaire que le pistolet fût chargé. Apportez-le moi demain, ajoûtai-je, et ne manquez pas de vous trouver le même soir à onze heures vis à vis la porte de cette maison avec deux ou trois de nos amis. J'espere que je pourrai vous y
2660 réjoindre. Il me pressa en vain de lui en apprendre davantage. Je lui dis qu'une entreprise telle que je la méditois ne pouvoit paroître raisonnable qu'après avoir réüssi. Je le priai d'abreger sa visite; afin qu'il trouvât plus de facilité à me revoir le lendemain. Il fut admis avec aussi peu de peine que la premiére fois; son air étoit grave, il n'y a personne qui ne l'eût pris pour un honnête homme.

Lorsque je me trouvai muni de l'instrument de ma liberté, je ne doutai presque point du succès de mon projet. Il étoit bizarre et hardi; mais de quoi n'étois-je
2670 point capable avec les motifs qui m'animoient ? J'avois remarqué depuis qu'il m'étoit permis de sortir de ma chambre, et de me promener dans les galeries, que le Portier * apportoit chaque jour au soir les clefs de toutes les portes au Superieur, et qu'il regnoit ensuite un profond silence dans la maison, qui marquoit que tout le monde étoit retiré. Je pouvois aller sans obstacle par une galerie de communication de ma chambre à celle de ce Pére. Ma résolution étoit de lui prendre ses clefs, en l'épouvantant avec mon Pistolet s'il faisoit difficulté
2680 de me les donner, et de m'en servir pour gagner la ruë. J'en attendis le tems avec impatience. Le Portier vint à l'heure ordinaire, c'est-à-dire, un peu après neuf heures.

2650 adresse puisse me sauver. — 2666 un homme d'honneur. — 2668 presque plus du —

J'en laissai passer encore une, pour m'assurer que tous les Religieux, et les domestiques étoient endormis. Je partis enfin avec mon arme et une chandelle allumée. Je frappai d'abord doucement à la porte du Pére pour l'éveiller sans bruit. Il m'entendit au second coup, et s'imaginant sans doute que c'étoit quelque Religieux qui se trouvoit mal, et qui avoit besoin de secours, il
690 se leva pour m'ouvrir. Il eut néanmoins la précaution de demander au travers de la porte, qui c'étoit, et ce qu'on vouloit de lui ? Je fus obligé de lui dire qui j'étois, mais j'affectai un ton plaintif pour lui faire comprendre que je ne me trouvois pas bien. Ha ! c'est vous, mon cher fils, me dit-il, en ouvrant la porte; qui est-ce donc qui vous amene si tard ? J'entrai dans sa chambre et l'aïant tiré à l'autre bout opposé à la porte, je lui déclarai qu'il m'étoit impossible de demeurer plus longtems à St. Lazare; que la nuit étoit un tems commode
700 pour sortir sans être apperçu, et que j'attendois de son amitié qu'il consentiroit à m'ouvrir les portes, ou à me prèter les clefs pour les ouvrir moi-même.

Le compliment devoit le surprendre. Il demeura quelque tems à me considerer sans me répondre. Comme je n'en avois pas à perdre, je répris la parole pour lui dire, que j'étois fort touché de toutes ses bontez; mais que la liberté étant le plus cher de tous les biens, sur tout à moi, à qui on la ravissoit injustement, j'étois résolu de me la procurer cette nuit même à quelque prix que
710 ce fût; et de peur qu'il ne lui prît envie d'élever la voix pour appeller au secours, je lui fis voir une honnête raison de silence que je tenois sous mon just-au-corps *. Un pistolet ! me dit-il. Quoi, mon fils ! vous voulez m'ôter la vie, pour reconnoître la consideration que j'ai euë pour vous ? A Dieu ne plaise, lui répondis-je. Vous avez trop d'esprit, et de raison pour me mettre dans cette nécessité; mais je veux être libre, et j'y suis

si résolu que si mon projet manque par votre faute, c'est fait de vous absolument. Mais, mon cher fils, reprit-il d'un air pâle et effraïé, que vous ai-je fait ? quelle raison 2720 avez-vous de vouloir ma mort ? Eh non, répliquai-je avec impatience, je n'ai pas dessein de vous tuër si vous voulez vivre; ouvrez moi la porte, et je suis le meilleur de vos amis. J'apperçus les clefs, qui étoient sur la table. Je les pris, et je le priai de me suivre, en faisant le moins de bruit qu'il pourroit. Il fut obligé de s'y resoudre. A mesure que nous avançions et qu'il ouvroit une porte, il me repetoit avec un soûpir : ah ! mon fils, ah ! qui l'auroit jamais crû ! Point de bruit, mon Pére, répetois-je de mon côté à tout moment. Enfin nous arri- 2730 vâmes à une espece de barriere qui est avant la grande porte de la ruë. Je me croïois déja en sûreté, et j'étois derriere le Pére avec ma chandelle dans une main, et mon Pistolet dans l'autre. Pendant qu'il s'occupoit à ouvrir, un Domestique qui couchoit dans une petite chambre voisine, entendant le bruit de quelques verrouïls se leve et met la tête à sa porte. Le bon Pere le crut apparemment capable de m'arrêter. Il lui ordonna avec beaucoup d'imprudence de venir à son secours. C'étoit un puissant coquin, qui s'élança sur moi sans 2740 balancer. Je ne le lui marchandai point, je lui lâchai le coup au milieu de la poitrine. Voilà de quoi vous étes cause, mon Pére, dis-je au Superieur; mais que cela n'empêche point que vous n'acheviez, ajoûtai-je en le poussant vers la derniere porte. Il n'osa réfuser de l'ouvrir. Je sortis heureusement et je trouvai à quatre pas Lescaut, qui m'attendoit avec deux amis suivant sa promesse.

Nous nous éloignâmes. Lescaut me demanda s'il n'avoit pas entendu tirer un pistolet; c'est votre faute,

2733 qu'il s'empressoit d'ouvrir — 2742 dis-je assez fierement à

2750 lui dis-je, pourquoi me l'apportiez-vous chargé ? Cependant je le remerciai d'avoir eu cette précaution sans laquelle j'étois sans doute à St. Lazare pour longtems. Nous allâmes passer la nuit chez un Traiteur, où je me remis un peu de la mauvaise chere que j'avois faite depuis près de trois mois. Je ne pus néanmoins m'y livrer au plaisir. Je souffrois mortellement dans Manon. Il faut la délivrer, dis-je à mes trois amis. Je n'ai souhaité la liberté que dans cette vûë. Je vous demande le secours de votre adresse. Pour moi, j'y emploirai 2760 jusqu'à ma vie. Lescaut qui ne manquoit pas d'esprit et de prudence, me répresenta qu'il falloit aller bride en main *; que mon évasion de St. Lazare et le malheur qui m'étoit arrivé en sortant causeroit infailliblement du bruit; que Mr. le Lieutenant de Police me feroit chercher, et qu'il avoit les bras longs; enfin que si je ne voulois pas être exposé à quelque chose de pis que St. Lazare, il étoit à propos de me tenir couvert et renfermé quelques jours, pour laisser au premier feu de mes ennemis le tems de s'éteindre. Son conseil étoit 2770 sage; mais il auroit fallû l'être aussi pour le suivre. Tant de lenteur, et de ménagement ne s'accordoient pas avec ma passion. Toute ma complaisance se réduisit à lui promettre que je passerois le jour suivant à dormir. Il m'enferma dans sa chambre, où je demeurai jusqu'au soir.

J'emploïai une partie de ce tems à former des projets et des expedients pour secourir Manon. J'étois bien persuadé que sa prison était encore plus impénétrable que n'avoit été la mienne. Il n'étoit pas question de 2780 force et de violence. Il falloit de l'artifice; mais la Déesse même de l'invention, n'auroit pas sçu par quelle voïe commencer. J'y vis si peu de jour que je remis à con-

mon Guide. Mais — 2764 Lieutenant Général de — 2781 par où commencer — 2785 nuit m'eut rendu la liberté, je —

siderer mieux les choses, lorsque j'aurois pris quelques informations sur l'arrangement interieur de l'Hôpital. Aussi-tôt que la nuit eut amené l'obscurité, je priai Lescaut de m'accompagner. Nous liâmes conversation avec un des Portiers qui nous parut homme de bon sens. Je feignis d'être un étranger qui avoit entendu parler avec admiration de l'Hôpital général, et de l'ordre
2790 qui s'y observoit. Je l'interrogeai sur les plus minces détails; et de circonstances en circonstances, nous tombâmes sur les administrateurs dont je le priai de m'apprendre les noms, et les qualitez. Les réponses qu'il me fit sur ce dernier article me firent naître une pensée, dont je m'applaudis aussi-tôt, et que je ne tardai point à mettre en œuvre. Je lui demandai comme une chose essentielle à mon dessein, si ces Messieurs avoient des enfans ? Il me dit qu'il ne pouvoit pas m'en rendre un compte certain, mais que pour Mr. de T. qui étoit un
2800 des principaux, il lui connoissoit un fils en âge d'être marié, qui étoit venu plusieurs fois à l'Hôpital avec son Pére. Cette assurance me suffisoit. Je rompis presque aussi-tôt notre entretien, et je fis part à Lescaut en retournant chez lui de l'idée qui m'étoit venuë à la tête. Je m'imagine, lui dis-je, que Mr. de T. le fils, qui est riche et de bonne maison est dans un certain goût de plaisirs, comme la plûpart des jeunes gens de son âge. Il ne sçauroit être ennemi des femmes, ni ridicule au point de refuser ses services pour une affaire d'amour.
2810 J'ai formé le dessein de l'interesser dans la liberté de Manon. S'il est honnête homme, et qu'il ait des sentimens, il nous accordera son secours par générosité; s'il n'est point capable d'être conduit par ce motif, il fera du moins quelque chose pour une fille aimable; ne fût-ce, que par l'esperance d'avoir part à ses faveurs.

2790 s'y observe — 2804 lui du dessein que j'avois conçu. — 2816 ajoûtai-je, que jusqu'à demain. — 2851 par l'ardeur de ses

Je ne veux pas differer de le voir, ajoûtai-je, plus longtems que demain. Je me sens si consolé par ce projet,
que j'en tire un bon augure. Lescaut convint lui-même
qu'il y avoit de la vraisemblance dans ce que je lui
820 disois, et que nous avions quelque chose à esperer de
ce côté-là. J'en passai la nuit moins tristement.

Le matin étant venu je m'habillai le plus proprement *
qu'il me fut possible dans l'état d'indigence où j'étois,
et je me fis conduire dans un fiacre * à la maison de
Mr. de T. Il fut surpris de recevoir la visite d'un inconnu.
J'augurai bien de sa phisionomie, et de ses civilitez.
Je m'expliquai naturellement avec lui, et pour échauffer
ses sentimens naturels, je lui parlai de ma passion, et
du mérite de ma maîtresse, comme de deux choses qui
830 ne pouvoient être égalées que l'une par l'autre. Il me dit
que quoiqu'il n'eût jamais vû Manon, il avoit entendu
parler d'elle, du moins s'il s'agissoit de celle qui avoit
été la Maîtresse du vieux Mr. de G. M. Je ne doutai
point qu'il ne fût informé de la part que j'avois eûë
à cette avanture; et pour le gagner davantage en me
faisant un mérite de ma confiance, je lui racontai le détail
de tout ce qui nous étoit arrivé à Manon et à moi. Vous
voïez, Monsieur, continuai-je, que l'interet de ma vie,
et celui de mon cœur sont maintenant entre vos mains.
840 L'un ne m'est pas plus cher que l'autre. Je n'ai point
de reserve avec vous, parce que je suis informé de votre
générosité, et que la ressemblance de nos âges me fait
esperer qu'il s'en trouvera quelques-unes dans nos
inclinations. Il parût fort sensible à cette marque d'ouverture, et de candeur. Sa réponse fut celle d'un
homme qui a du monde *, et des sentimens; ce que le
monde ne donne pas toujours, et qu'il fait perdre souvent. Il me dit qu'il mettoit ma visite au rang de ses
bonnes fortunes, qu'il regarderoit mon amitié comme
850 une de ses plus heureuses acquisitions, et qu'il s'effor-

ceroit de la mériter par son zéle à me servir. Il ne promit pas de me rendre Manon; parce qu'il n'avoit, me dit-il, qu'un credit mediocre, et mal assuré; mais il s'engagea à me procurer le plaisir de la voir, et à faire tout ce qui seroit en sa puissance pour la remettre entre mes bras. Je fus plus satisfait de l'incertitude où il me paroissoit être de son credit, que je ne l'aurois été d'une pleine assurance de remplir tous mes désirs. Je trouvai dans cette modération de ses offres, une marque de sincerité
2860 et de franchise dont je fus charmé. Je me promis tout de ses bons offices. La seule promesse de me faire voir Manon m'auroit fait tout entreprendre pour lui. Je lui marquai quelque chose de ces sentimens, d'une maniere qui le persuada aussi que je n'étois pas d'un mauvais naturel. Nous nous embrassâmes avec tendresse, et nous devinmes amis sans autre raison que la bonté de nos cœurs, et une simple disposition qui porte un homme tendre et généreux à aimer un autre homme qui lui ressemble. Il poussa les marques de son estime
2870 bien plus loin, car aïant combiné mes avantures, et jugeant qu'en sortant de St. Lazare, je ne devois pas me trouver à mon aise, il m'offrit sa bourse, et il me pressa de l'accepter. Je ne l'acceptai point; mais je lui dis : c'est trop, mon cher Monsieur. Si avec tant de bonté et d'amitié vous me faites revoir ma chere Manon, je vous suis attaché pour toute ma vie. Si vous me rendez tout à fait cette chere créature, je ne croirai pas être quitte en versant tout mon sang pour vous servir.

Nous ne nous séparâmes qu'après être convenu du
2880 tems, et du lieu, où nous devions nous retrouver. Il eut la complaisance de ne pas me remettre plus loin qu'à l'après-midi. Je l'attendis dans un caffé, où il vint

services. Il — 2854 et de faire — 2857 de cette incertitude de son crédit, — 2859 marque de franchise dont je fus charmé. En un mot, je me — 2882 loin que l'après-midi du même jour. — 2886 donc me rejoindre vers les quatre heures, et nous primes ensemble le chemin de l'Hôpital. Mes genoux étoient tremblans en traversant les cours. Puissance d'amour ! disois-je, je reverrai donc la chere Reine de mon cœur, l'objet de tant de pleurs, et d'inquietudes ! Ciel conservez moi assès de vie pour aller jusqu'à elle, et disposez après cela de ma fortune, et de mes jours. Je n'ai 2890 plus d'autre grace à vous demander. Mr. de T... parla à quelques Concierges de la maison, qui s'empresserent de lui offrir tout ce qui dépendoit d'eux pour sa satisfaction. Il se fit montrer le quartier où Manon avoit sa chambre, et l'on nous y conduisit avec une clef d'une grandeur effroïable, qui servit à ouvrir sa porte. Je demandai au Valet qui nous menoit, et qui étoit celui qu'on avoit chargé du soin de la servir, de quelle maniere elle avoit passé le tems dans cette demeure. Il nous dit que c'étoit une douceur angelique, qu'il 2900 n'avoit jamais reçu d'elle un mot de dureté, qu'elle avoit versé continuellement des larmes pendant les six premieres semaines après son arrivée, mais qu'elle paroissoit depuis quelque tems prendre son malheur avec plus de patience, et qu'elle étoit occupée à coudre du matin jusqu'au soir, à la reserve de quelques heures qu'elle emploioit à la lecture. Je lui demandai encore, si elle avoit été entretenuë proprement et avec honnêteté. Il m'assura que le nécessaire du moins ne lui avoit jamais manqué. Nous approchâmes de sa porte. Mon 2910 cœur battoit violemment. Je dis à Mr. de T. entrez seul et prévenez la sur ma visite, car j'apprehende qu'elle ne soit trop saisie en me voïant tout d'un coup. La porte nous fut ouverte. Je démeurai dans la galerie. J'entendis néanmoins leurs discours. Il lui dit qu'il venoit lui apporter un peu de consolation; qu'il étoit

l'Idole de mon cœur — 2902 mais que depuis quelque tems, elle paroissoit prendre — 2907 proprement. Il — 2915 à notre bonheur.

de mes amis, et qu'il prenoit beaucoup d'interêt à notre fortune. Elle lui demanda avec beaucoup d'empressement, si elle apprendroit de lui ce que j'étois devenu. Il lui promit de m'amener à ses pieds, aussi
2920 tendre, et aussi fidelle qu'elle pouvoit le désirer. Quand ? reprit-elle. Aujourd'hui même, lui dit-il, ce bienheureux moment ne tardera point. Il va paroître à l'instant si vous le souhaitez. Elle comprit que j'étois à la porte. J'entrai lorsqu'elle y accouroit avec précipitation. Nous nous embrassames avec cette effusion de tendresse, qu'une absence de trois mois fait trouver si charmante à de parfaits amans. Nos soupirs, nos exclamations interrompuës, mille noms d'amour repetez, languissamment de part et d'autre, formerent pendant un quart
2930 d'heure une scene qui attendrissoit Mr. de T... Je vous porte envie, me dit-il, en nous faisant asseoir, il n'y a point de sort glorieux auquel je ne ne préferasse une maitresse si belle et si passionnée. Aussi mépriserois-je tous les empires du monde, lui répondis-je, pour m'assurer le bonheur d'être aimé d'elle.

Tout le reste d'une conversation si desirée, ne pouvoit manquer d'être infiniment tendre. La pauvre Manon me raconta ses avantures, et je lui appris les miennes. Nous pleurâmes amerement en nous entre-
2940 tenant de l'état où elle étoit, et de celui d'où je ne faisois que sortir. Mr. de T. nous consola par de nouvelles promesses de s'emploïer ardemment pour finir nos miseres. Il nous conseilla de ne pas rendre cette premiere entrevuë si longue, pour lui donner plus de facilité à nous en procurer d'autres. Il eut beaucoup de peine à nous faire goûter ce conseil. Manon surtout ne pouvoit se resoudre à me laisser partir. Elle me fit remettre cent fois sur ma chaise, elle me retenoit par les habits

— 2916 avec le plus vif empressement — 2944 entrevûe trop longue —

et par les mains. Helas ! dans quel lieu me laissez-vous,
2950 disoit-elle, qui peut m'assurer de vous revoir ? Mr. de T... s'engagea à la venir voir souvent avec moi. Pour le lieu, ajouta-t-il agréablement, il ne faut plus l'appeler l'Hôpital, c'est un Versailles, depuis qu'une personne qui mérite l'empire de tous les cœurs y est renfermée.

Je fis en sortant quelques libéralitez au Valet qui la servoit, pour l'engager à lui rendre ses soins avec zéle. Ce garçon avoit l'ame moins basse et moins dure que ses pareils. Il avoit été témoin de notre entrevûë, ce tendre spectacle l'avoit touché. Un louïs d'or dont je
2960 lui fis présent acheva de me l'attacher. Il me prit à l'écart en descendant dans les cours. Mr., me dit-il, si vous voulez me prendre à votre service, ou me donner une honnête recompense, pour me dédommager de la perte de l'emploi que j'occupe ici, je crois qu'il me sera facile de délivrer Mademoiselle Manon. J'ouvris l'oreille à cette proposition, et quoique je fusse dépourvû de tout, je lui fis des promesses fort au-dessus de ses désirs. Je comptois bien qu'il me seroit toujours aisé de recompenser un homme de cette étoffe. Sois per-
2970 suadé, lui dis-je, mon ami, qu'il n'y a rien que je ne fasse pour toi, et que ta fortune est aussi assurée que la mienne. Je voulus sçavoir quels moïens il avoit dessein d'emploïer. Nul autre, me dit-il, que de lui ouvrir le soir la porte de sa chambre, et de vous la conduire jusqu'à celle de la ruë où il faudra que vous soïez prêt à la recevoir. Je lui demandai, s'il n'étoit point à craindre qu'elle fût reconnuë en traversant les galeries et les cours ? Il confessa qu'il y avoit quelque danger; mais il me dit, qu'il falloit bien risquer quelque chose. Quoi-
2980 que je fusse ravi de le voir si résolu, j'appellai Mr. de T... pour lui communiquer ce projet, et la seule

2953 c'est Versailles — 2985 reconnue, continua-t-il, si elle est arrêtée

raison qui me sembloit pouvoir le rendre douteux. Il y trouva plus de difficulté que moi. Il convint qu'elle pouvoit absolument s'échaper de cette maniere, mais si elle est reconnuë, et arrêtée en fuïant, continua-t-il, c'est peut-être fait d'elle pour toujours. D'ailleurs il vous faudroit donc quitter Paris sur le champ; car vous ne seriez jamais assez caché aux recherches. On les redoubleroit autant par rapport à vous qu'à elle.
2990 Un homme s'échape aisément quand il est seul, mais il est presque impossible de demeurer inconnu avec une jolie femme. Quelque solide que me parût ce raisonnement, il ne pût l'emporter dans mon esprit sur un espoir si proche de mettre Manon en liberté. Je le dis à Mr. de T... et je le priai de pardonner un peu d'imprudence, et de témérité à l'amour. J'ajoutai que mon dessein étoit en effet de quitter Paris pour m'arrêter comme j'avois déja fait à quelque village aux environs. Nous convinmes donc avec le Valet de ne pas remettre son
3000 entreprise plus loin qu'au jour suivant, et pour la rendre aussi certaine qu'il étoit en notre pouvoir, nous résolûmes d'apporter des habits d'homme dans la vûë de faciliter sa sortie. Il n'étoit pas aisé de les faire entrer; mais je ne manquai pas d'invention pour en trouver le moyen. Je priai seulement Mr. de T... de mettre le lendemain deux vestes legeres, l'une sur l'autre; je me chargeai de tout le reste. Nous retournâmes le matin à l'Hôpital, j'avois avec moi pour Manon du linge, des bas, etc., et par dessus mon just-au-corps
3010 un surtout *, qui ne laissoit voir rien de trop enflé dans mes poches. Nous ne fumes qu'un moment dans sa chambre. Mr. de T. lui laissa une de ses deux vestes, je lui donnai mon just-au-corps, le surtout me suffisant pour sortir; il ne se trouva rien de manque à son ajuste-

en fuiant, c'est — 2998 village voisin. — 3003 faciliter notre sortie

ment excepté la culotte que j'avois malheureusement oublié. L'oubli de cette piece nécessaire nous eût sans doute apprêté à rire, si l'embarras où il nous mettoit eût été moins sérieux. J'étois au désespoir qu'une bagatelle de cette nature nous arretât. Cependant je
3020 pris mon parti, qui fut de sortir moi-même sans culotte. Je laissai la mienne à Manon. Mon surtout étoit long, et je mis à l'aide de quelques épingles en état de passer décemment à la porte. Le reste du jour me parût d'une longueur insupportable. Enfin la nuit étant venuë, nous nous rendimes un peu au-dessous de la porte de l'Hôpital dans un carosse. Nous n'y fumes pas longtems sans voir Manon paroître avec son conducteur, notre portiere étant toute ouverte ils monterent tous deux en un instant, je reçûs ma chere maitresse dans
3030 mes bras. Elle trembloit comme une feuille. Le cocher me demanda où il falloit toucher. Touche au bout du monde, lui dis-je, et mene moi quelque part où je ne puisse jamais être séparé de Manon.

Ce transport dont je ne fus pas le maitre faillit à m'attirer un fâcheux embarras. Le cocher fit réflexion à mes paroles, et lorsque je lui dis ensuite le nom de la ruë où nous voulions être conduits, il me répondit, qu'il craignoit que je ne l'engageasse dans une mauvaise affaire, qu'il voïoit bien que ce beau jeune homme qui
3040 s'appelloit Manon, étoit une fille que j'enlevois de l'Hôpital, et qu'il n'étoit pas d'humeur à se perdre pour l'amour de moi. La délicatesse de ce coquin n'étoit qu'une envie de me faire païer la voiture plus cher. Nous étions trop près de l'Hôpital pour ne pas filer doux. Tai toi, lui dis-je, il y a un louïs d'or à gagner pour toi; il m'auroit aidé après cela à brûler l'Hôpital même.

— 3019 nature fut capable de nous arrèter. — 3028 étant ouverte — 3029 deux à l'instant — 3034 faillit de m' — 3036 à mon langage,

Nous gagnâmes la maison où demeuroit Lescaut. Comme il étoit tard, Mr. de T... nous quitta en chemin avec promesse de nous revoir le lendemain. Le Valet
3050 demeura avec nous. Je tenois Manon si étroitement serrée entre mes bras, que nous n'occupions qu'une place dans le carosse. Elle pleuroit de joye, et je sentois ses larmes qui mouilloient mon visage. Mais lorsqu'il fallut descendre pour entrer chez Lescaut, j'eus avec le cocher un nouveau démêlé dont les suites furent funestes. Je me repentis de lui avoir promis un louïs, non seulement parce que le présent étoit exorbitant, mais par une autre raison bien plus forte, qui étoit l'impuissance de le païer. Je fis appeller Lescaut. Il
3060 descendit de sa chambre pour venir à la porte. Je lui dis à l'oreille dans quel embarras je me trouvois. Comme il était d'une humeur brusque, et nullement accoûtumé à ménager un fiacre, il me répondit que je me moquois. Un louïs d'or ! ajoûta-t-il, vingt coups de canne à ce coquin-là. J'eus beau lui répresenter doucement qu'il alloit nous perdre. Il m'arracha ma canne avec l'air d'en vouloir maltraiter le cocher. Celui-ci à qui il étoit peut-être arrivé de tomber quelquefois sous la main d'un Garde du Corps, ou d'un Mousquetaire, s'enfuit
3070 de peur avec son carrosse, en criant que je l'avois trompé, mais que j'aurois de ses nouvelles. Je lui répetai inutilement d'arrêter. Sa fuite me causa une extrême inquiétude. Je ne doutai point qu'il n'avertît le Commissaire. Vous me perdez, dis-je, à Lescaut; je ne serois pas en sûreté chez vous. Il faut nous éloigner dans le moment. Je prêtai le bras à Manon pour marcher, et nous sortimes promptement de cette dangereuse ruë. Lescaut nous tint compagnie. C'est quelque chose d'admirable, que la maniére dont la providence conduit

et — 3050 demeura seul avec — 3057 etoit excessif, mais — 3080 Pro-

3080 les évenemens. A peine avions nous marché cinq ou six minutes, qu'un homme dont je ne découvris point le visage, reconnut Lescaut. Il le cherchoit sans doute aux environs de chez lui avec le malhereux dessein qu'il executa. C'est Lescaut, dit-il, en lui lâchant un coup de pistolet, il ira souper ce soir avec les anges. Il se deroba aussi-tôt, Lescaut tomba sans le moindre mouvement de vie. Je pressai Manon de fuir, car nos secours étoient inutiles à un cadavre, et je craignois d'être arrêté par le Guet * qui ne pouvoit tarder à paroître. J'enfilai avec 3090 elle et le Valet la premiére petite ruë qui croisoit. Elle étoit si éperduë que j'avois de la peine à la soûtenir. Enfin aïant apperçu un fiacre au bout de la ruë, je le fis appeller. Nous y montâmes. Mais lorsque le cocher me demanda où il falloit nous conduire; je fus embarrassé à lui répondre. Je n'avois point d'azile assuré, ni d'ami de confiance à qui j'osasse avoir recours. J'étois sans argent, n'aïant gueres plus d'une demie pistole dans ma bourse. La fraïeur et la fatigue avoient tellement incommodé Manon, qu'elle étoit à demi 3100 pâmée auprès de moi. J'avois d'ailleurs l'imagination remplie du meurtre de Lescaut, et je n'étois pas encore hors de l'apprehension du Guet : quel parti prendre ? Je me souvins heureusement de l'auberge de Chaillot où j'avois passé quelques jours avec Manon, lorsque nous étions allez dans ce village pour y demeurer. J'esperai non seulement d'y être en sûreté, mais d'y pouvoir vivre quelque tems sans être pressé de païer. Mene nous à Chaillot, dis-je au cocher. Il refusa d'y aller si tard à moins d'une pistole; autre sujet d'embarras. 3110 Enfin nous convinmes de six francs. C'étoit toute la somme qui restoit dans ma bourse.

vidence enchaîne les événemens — 3092 Enfin j'apperçus un fiacre au bout de la rue. Nous — 3102 encore sans appréhension de la part

Je consolois Manon en avançant; mais dans le fond j'avois le désespoir dans le cœur. Je me serois donné mille fois la mort, si je n'eusse pas eû dans mes bras le seul bien qui m'attachoit à la vie. Cette seule pensée me remettoit. Je la tiens du moins, disois-je, elle m'aime, elle est à moi; Tiberge a beau dire, ce n'est pas là un fantôme de bonheur. Je verrois périr tout l'univers sans y prendre interêt; pourquoi ? je n'ai plus d'affection
3120 de reste. Ce sentiment étoit vrai; cependant dans le tems que je faisois si peu de cas des biens du monde, je sentois que j'aurois eû besoin d'en avoir du moins une petite partie pour mépriser encore plus souverainement tout le reste. L'amour est plus fort que l'abondance, plus fort que les trésors et les richesses, mais il a besoin de leur secours; et rien n'est plus désesperant pour un amant délicat que de se voir ramené par là malgré lui, à la grossiereté des ames les plus basses. Il étoit environ onze heures quand nous arrivâmes
3130 à Chaillot. Nous fumes reçus à l'auberge comme des personnes de connoissance. On ne fut pas surpris de voir Manon en habit d'homme, parce qu'on est accoûtumé à Paris et aux environs à voir prendre aux femmes toutes sortes de formes. Je la fis servir aussi proprement que si j'eusse été dans la meilleure fortune. Elle ignoroit que je fusse mal en argent. Je me gardai bien de lui en rien apprendre, étant résolu de rétourner seul à Paris le lendemain, pour chercher quelque remede à cette embarrassante espece de maladie. Elle me parût pâle,
3140 et maigrie en soupant. Je ne m'en étois point apperçû à l'Hôpital; parce que la chambre où je l'avois vûë n'étoit pas des plus claires. Je lui demandai si ce n'étoit point encore un effet de la fraïeur qu'elle avoit eûë en voïant assassiner son frere. Elle m'assura que quelque

du Guet — 3119 : pourquoi ! parce que je n'ai — 3138 cette fâcheuse

touchée qu'elle fût de cet accident, sa pâleur ne venoit que d'avoir essuïé pendant trois mois mon absence. Tu m'aimes donc extrêmement, lui répondis-je; mille fois plus que je ne puis dire, reprit-elle. Tu ne me quitteras donc plus jamais, ajoûtai-je; non, jamais,
150 repliqua-t-elle, et elle me confirma cette assurance par tant de caresses et de sermens, qu'il me parût impossible en effet qu'elle pût jamais les oublier. J'ai toujours été persuadé qu'elle étoit sincere; quelle raison auroit-elle eû de se contrefaire jusqu'à ce point ? mais elle étoit encore plus volage; ou plutôt elle n'étoit plus rien, et elle ne se reconnoissoit pas elle-même, lorsqu'aïant devant les yeux des femmes qui vivoient dans l'abondance, elle se trouvoit dans la pauvreté, et dans le besoin. J'étois à la veille d'en avoir une derniere
160 preuve, qui a surpassé toutes les autres, et qui a produit la plus étrange avanture qui soit jamais arrivée à un homme de ma naissance et de ma fortune.

Comme je la connoissois de cette humeur, je me hâtai le lendemain d'aller à Paris. La mort de son frere, et la nécessité d'avoir du linge et des habits pour elle et pour moi, étoient de si bonnes raisons, que je n'eus pas besoin de prétextes. Je sortis de l'auberge avec le dessein, dis-je, à Manon et à mon hôte, de prendre un carosse de loüage; mais c'étoit une gasconnade. La nécessité
170 m'obligea d'aller à pied, je marchai fort vîte jusqu'au Cours-la Reine *, où j'avois dessein de m'arrêter. Il falloit bien prendre un moment de solitude et de tranquilité pour m'arranger, et prévoir ce que j'allois faire à Paris. Je m'assis sur l'herbe. J'entrai dans une mer de raisonnemens et de réflexions qui se reduisirent peu à peu à trois principaux articles. J'avois besoin d'un secours présent pour un nombre infini de necessitez

espèce — 3150 et cette assurance fut confirmée par — 3170 m'obli-

présentes. J'avois à chercher quelque voïe qui pût du moins m'ouvrir des esperances pour le futur; et ce qui 3180 n'étoit pas de moindre importance, j'avois des informations, et des mesures à prendre pour la sûreté de Manon, et pour la mienne. Après m'être épuisé en projets, et en combinaisons sur ces trois chefs, je jugeai encore à propos d'en retrancher les deux derniers. Nous n'étions pas mal à couvert à Chaillot; et pour les besoins futurs, je crus qu'il seroit tems d'y penser lorsque j'aurois satisfait aux présens. Il étoit donc question de remplir actuellement ma bourse. Mr. de T. m'avoit offert généreusement la sienne, mais j'avois une extrême 3190 repugnance à le remettre moi-même sur cette matiere. Quel personnage que d'aller exposer sa misere à un étranger, et de le prier de nous faire part de son bien ! Il n'y a qu'une ame lâche qui en soit capable, par une bassesse qui l'empêche d'en sentir l'indignité; ou un Chrêtien humble par un excès de générosité qui le rend superieur à cette honte. Je n'étois ni un homme lâche, ni un bon Chretien, j'aurois donné la moitié de mon sang * pour éviter cette humiliation. Tiberge, disois-je, le bon Tiberge, me refusera-t-il, ce qu'il sera en état de 3200 me donner ? Non, il sera touché de ma misere; mais il m'assassinera par sa morale. Il faudra essuïer ses reproches, ses exhortations, ses menaces, il me fera acheter ses secours si cher, que je donnerois encore une partie de mon sang plutôt que de m'exposer à cette scene fâcheuse, qui me laissera du trouble et des remords. Bon, reprenois-je, il faut donc renoncer à tout espoir, puisqu'il ne me reste point d'autre voïe, et que je suis si éloigné de m'arrêter à ces deux-là, que je verserois plus volontiers la moitié de mon sang que d'en prendre

geant d' — 3179 pour l'avenir ; — 3185 couvert, dans une chambre de Chaillot — 3199 ce qu'il aura le pouvoir — 3211 toutes deux —

210 une, c'est-à-dire, tout mon sang plutôt que de les prendre toutes les deux. Ouï, mon sang tout entier, ajoutai-je, après une réflexion d'un moment, je le donnerois plutôt que de me reduire à une basse supplication. Mais il s'agit bien ici de mon sang ! Il s'agit de la vie, et de l'entretien de Manon, il s'agit de son amour, et de sa fidelité : qu'ai-je à mettre en balance avec elle ? Je n'y ai rien mis jusqu'à présent, elle me tient lieu de gloire, de bonheur et de fortune. Il y a bien des choses sans doute que je donnerois ma vie pour obtenir ou pour 220 éviter, mais estimer une chose plus que ma vie n'est pas une raison pour l'estimer autant que Manon. Je ne fus pas long-tems à me déterminer après ce raisonnement. Je continuai mon chemin, resolu d'aller d'abord chez Tiberge, et de là chez Mr. de T...

En entrant à Paris je pris un fiacre, quoique je n'eusse pas de quoi le païer; je comptois sur les secours que j'allois solliciter. Je me fis conduire au Luxembourg, d'où j'envoïai avertir Tiberge que j'étois à l'attendre. Il satisfit mon impatience par sa promptitude. Je lui 230 appris l'extrémité de mes besoins sans nul détour. Il me demanda si les cent pistoles que je lui avois renduës me suffiroient, et sans m'opposer un seul mot de difficulté, il me les fut querir dans le moment avec cet air ouvert, et ce plaisir à donner qui n'est connu que de l'amour, et de la véritable amitié. Quoique je n'eusse pas eû le moindre doute du succès de ma demande, je fus surpris de l'avoir obtenuë à si bon marché, c'est-à-dire, sans qu'il m'eut querellé sur mon impenitence; mais je me trompois en me croïant tout-à-fait quitte de 3240 ses reproches; car lorsqu'il eût achevé de me compter son argent et que je me préparois à le quitter, il me pria de faire avec lui un tour d'allée : je ne lui avois point

3213 à de basses supplications. — 3233 il me les alla chercher —

parlé de Manon, il ignoroit qu'elle fut en liberté; ainsi
sa morale ne tomba que sur ma fuite téméraire de St.
Lazare, et sur la crainte où il étoit, qu'au lieu de profiter
des leçons de sagesse que j'y avois reçûes, je ne reprisse
le train du desordre. Il me dit qu'étant allé pour me
visiter à St. Lazare le lendemain de mon évasion, il
avoit été frappé au-delà de toute expression, en appre-
2350 nant la maniére dont j'en étois sorti; qu'il avoit eu
là-dessus un entretien avec le Superieur; que ce bon
Pére n'étoit pas encore remis de son effroi; qu'il avoit
eu néanmoins la générosité de déguiser à Mr. le Lieutenant de Police les circonstances de mon évasion, et
qu'il avoit empêché que la mort du Portier ne fût
connuë au dehors; que je n'avois donc de ce côté là
nul sujet d'allarme; mais que s'il me restoit le moindre
sentiment de sagesse, je profiterois de cet heureux tour
que le Ciel donnoit à mes affaires; que je devois com-
3260 mencer par écrire à mon pére, et me remettre bien avec
lui, et que si je voulois suivre une fois son conseil, il
étoit d'avis que je quittasse Paris pour retourner dans
le sein de ma famille. J'écoutai son discours jusqu'à
la fin. Il y avoit là bien des choses satisfaisantes. Je fus
ravi premiérement de n'avoir rien à craindre du côté
de St. Lazare. Les ruës de Paris me redevenoient un païs
libre. En second lieu, je m'applaudis de ce que Tiberge
n'avoit pas la moindre idée de la délivrance de Manon,
et de son retour avec moi. Je remarquois même qu'il
3270 avoit évité de me parler d'elle, dans l'opinion apparemment qu'elle me tenoit moins au cœur puisque je paroissois si tranquille sur son sujet. Je resolus sinon de
retourner dans ma famille, du moins d'écrire à mon
pére comme il me le conseilloit, et de lui témoigner
que j'étois disposé à rentrer dans l'ordre de mes devoirs,
et de ses volontez. Mon esperance étoit de l'engager à
m'envoïer de l'argent, sous prétexte de faire mes exer-

cices à l'Académie; car j'aurois eu peine à lui persuader que j'eusse dessein de retourner à l'Etat Ecclesiastique,
3280 et dans le fond je n'avois nul éloignement pour ce que je voulois lui promettre, étant bien aise au contraire de m'appliquer à quelque chose d'honnête, et de raisonnable; autant que cela pourroit s'accorder avec mon amour pour Manon. Je faisois mon compte de vivre avec elle, et de faire en même tems mes exercices. Cela étoit fort compatible. Je fus si satisfait de toutes ces idées, que je promis à Tiberge de faire partir le jour même une lettre pour mon pére. J'entrai effectivement dans un bureau d'écriture * en le quittant, et j'écrivis
3290 d'une maniére si tendre et si soumise, que je ne doutai point que je n'obtinsse quelque chose du cœur paternel.

Quoique je fusse en état de prendre et de païer un fiacre après avoir quitté Tiberge, je me fis un plaisir de marcher fierement à pied en allant chez Mr. de T... Je trouvois de la joye dans cet exercice de ma liberté, pour laquelle mon ami m'avoit assuré que je n'avois plus rien à craindre. Cependant il me revint tout d'un coup à l'esprit que ses assurances ne regardoient que
3300 St. Lazare, et que j'avois outre cela l'affaire de l'Hôpital sur les bras; sans compter la mort de Lescaut, dans laquelle j'étois mêlé du moins comme témoin. Ce souvenir m'effraïa tellement, que je me retirai dans la premiere allée d'où je fis appeler un carrosse. J'allai droit chez Mr. de T... que je fis rire de ma fraïeur. Elle me parut encore plus risible; lorsqu'il m'eut appris que je n'avois rien à craindre du côté de l'Hôpital, ni

3279 que je fusse dans la disposition de — 3281 promettre. J'étois bien aise — 3283 autant que ce dessein pourroit s'accorder avec mon amour — 3285 avec ma maîtresse, et de — 3290 soumise, qu'en relisant ma Lettre, je me flattai d'obtenir quelque — 3297 assuré qu'il ne me restoit rien — 3306 me parut risible à moi-même, lorsqu'il

de Lescaut. Il me dit que dans la pensée qu'on pourroit le soubçonner d'avoir eu part à l'enlèvement de Manon,
3310 il étoit allé le matin à l'Hôpital demander à la voir, et faisant semblant d'ignorer ce qui étoit arrivé; qu'on étoit si éloigné de nous accuser, ou lui, ou moi, qu'on s'étoit empressé au contraire de lui apprendre cette avanture comme une étrange nouvelle, et qu'on admiroit qu'une fille aussi jolie que Manon, eût consenti à fuir avec un Valet; qu'il s'étoit contenté de répondre froidement qu'il n'en étoit pas surpris et qu'on faisoit tout pour la liberté. Il continua à me raconter qu'il étoit allé de là chez Lescaut, dans l'esperance de me trouver
3320 avec ma charmante maitresse; que l'hôte de la maison qui étoit un carrossier lui avoit protesté qu'il n'avoit vû, ni elle, ni moi; mais qu'il n'étoit point étonnant que nous n'eussions point parû chez lui, si c'étoit pour Lescaut que nous devions y venir; parce que nous aurions sans doute appris qu'il venoit d'être tué à peu près dans le tems dont Mr. de T. parloit. Sur quoi il lui raconta ce qu'il sçavoit de la cause, et des circonstances de cette mort; il lui dit que environ deux heures avant l'accident, un Garde du Corps des amis de Lescaut
3330 l'étoit venu voir, et lui avoit proposé de jouër; que Lescaut avoit gagné si rapidement, que l'autre s'étoit trouvé cent écus de moins en une heure, c'est-à-dire, tout son argent; que ne lui restant point un sou il avoit prié Lescaut de lui prêter la moitié de la somme qu'il avoit perduë, et que sur quelques difficultez nées à cette occasion, ils s'étoient querellez avec une animosité extrême; que Lescaut avoit refusé de sortir pour mettre

— 3308 de celui de Lescaut. — 3311 , en feignant d'ignorer — 3315 eût pris le parti de fuir — 3317 on fait tout — 3318 continua de me — 3322 étoit pas étonnant — 3326 près dans le même tems. Sur quoi, il n'avoit pas refusé d'expliquer — 3328 mort. Environ deux heures auparavant, un — 3330 argent. Ce malheureux, qui se voyait sans un sou avoit — 3331 extrême. Lescaut — 3333 ce qu'il

l'épée à la main, et que l'autre avoit juré en le quittant de lui casser la tête, ce qu'il avoit apparemment executé
340 le soir même. Mr. de T. eut l'honnêteté d'ajoûter, qu'il avoit été fort inquiet par rapport à nous, et il continua à m'offrir ses services. Je ne balançai point à lui apprendre le lieu de notre retraite. Il me pria de trouver bon qu'il allât soûper avec nous; il ne me restoit plus qu'à acheter du linge, et des habits pour Manon; je lui dis que nous pouvions partir à l'heure même, s'il vouloit prendre la peine de s'arrêter un moment avec moi chez quelques Marchands. Je ne sçais s'il crût que je lui faisois cette proposition à dessein d'interesser sa générosité, ou si
350 ce fut par un mouvement qui venoit de lui-même; mais ayant consenti à partir aussi-tôt, il me mena chez les Marchands qui fournissoient sa maison, et après m'avoir fait choisir plusieurs étoffes d'un prix plus considerable que je ne m'étois proposé, il défendit absolument au Marchand de recevoir un sou de mon argent. Il fit cette galanterie * de si bonne grace, que je crus pouvoir en profiter sans honte. Nous primes ensemble le chemin de Chaillot, où j'arrivai avec moins
360 d'inquiétude que je n'en étois parti.

Le Chevalier des Grieux aïant employé plus d'une heure à ce recit, je le priai de prendre un peu de relâche jusqu'après notre souper, il convint lui-même qu'il en avoit besoin, et jugeant par notre attention que nous l'avions écouté avec plaisir, il nous assura que nous

avoit exécuté — 3338 main, et l'autre — 3341 et qu'il continuoit de m' — 3344 . Comme il ne me restoit qu'à prendre du — 3346 vouloit avoir la complaisance — 3349 proposition dans la vue d'intéresser — 3350 par le simple mouvement d'une belle âme ; mais — 3353 il me fit choisir plusieurs étoffes d'un prix plus considerable que je ne me l'étois proposé ; et lorsque je me disposois à les payer, il défendit absolument aux Marchands de recevoir un sou de moi. Cette galanterie se fit de — 3362 relâche et de nous tenir compagnie à souper. Notre attention lui fit juger que nous l'avions écouté

trouverions encore quelque chose de pius interessant dans la suite de son histoire. Il la reprit ainsi lorsque nous eûmes fini de souper.

avec plaisir. Il nous — 3366 chose encore de plus intéressant dans la suite de son Histoire ; et lorsque nous eûmes fini de souper, il continua dans ces termes.

HISTOIRE

Du Chevalier des Grieux & de Manon Lescaut.

LIVRE SECOND.

La présence et la compagnie de Mr. de T. dissiperent tout ce qui pouvoit rester de chagrin à Manon. Oublions nos fraïeurs passées, ma chere ame, lui dis-je en arrivant, et recommençons à vivre plus heureux que jamais. Après tout, l'amour est un bon maître. La fortune ne sçauroit nous causer autant de peines qu'il nous fait goûter de plaisirs. Notre souper fut une vraïe scene de joye. J'étois plus fier et plus content avec Manon et mes cent pistoles, que le plus
10 riche Partisan * de Paris avec ses trésors entassez. Il faut compter ses richesses par les moïens qu'on a de satisfaire ses desirs. Je n'en avois pas un seul à remplir. L'avenir même ne me causoit nul embarras. J'étois presque sûr que mon pére ne feroit point difficulté de me donner de quoi vivre honnêtement à Paris, parce qu'étant dans ma vingtiéme année, j'étois en droit d'exiger ma part du bien de ma mere. Je ne cachai point à Manon que le fond de mes richesses n'étoit que de cent pistoles. C'étoit assez pour attendre tran-
20 quillement une meilleure fortune, qui ne me sembloit pas pouvoir manquer, soit du côté de ma famille, soit du côté du jeu.

1 présence et les politesses de — 3 nos terreurs passées — 13 me causoit peu d'embarras — 14 feroit pas difficulté — 15 vivre honorablement à — 20 qui sembloit ne me pouvoir manquer, soit par mes droits naturels, ou par les ressources du Jeu.

*L'édition de 1753 ajoute ici l'épisode du prince italien * que nous reproduisons en italique.*

*Ainsi, pendant les premières semaines, je ne pensai qu'à jouir de ma situation ; et la force de l'honneur, autant qu'un reste de ménagement pour la Police, me faisant remettre de jour en jour à renouer avec les Associés de l'Hôtel de T..., je me réduisis à jouer dans quelques Assemblées moins décriées, où la faveur du Sort m'épargna l'humiliation d'avoir recours à l'industrie. J'allois passer, à la Ville, une partie de l'après-midi, et je revenois souper à Chaillot, accompagné fort souvent de M. de T., dont l'amitié croissoit de jour en jour pour nous. Manon trouva des ressources contre l'ennui. Elle se lia, dans le voisinage, avec quelques jeunes personnes * que le Printems y avoit ramenées. La promenade et les petits exercices de leur sexe faisoient alternativement leur occupation. Une partie de jeu, dont elles avoient réglé les bornes, fournissoit aux frais de la voiture. Elles alloient prendre l'air au Bois de Boulogne * ; et le soir, à mon retour, je retrouvois Manon plus belle, plus contente, et plus passionnée que jamais.*

Il s'éleva néanmoins quelques nuages, qui semblerent menacer l'édifice de mon bonheur. Mais ils furent nettement dissipés ; et l'humeur folâtre de Manon rendit le dénouement si comique, que je trouve encore de la douceur dans un souvenir, qui me représente sa tendresse et les agréments de son esprit.

Le seul Valet, qui composoit notre domestique, me prit un jour à l'écart, pour me dire, avec beaucoup d'embarras qu'il avoit un secret d'importance à me communiquer. Je l'encourageai à parler librement. Après quelques détours, il me fit entendre qu'un Seigneur Etranger sembloit avoir pris beaucoup d'amour pour Mademoiselle Manon. Le trouble de mon sang se fit sentir dans toutes mes veines. En a-t-elle pour lui ? interrompis-je plus brusquement que la prudence ne permettoit pour m'éclaircir. Ma vivacité l'effraya. Il me

répondit, d'un air inquiet, que sa pénétration n'avoit pas été si loin : mais qu'ayant observé, depuis plusieurs jours, que cet étranger venoit assidûment au bois de Boulogne, qu'il y descendoit de son carosse, et que s'engageant seul dans les contre-allées, il paroissoit chercher l'occasion de voir ou de rencontrer
60 *Mademoiselle *, il lui étoit venu à l'esprit de faire quelque liaison avec ses gens, pour apprendre le nom de leur Maître ; qu'ils le traitoient de Prince Italien, et qu'ils le soupçonnoient eux-mêmes de quelque aventure galante ; qu'il n'avoit pû se procurer d'autres lumières, ajouta-t-il en tremblant, parce le Prince étant alors sorti du Bois, s'étoit approché familièrement de lui, et lui avoit demandé son nom ; après quoi, comme s'il eût deviné qu'il étoit à notre service, il l'avoit félicité d'appartenir à la plus charmante Personne du monde.*

J'attendois impatiemment la suite de ce récit. Il le finit
70 *par des excuses timides que je n'attribuai qu'à mes imprudentes agitations. Je le pressai en vain de continuer sans déguisement. Il me protesta qu'il ne sçavoit rien de plus, et que ce qu'il venoit de me raconter étant arrivé le jour précédent, il n'avoit pas revu les gens du Prince. Je le rassurai, non-seulement par des éloges, mais par une honnête récompense ; et, sans lui marquer la moindre défiance de Manon, je lui recommandai d'un ton plus tranquille, de veiller sur toutes les démarches de l'Etranger.*

Au fond, sa frayeur me laissa de cruels doutes. Elle pouvoit
80 *lui avoir fait supprimer une partie de la vérité. Cependant, après quelques réflexions, je revins de mes allarmes jusqu'à regretter d'avoir donné cette marque de faiblesse. Je ne pouvois faire un crime à Manon d'être aimée. Il y avoit beaucoup d'apparence qu'elle ignoroit sa Conquête : et quelle vie allois-je mener, si j'étois capable d'ouvrir si facilement l'entrée de mon cœur à la jalousie ? Je retournai à Paris le jour suivant, sans avoir formé d'autre dessein que de hâter le progrès * de ma fortune en jouant plus gros jeu, pour me mettre en état de quitter Chaillot, au premier sujet d'inquiétude. Le soir, je*

90 n'appris rien de nuisible à mon repos. L'Etranger avoit reparu au bois de Boulogne ; et prenant droit de ce qui s'y étoit passé la veille, pour se rapprocher de mon Confident, il lui avoit parlé de son amour, mais dans des termes qui ne supposoient aucune intelligence avec Manon. Il l'avoit interrogé sur mille détails. Enfin il avoit tenté de le mettre dans ses intérêts par des promesses considérables ; et, tirant une lettre qu'il tenoit prête, il lui avoit offert inutilement quelques louis d'or pour la rendre à sa Maîtresse.

Deux jours se passerent sans aucun autre incident. Le
100 troisiéme fut plus orageux. J'appris, en arrivant de la ville assez tard, que Manon, pendant sa promenade, s'étoit écarté un moment de ses Compagnes ; et que l'Etranger, qui la suivoit à peu de distance, s'étant approché d'elle, au signe qu'elle lui en avoit fait, elle lui avoit remis une lettre, qu'il avoit reçue avec des transports de joie. Il n'avoit eu le temps de les exprimer qu'en baisant amoureusement les caractères. parce qu'elle s'étoit aussitôt dérobée. Mais elle avoit paru d'une gaîté extraordinaire pendant le reste du jour ; et, depuis qu'elle étoit rentrée au logis, cette humeur ne l'avoit plus
110 abandonnée. Je frémis, sans doute, à chaque mot. Es-tu bien sûr, dis-je tristement à mon valet, que tes yeux ne t'aient pas trompé ? Il prit le ciel à témoin de sa bonne foi. Je ne sçais à quoi les tourmens de mon cœur m'auroient porté, si Manon, qui m'avoit entendu rentrer, ne fût venue au-devant de moi, avec un air d'impatience et des plaintes de ma lenteur. Elle n'attendit point ma réponse pour m'accabler de caresses ; et, lorsqu'elle se vit seule avec moi, elle me fit des reproches fort vifs de l'habitude que je prenois de revenir si tard. Mon silence lui laissant la liberté de continuer, elle me dit que, depuis trois
120 semaines je n'avois pas passé une journée entiere avec elle ; qu'elle ne pouvoit soutenir de si longues absences ; qu'elle me demandoit du moins un jour, par intervalles ; et que dès le lendemain, elle vouloit me voir près d'elle du matin au soir. J'y serai, n'en doutez pas, lui répondis-je d'un ton assez

brusque. Elle marqua peu d'attention pour mon chagrin ; et dans le mouvement de sa joie, qui me parut en effet d'une vivacité singulière, elle me fit mille peintures plaisantes de la manière dont elle avoit passé le jour. Étrange Fille ! me disois-je à moi-même ; que dois-je attendre de ce prélude ? L'aventure de
130 *notre premiere séparation me vint à l'esprit. Cependant je croïois voir dans le fond de sa joie et de ses caresses, un air de vérité qui s'accordoit avec les apparences.*

Il ne me fut pas difficile de rejetter la tristesse, dont je ne pus me défendre pendant notre souper, sur une perte que je me plaignis d'avoir faite au jeu. J'avois regardé comme un extrême avantage que l'idée de ne pas quitter Chaillot le jour suivant, fût venue d'elle-même. C'étoit gagner du temps pour mes délibérations. Ma présence éloignoit toutes sortes de craintes pour le lendemain ; et, si je ne remarquois rien qui
140 *m'obligeât de faire éclater mes découvertes, j'étois déjà résolu de transporter, le jour d'après, mon établissement à la Ville, dans un quartier où je n'eusse rien à démêler avec les Princes. Cet arrangement me fit passer une nuit plus tranquille : mais il ne m'ôtoit pas la douleur, d'avoir à trembler pour une nouvelle infidélité.*

A mon réveil, Manon me déclara que pour passer le jour dans notre appartement, elle ne prétendoit pas que j'en eusse l'air plus négligé, et qu'elle voulait que mes cheveux fussent accommodés de ses propres mains. Je les avois fort beaux.
150 *C'était un amusement qu'elle s'étoit donné plusieurs fois. Mais elle y apporta plus de soins, que je ne lui en avois jamais vu prendre. Je fus obligé, pour la satisfaire, de m'asseoir devant sa toilette, et d'essuyer toutes les petites recherches qu'elle imagina pour ma parure. Dans le cours de son travail, elle me faisoit souvent tourner le visage vers elle ; et s'appuyant des deux mains sur mes épaules elle me regardoit avec une curiosité avide. Ensuite, exprimant sa satisfaction par un ou deux baisers, elle me faisoit reprendre ma situation pour continuer son ouvrage.*

160 *Ce badinage nous occupa jusqu'à l'heure du dîner. Le goût
qu'elle y avoit pris m'avoit paru si naturel, et sa gaîté sentoit
si peu l'artifice, que ne pouvant concilier des apparences si
constantes avec le projet d'une noire trahison, je fus tenté
plusieurs fois de lui ouvrir mon cœur, et de me décharger d'un
fardeau qui commençoit à me peser. Mais je me flattois, à
chaque instant, que l'ouverture viendroit d'elle et je m'en faisois
d'avance un délicieux triomphe.*

*Nous entrâmes dans son cabinet. Elle se mit à rajuster
mes cheveux, et ma complaisance me faisoit céder à toutes ses*
170 *volontés, lorsqu'on vint l'avertir que le prince de... demandoit
à la voir. Ce nom m'échauffa jusqu'au transport. Quoi donc,
m'écriai-je, en la repoussant. Qui? Quel prince? Elle ne
répondit point à mes questions. Faites-le monter, dit-elle
froidement au valet, et se tournant vers moi : Cher Amant,
toi que j'adore, reprit-elle d'un ton enchanteur, je te demande
un moment de complaisance. Un moment. Un seul moment.
Je t'en aimerai mille fois plus ; je t'en saurai gré toute ma vie.*

*L'indignation et la surprise me lièrent la langue. Elle
répétoit ses instances, et je cherchois des expressions pour les*
180 *rejetter avec mépris. Mais, entendant ouvrir la porte de
l'anti-chambre, elle empoigna d'une main, mes cheveux, qui
étoient flottans sur mes épaules, elle prit de l'autre son miroir
de toilette ; elle employa toute sa force pour me traîner dans
cet état jusqu'à la porte du cabinet ; et l'ouvrant du genou,
elle offrit à l'Etranger, que le bruit sembloit avoir arrêté au
milieu de la chambre, un spectacle qui ne dut pas lui causer
peu d'étonnement. Je vis un homme fort bien mis, mais d'assez
mauvaise mine. Dans l'embarras où le jetoit cette scène, il ne
laissa pas de faire une profonde révérence. Manon ne lui laissa*
190 *pas le tems d'ouvrir la bouche. Elle lui présenta son miroir :
Voyez, Monsieur, lui dit-elle ; regardez-vous bien, et rendez-
moi justice. Vous me demandez de l'amour. Voici l'homme
que j'aime, et que j'ai juré d'aimer toute ma vie. Faites la comparaison vous-même. Si vous croyez lui pouvoir disputer mon*

cœur, apprenez-moi donc sur quel fondement ; car je vous
déclare qu'aux yeux de votre Servante très humble, tous les
princes d'Italie ne valent pas un des cheveus que je tiens.

Pendant cette folle harangue, qu'elle avoit apparemment
méditée, je faisois des efforts inutiles pour me dégager ; et
200 *prenant pitié d'un homme de considération, je me sentois porté*
à réparer ce petit outrage par mes politesses. Mais s'étant
remis assez facilement, sa réponse, que je trouvai un peu
grossière, me fit perdre cette disposition. Mademoiselle, Made-
moiselle, lui dit-il avec un sourire forcé, j'ouvre en effet les
yeux, et je vous trouve bien moins novice que je ne me l'étois
figuré. Il se retira aussitôt sans jeter les yeux sur elle, en
ajoutant, d'une voix plus basse, que les Femmes de France ne
valoient pas mieux que celles d'Italie. Rien ne m'invitoit, dans
cette occasion, à lui faire prendre une meilleure idée du beau
210 *Sexe.*

Manon quitta mes cheveux, se jeta dans un fauteuil, et fit
retentir la chambre de longs éclats de rire. Je ne dissimulai
pas que je fus touché jusqu'au fond du cœur, d'un sacrifice
que je ne pouvois attribuer qu'à l'Amour. Cependant la plai-
santerie me parut excessive. Je lui en fis des reproches. Elle
me raconta que mon Rival, après l'avoir obsédée pendant
plusieurs jours, au Bois de Boulogne, et lui avoir fait deviner
ses sentimens par des grimaces, avait pris le parti de lui en
faire une déclaration ouverte, accompagnée de son nom et de
220 *tous ses titres, dans une Lettre qu'il lui avoit fait remettre*
par le Cocher qui la conduisoit avec ses Compagnes ; qu'il lui
promettoit, au delà des Monts, une brillante fortune et des
adorations éternelles ; qu'elle étoit revenue à Chaillot, dans la
résolution de me communiquer cette avanture ; mais, qu'ayant
conçu que nous en pouvions tirer de l'amusement, elle n'avoit
pû résister à son imagination ; qu'elle avoit offert au Prince
Italien, par une Réponse flatteuse, la liberté de la voir chez
elle, et qu'elle s'étoit fait un second plaisir de me faire entrer
dans son plan, sans m'en avoir fait naître le moindre soupçon.

230 *Je ne lui dis pas un mot, des lumières qui m'étoient venues par une autre voie, et l'ivresse de l'amour triomphant me fit tout approuver.*

J'ai remarqué dans toute ma vie que le ciel a toujours choisi pour me frapper de ses plus rudes châtimens, le tems où ma fortune me sembloit le plus solidement établie. Je me croïois si heureux en soupant avec Mr. de T... et Manon, qu'on n'auroit pu me faire comprendre, que j'eusse à craindre encore quelque nouvel obstacle à ma félicité; cependant il s'en préparoit un si funeste 240 qu'il m'a réduit à l'état où vous m'avez vu à Passy, et ensuite à des extrêmitez si déplorables, que vous aurez peine à croire mon recit fidelle. Dans le tems que nous étions à table, nous entendimes le bruit d'un carrosse qui s'arrêtoit à la porte de l'Hôtellerie. La curiosité nous fit désirer de sçavoir qui ce pouvoit être qui arrivoit si tard. On nous dit que c'étoit le jeune Monsieur de G. M., c'est-à-dire, le fils de notre plus cruel ennemi, de ce vieux débauché qui m'avoit mis à St. Lazare, et Manon à l'Hôpital. Son nom me fit monter la rougeur 250 au visage. C'est le ciel qui me l'amene, dis-je, à Mr. de T. pour le punir de la lâcheté de son pére. Il ne m'échappera pas que nous n'aïons mesuré nos épées. Mr. de T. qui le connoissoit et qui étoit même de ses meilleurs amis, s'efforça de me faire prendre de meilleurs sentimens pour lui. Il m'assura que c'étoit un jeune homme très-aimable, et si peu capable d'avoir eû part à l'action de son père, que je ne le verrois pas moi-même un moment sans lui accorder mon estime et sans désirer la sienne. Après m'avoir dit mille choses à son avantage, il me

235 le mieux établie. — 236 si heureux avec l'amitié de M. de T. et la tendresse de Manon ; qu'on — 238 craindre quelque nouveau malheur. — 241 Passy et par degrés à des — 243 . Un jour que nous avions M. de T. à souper, nous entendîmes — 245 qui pouvoit arriver à cette heure. On — 254 prendre d'autres sentimens pour — 267 ne

260 pria de consentir qu'il allât lui proposer de venir prendre place avec nous, et de s'accommoder du reste de notre souper. Il prévint l'objection du péril où c'étoit exposer Manon, que de découvrir sa demeure au fils de notre ennemi, en protestant sur son honneur, et sur sa foi, que lorqu'il nous connoîtroit, nous n'aurions point de plus zélé défenseur. Je ne fis difficulté de rien après de telles assurances. Mr. de T. nous l'amena après avoir pris un moment pour l'informer qui nous étions. Il entra d'un air qui nous prévint effectivement 270 en sa faveur. Il m'embrassa. Nous nous assimes. Il admira Manon, moi, tout ce qui nous appartenoit, et il mangea d'un appetit qui fit honneur à notre souper; lorsqu'on eut déservi, la conversation devint plus sérieuse. Il nous parla de l'excès où son pére s'étoit porté contre nous, avec détestation. Il nous fit les excuses les plus soumises. Je les abrege, nous dit-il, pour ne pas rénouveller un souvenir qui me cause trop de honte. Si elles étoient sinceres dès le commencement, elles le devinrent bien plus dans la suite; car il n'eut pas passé 280 une demie-heure à s'entretenir avec nous, que je m'apperçus de l'impression que les charmes de Manon faisoient sur lui. Je vis ses regards, et ses manieres s'attendrir par dégrez. Il ne laissa rien échaper néanmoins dans ses discours, mais sans être aidé de la jalousie, j'avois trop d'expérience en amour pour ne pas discerner ce qui venoit de cette source. Il nous tint compagnie pendant une partie de la nuit, et il ne nous quitta qu'après s'être félicité beaucoup de notre connoissance et nous avoir prié de lui accorder la liberté 290 de venir nous renouveller quelquefois l'offre de ses

nous l'amena point, sans avoir pris — 274 Il baissa les yeux, pour nous parler de l'excès où son Pere s'étoit porté contre nous. Il — 279 demie-heure dans cet entretien, que — 282 Ses regards et ses manieres s'attendrirent par degrés. — 288 félicité de notre connois-

services. Il partit le lendemain avec Mr. de T... qui se mit avec lui dans son carrosse.

Je n'avois, comme j'ai dit, nul penchant à la jalousie. J'étois plus credule que jamais pour les sermens de Manon. Cette charmante créature étoit si absolument maitresse de mon ame, que je n'avois pas un seul petit sentiment qui ne fût de l'estime et de l'amour. Loin de lui faire un crime d'avoir plû à G. M. j'étois ravi de cet effet de ses charmes, et je m'applaudissois d'être aimé d'une fille que tout le monde trouvoit aimable. Je ne jugeai pas même à propos de lui communiquer le soubçon que j'avois conçu de G. M... Nous fumes occupez pendant quelques jours du soin de faire ajuster ses habits, et à déliberer si nous pouvions aller à la Comedie sans apprehender d'être reconnus. Mr. de T. revint nous voir avant la fin de la semaine : nous le consultâmes là-dessus. Il vit bien qu'il falloit dire ouï pour faire plaisir à Manon. Nous résolûmes d'y aller le soir même avec lui : ce que nous ne pûmes néanmoins executer, car m'aïant tiré aussitôt en particulier : Je me suis trouvé, me dit-il, dans le dernier embarras depuis que je ne vous ai vû, et la visite que je vous fais aujourd'hui en est une suite. G. M. aime votre maitresse, il m'en a fait confidence. Je suis son intime ami, et disposé en tout à le servir; mais je ne suis pas moins le vôtre. J'ai consideré que ses intentions sont injustes et je les ai condamnées. Cependant j'aurois gardé mon secret, s'il n'avoit dessein d'emploïer pour plaire que les voïes communes; mais il est bien informé de l'humeur de Manon. Il a sçû, je ne sçais d'où, qu'elle aime l'abon-

sance, et nous avoir demandé la permission de venir — 293 . Je ne me sentois, comme j'ai dit, aucun penchant — 294 . J'avois plus de crédulité que — 301 communiquer mes soupçons. — 309 lui. Cependant cette résolution ne put s'exécuter — 310 particulier, je suis, me — 317 condamnées. J'aurois — 327 imprudente de sa passion, —

dance, et les plaisirs, et comme il jouït déjà d'un bien considerable, il m'a déclaré qu'il veut la tenter d'abord par un très-gros présent et par l'offre de dix mille livres de pension. Toutes choses égale, j'aurois peut-être eû beaucoup plus de violence à me faire pour le trahir, mais la justice s'est jointe en votre faveur à l'amitié, d'autant plus qu'aïant été la cause imprudente de la passion de G. M. en l'introduisant ici, je suis obligé de prévenir les effets du mal que j'ai causé.

330 Je remerciai Mr. de T... d'un service de cette importance, je lui avoüai avec un parfait retour de confiance, que le caractere de Manon étoit tel que G. M. se le figuroit, c'est-à-dire, qu'elle ne pouvoit supporter le nom de la pauvreté. Cependant, lui dis-je, lorsqu'il n'est question que du plus ou du moins, je ne la crois pas capable de m'abandonner pour un autre. Je suis en état de ne la laisser manquer de rien, et je compte que ma fortune va s'augmenter de jour en jour. Je ne crains qu'une chose, ajoûtai-je, c'est que G. M. ne 340 se serve de la connoissance qu'il a de notre demeure pour nous rendre quelque mauvais office. Mr. de T... m'assura que je devois être sans apprehension de ce côté-là; que G. M... étoit capable d'une folie amoureuse, mais qu'il ne l'étoit point d'une bassesse; que s'il avoit la lâcheté d'en commettre une, il seroit le prémier lui qui parloit à l'en punir, et à réparer par-là le malheur qu'il avoit eu d'y donner occasion. Je vous suis obligé de ce sentiment, repris-je, mais le mal seroit fait, et le remede fort incertain. Ainsi le parti le plus sage est de 350 le prévenir en quittant Chaillot pour prendre une autre demeure : ouï, réprit Mr. de T...; mais vous aurez peine à le faire aussi promptement qu'il faudroit, car G. M. doit être ici à midi; il me le dit hier; et c'est ce

330 importance, et je — 338 va croître de — 355 . Un avis si pressant

qui m'a porté à venir si matin pour vous informer de ses vûës. Il peut arriver à tout moment. Cette derniere circonstance commença à me faire regarder cette affaire d'un œil plus sérieux. Comme il me sembloit impossible d'éviter la visite de G. M..., et qu'il me le seroit aussi sans doute de l'empêcher de s'ouvrir à Manon, je pris
360 le parti de la prévenir elle-même, sur le dessein de ce nouveau Rival. Je m'imaginai que me sachant instruit des propositions qu'il lui feroit et les recevant à mes yeux, elle auroit assez de force pour les rejetter, et me demeurer fidelle. Je découvris ma pensée à Mr. de T... qui me répondit que cela étoit extrêmement délicat. Je l'avouë, lui dis-je, mais toutes les raisons qu'on peut avoir d'être sûr du cœur d'une Maitresse, je les ai de compter sur l'affection de la mienne. Il n'y auroit que la grandeur des offres qui pût l'éblouir, et je vous
370 ai dit qu'elle n'est point avare. Elle aime ses aises; mais elle m'aime aussi; et dans la situation où sont mes affaires, je ne sçaurois croire qu'elle me préfere le fils d'un homme qui l'a mise à l'Hôpital. En un mot, je persistai dans mon dessein, et m'étant retiré à l'écart avec Manon, je lui déclarai naturellement tout ce que je venois d'apprendre. Elle me remercia de la bonne opinion que j'avois d'elle, et elle me promit de recevoir les offres de G. M. d'une maniere qui lui ôteroit l'envie de les renouveller. Non, lui dis-je, il ne faut pas l'irriter
380 par une brusquerie, il peut nous nuire; mais vous sçavez assez vous autres fripones, ajoûtai-je en riant, comment vous défaire d'un amant désagreable, ou incommode. Elle reprit la parole après avoir un peu rêvé *; il me vient un dessein admirable, s'écria-t-elle, et je suis toute glorieuse de l'invention. G. M. est le fils de notre

me fit regarder cette affaire — 359 doute, d'empêcher qu'il ne s'ouvrît à — 363 rejetter. Je — 370 qu'elle ne connaît point l'intérêt, Elle — 380 Mais tu sçais assez, toi, friponne, — 383 Elle reprit,

plus cruel ennemi; il faut nous venger du père; non pas sur le fils mais sur sa bourse. Je veux l'écouter, accepter ses présens, et me moquer de lui. Le projet est joli, lui dis-je, mais tu ne songes pas, mon pauvre enfant, que c'est le chemin qui nous a conduits tout droit à l'Hôpital. J'eus beau lui répresenter le péril de cette entreprise. Elle me dit qu'il ne s'agissoit que de bien prendre nos mesures, et elle répondit à toutes mes objections. Donnez-moi un Amant qui n'entre point aveuglément dans tous les caprices d'une maitresse adorée, et je conviendrai que j'eus tort de céder si facilement à la mienne. La résolution fut prise de faire une duppe de G. M. et par un tour bizarre de mon sort, il arriva que je devins la sienne.

Nous vimes paroître son carrosse vers les onze heures. Il nous fit des complimens honnêtes sur la liberté qu'il prenoit de venir dîner avec nous. Il ne fut pas surpris de trouver Mr. de T... qui lui avoit promis la veille de s'y rendre aussi, et qui avoit prétexté quelques affaires pour se dispenser de venir dans la même voiture. Quoiqu'il n'y eût pas un seul de nous qui ne portât la trahison dans le cœur, nous nous mimes à table avec un air de confiance, et d'amitié. G. M. trouva aisément l'occasion de déclarer ses sentimens à Manon; je ne dûs pas lui paroître génant, car je m'absentai exprès pendant quelques minutes. Je m'apperçus à mon retour qu'on ne l'avoit pas désesperé par un excès de rigueur. Il étoit de la meilleure humeur du monde. J'affectai de le paroître aussi, il rioit interieurement de ma simplicité, et moi de la sienne : nous fumes l'un pour l'autre, une scene fort agréable, pendant tout l'après midi. Je lui ménageai encore avant son départ un moment d'entretien particulier avec Manon, de sorte qu'il eut lieu de

après avoir un peu rêvé : — 396 facilement. La — 401 complimens

s'applaudir de ma complaisance autant que de la bonne
420 chere. Aussi-tôt qu'il fut monté en carrosse avec Mr. de T... Manon accourût à moi les bras ouverts, et elle m'embrassa en éclatant de rire. Elle me repeta ses discours et ses propositions sans y changer un mot. Ils se reduisoient à ceci : Il l'adoroit. Il vouloit partager avec elle quarante mille livres de rente dont il jouissoit déja, sans compter ce qu'il attendoit après la mort de son pére. Elle seroit la maitresse de son cœur et de sa bourse; et pour le commencement de ses bienfaits, il étoit prêt à lui donner un carrosse, un hôtel meublé, une femme
430 de chambre, trois laquais, et un cuisinier. Voilà un fils, dis-je à Manon, bien autrement genereux que son pére. Parlons de bonne foi, ajoutai-je, cette offre ne vous tente-t-elle point ? Moi ? répondit-elle en ajustant à sa pensée deux vers de Racine *,

Moi ? vous me soupçonnez de cette perfidie ?
Moi ? je pourrois souffrir un visage odieux,
Qui rappelle toujours l'Hôpital, à mes yeux ?

Non, repris-je en continuant la parodie.

J'aurois peine à penser que l'Hôpital, Madame,
440 *Fut un trait dont l'amour l'eût gravé dans votre Ame.*

Mais c'en est un bien séduisant qu'un hôtel meublé avec un carrosse, et trois laquais; et l'amour en a peu d'aussi forts. Elle me protesta que son cœur étoit à moi pour toujours, et qu'il ne recevroit jamais d'autres traits que les miens. Les promesses qu'il m'a faites, me dit-elle, sont un aiguillon * de vangeance, plutôt qu'un trait d'amour. Je lui demandai si elle étoit dans le dessein d'accepter l'hôtel, et le carrosse. Elle me répondit

fort recherchés, sur — 427 Elle alloit être Maîtresse de son cœur et

450 qu'elle n'en vouloit qu'à son argent. La difficulté étoit d'obtenir l'un sans l'autre. Nous resolumes d'attendre l'entiere explication du projet de G. M. dans une lettre qu'il lui avoit promis de lui écrire. Elle la reçeut en effet le lendemain par un laquais sans livrée, qui se procura adroitement l'occasion de lui parler sans témoin. Elle lui dit d'attendre sa réponse, et elle vint m'apporter aussi-tôt sa lettre. Nous l'ouvrimes ensemble. Outre les lieux communs de tendresse, elle contenoit le détail des promesses de mon Rival. Il ne bornoit point 460 sa dépense. Il s'engageoit à lui compter dix mille francs en prenant possession de l'hôtel, et à réparer tellement les diminutions de cette somme, qu'elle l'eût toujours devant-elle en argent comptant. Le jour de l'inauguration n'étoit pas reculé trop loin. Il ne lui en demandoit que deux pour disposer les choses à le recevoir, et il lui marquoit le nom de la ruë, et de l'hôtel, où il lui promettoit de l'attendre l'après-midi du second jour, si elle pouvoit se dérober de mes mains. C'étoit l'unique point sur lequel il la conjuroit de la tirer d'inquiétude; 470 parce qu'il paroissoit être assuré de tout le reste; il ajoutoit que si elle prevoïoit de la difficulté à m'échapper, il trouveroit le moïen de rendre sa fuite aisée.

G. M. étoit plus raffiné que son pére. Il vouloit tenir sa proïe avant que de compter ses especes. Nous déliberâmes sur la conduite que Manon avoit à tenir. Je fis encore des efforts pour lui ôter cette entreprise de la tête, et je lui en representai tous les dangers. Elle s'obstina à terminer l'avanture. Elle fit une courte réponse à G. M. pour l'assurer que rien ne lui seroit 480 plus facile que de se rendre à Paris le jour marqué, et qu'il pourroit l'attendre avec certitude. Nous reglâmes

de sa fortune ; et pour gage de ses bienfaits, — 465 deux pour les préparatifs, et il lui — 472 étoit plus fin que — 477 dangers. Rien ne fut capable d'ébranler sa résolution. Elle — 479 assurer qu'elle ne

ensuite que je partirois sur le champ pour aller louër un nouveau logement dans quelque village à l'autre côté de Paris, et que je transporterois avec moi notre petit équipage; que le lendemain après midi qui étoit le tems de son assignation, elle se rendroit de bonne heure à Paris, qu'après avoir reçeu les présens de G. M. elle le prieroit instamment de la conduire à la Comédie *, qu'elle prendroit avec elle tout ce qu'elle pourroit
490 porter de la somme, et qu'elle chargeroit du reste mon Valet * qu'elle vouloit mener avec elle. C'étoit le même qui l'avoit délivrée de l'Hôpital, et qui nous étoit infiniment attaché. Je devois me retrouver avec un fiacre à l'entrée de la ruë St. André des Arts, et l'y laisser vers les sept heures pour m'avancer dans l'obscurité à la porte de la Comedie; Manon me promettoit d'inventer un prétexte pour sortir un instant de sa loge, et de l'emploïer à descendre pour me rejoindre; l'execution du reste étoit facile. Nous aurions regagné mon fiacre en
500 un moment, et nous serions sortis de Paris par le Fauxbourg St. Antoine qui étoit le chemin de notre nouvelle demeure. Ce dessein tout extravagant qu'il étoit nous parût assez bien arrangé; mais il y avoit dans le fond une folle imprudence à s'imaginer, que quand il eût réussi le plus heureusement du monde, nous eussions jamais pû nous mettre à couvert des suites. Cependant nous nous exposames avec la plus témeraire confiance. Manon partit avec Marcel (c'est ainsi que se nommoit notre valet). Je la vis partir avec douleur. Je lui dis en l'em-
510 brassant : Manon ne me trompez point; me serez-vous fidelle ? Elle se plaignit tendrement de ma défiance, et elle me réïtera tous ses sermens. Son compte étoit d'arriver à Paris sur les trois heures. Je partis après elle. J'allai me morfondre le reste de l'après-midi dans le

trouveroit pas de difficulté à se rendre — 494 rue S. André des Arcs *(partout ainsi)* — 496 inventer des prétextes pour — 512 me renou-

caffé de Feré * au Pont St. Michel. J'y demeurai jusqu'à six heures. J'en sortis alors pour prendre un fiacre, que je postai selon notre projet à l'entrée de la ruë de St. André des Arts; ensuite je gagnai à pied la porte de la Comedie. Je fus surpris de n'y pas trouver Marcel
520 qui devoit être à m'attendre. Je pris patience pendant une heure, confondu parmi une foule de laquais et occupé à examiner les passans. Enfin sept heures étant sonnées sans que j'eusse rien apperçu qui eût rapport à nos desseins, je pris un billet de parterre * pour aller voir si je découvrirois Manon, et G. M. dans les loges. Ils n'y étoient ni l'un, ni l'autre. Je retournai à la porte où je passai encore un quart d'heure, transporté d'impatience, et d'inquiétudes. N'aïant rien vû paroitre, je rejoignis mon fiacre sans pouvoir m'arrêter à une resolu-
530 tion assurée. Le cocher m'aïant apperçû vint quelques pas au devant de moi, pour me dire doucement qu'il y avoit une jolie demoiselle qui m'attendoit depuis une heure dans le carosse, qu'elle m'avoit demandé à des signes qu'il avait bien reconnus, et qu'aïant appris que je devois revenir, elle avoit dit qu'elle ne s'impatienteroit point à m'attendre. Je me figurai aussi-tôt que c'étoit Manon. J'approchai, mais je vis un joli petit visage qui n'étoit pas le sien. C'étoit une étrangere qui me demanda d'abord si elle n'avoit pas l'honneur de
540 parler à Mr. le Chevalier Des Grieux ? Je lui dis que c'étoit mon nom. J'ai une lettre à vous rendre, repritelle, qui vous instruira du sujet qui m'amene, et par quel rapport j'ai l'avantage de connoître votre nom. Je la priai de me donner le tems de la lire dans un cabaret voisin. Elle voulut me suivre, et elle me conseilla de demander une chambre à part. De qui vient cette

vella tous — 516 jusqu'à la nuit. — 521 confondu dans une foule de laquais et l'œil ouvert sur tous les passans. — 529 m'arrêter à la moindre résolution. — 531 dire d'un air mistérieux qu'une jolie

lettre ? lui dis-je, en montant : elle me remit à la lecture.

Je reconnus le caractere de Manon; voici à peu près ce qu'elle me marquoit. G. M. l'avoit reçuë avec une
550 politesse et une magnificence au delà de toutes mes idées. Il l'avoit comblée de présens, et il lui faisoit envisager un sort de Reine. Elle m'assuroit néanmoins qu'elle ne m'oublioit pas dans cette nouvelle splendeur; mais que n'aïant pû faire consentir G. M. à la mener ce soir à la Comedie, elle remettoit à un autre jour le plaisir de me voir, et que pour me consoler un peu de la peine qu'elle prévoïoit que cette nouvelle pourroit me causer, elle avoit trouvé le moïen de me procurer une des plus jolies filles de Paris, qui seroit la Porteuse
560 de son billet. Signé, votre fidelle amante, Manon Lescaut.

Il y avoit quelque chose de si cruel et de si insultant pour moi dans cette lettre, que demeurant suspendu quelque temps entre la colere, et la douleur, j'entrepris de faire un effort pour oublier éternellement mon ingrate et parjure maitresse. Je jettai les yeux sur la fille qui étoit auprès de moi. Elle étoit extrêmement jolie, et j'aurois souhaité qu'elle l'eût été assez pour me rendre parjure et infidelle à mon tour; mais je n'y trouvai point
570 ces yeux fins et languissans, ce port divin, ce teint de la composition de l'amour, enfin ce fond inépuisable de charmes que la nature avoit prodiguez à la perfide Manon. Non, non, lui dis-je en cessant de la regarder, l'ingrate qui vous envoïe sçavoit fort bien qu'elle vous faisoit faire une démarche inutile. Retournez à elle, et dites-lui de ma part, qu'elle jouisse tranquillement de son crime, et qu'elle en joüisse s'il se peut sans remord. Je l'abandonne sans retour, et je renonce en même temps à toutes les femmes, qui ne sçauroient être aussi

demoiselle m'attendoit — 548 reconnus la main de Manon. — 550 toutes ses idées — 576 jouisse de son — 657 infortune à celles que j' —

580 aimables qu'elle, et qui sont sans doute aussi lâches, et d'aussi mauvaise foi. Je fus alors sur le point de descendre, et de me retirer sans prétendre davantage à Manon; et la jalousie mortelle qui me déchiroit le cœur se déguisant en une morne et sombre tranquilité, je me crus d'autant plus proche de ma guérison, que je ne sentois nul de ces mouvemens violens dont j'avois été agité dans les mêmes occasions. Helas ! j'étois la duppe de l'amour autant que je croïois l'être de G. M. et de Manon. Cette fille qui m'avoit apporté la lettre
590 me voyant prêt à descendre l'escalier, me demanda ce que je voulois donc qu'elle rapportât à Mr. de G. M. et à la dame qui étoit avec lui. Je rentrai dans la chambre à ces paroles, et par un changement incroïable à ceux qui n'ont jamais senti de passions violentes, je me trouvai tout d'un coup de la tranquilité où je croïois être dans un transport terrible de fureur. Va, lui dis-je, rapporte au traitre G. M. et à sa perfide maitresse le désespoir où ta maudite lettre m'a jetté, mais apprent leur qu'ils n'en riront pas longtems, et que je les poignar-
600 derai tous deux de ma propre main. Je me jettai sur une chaise. Mon chapeau tomba d'un côté et ma canne de l'autre. Deux ruisseaux de larmes ameres commencerent à couler de mes yeux. L'acces de rage que je venois de sentir se changea en une profonde douleur. Je ne fis plus que pleurer en poussant des gémissemens et des soupirs. Approche, mon enfant, approche, m'écriai-je en parlant à la jeune fille, approche puisque c'est toi qu'on envoïe pour me consoler. Dis moi si tu sçais des consolations contre la rage et le désespoir,
610 contre l'envie de se donner la mort à soi-même *, après avoir tué deux perfides qui ne méritent pas de vivre. Ouï, approche, continuai-je en voïant qu'elle faisoit vers moi quelques pas timides, et incertains. Vien essuïer mes larmes. Vien rendre la paix à mon cœur.

Vien me dire que tu m'aimes, afin que je m'accoûtume
à l'être d'une autre que mon infidelle. Tu es jolie, je
pourrai peut-être t'aimer à mon tour. Cette pauvre
enfant qui n'avoit pas seize ou dix-sept ans, et qui paroissoit avoir plus de pudeur que ses pareilles, étoit extra-
620 ordinairement surprise d'une si étrange scene. Elle
s'approcha pourtant pour me faire quelques caresses,
mais je l'écartai aussitôt en la repoussant de mes mains.
Que veux-tu de moi, lui dis-je ? Ah ! tu es une femme,
tu es d'un sexe que je déteste, et que je ne puis plus
souffrir. La douceur de ton visage me menace encore
de quelque trahison. Va-t-en, et laisse-moi seul ici.
Elle me fit une reverence sans oser rien dire, et elle
se tourna pour sortir. Je lui criai de s'arrêter; mais
appren-moi du moins, repris-je, pourquoi, comment,
630 à quel dessein tu as été envoïée ici ? Comment as-tu
découvert mon nom, et le lieu où tu pouvois me trouver ? Elle me dit qu'elle connoissoit de longue main
M. de G. M., qu'il l'avoit envoïée chercher à cinq
heures, qu'aïant suivi le laquais qui l'avoit avertie, elle
étoit allée dans une grande maison où elle l'avoit trouvé
qui jouait au piquet * avec une jolie dame, et qu'ils
l'avoient chargée tous deux de me rendre la lettre qu'elle
m'avoit apporté, après lui avoir appris qu'elle me
trouveroit dans un carrosse au bout de la ruë St. André.
640 Je lui demandai s'ils ne lui avoient rien dit davantage,
elle me répondit en rougissant qu'ils lui avoient fait
esperer que je la prendrois pour me tenir compagnie.
On t'a trompée, lui dis-je, ma pauvre fille. On t'a
trompée. Tu es une femme, il te faut un homme, mais
il t'en faut un qui soit riche et heureux, et ce n'est pas
ici que tu le peux trouver. Retourne, retourne à Mr. de
G. M.; il a tout ce qu'il faut pour être aimé des belles,
il a des hôtels meublez et des équipages à donner;
pour moi qui n'ai que de l'amour, et de la constance à

650 offrir, les femmes méprisent ma misere, et font leur jouet de ma simplicité.

J'ajoutai mille choses ou tristes, ou violentes, suivant que les passions qui m'agitoient tour à tour cedoient ou emportoient le dessus; cependant à force de me tourmenter, mes transports diminuerent assez pour faire place à un peu de réflexion. Je comparai cette derniere infortune à quelques autres que j'avois déja essuyées dans le même genre et je ne trouvai pas qu'il y eût plus à désespérer que dans les premières. Je con-
660 noissois Manon; pourquoi m'affliger tant d'un malheur que j'avois dû prévoir ? Pourquoi ne pas m'employer plutôt à y chercher du remede ? Il étoit encore tems. Je devois du moins n'y pas épargner mes soins si je ne voulois pas avoir à me réprocher d'avoir contribué par ma négligence à mes propres peines. Je me mis là-dessus à considerer tous les moïens qui pouvoient m'ouvrir un chemin à l'esperance.

Entreprendre de l'arrâcher avec violence des mains de G. M. c'étoit un parti désesperé qui n'étoit propre
670 qu'à me perdre, et qui n'avoit pas la moindre apparence de succès; mais il me sembloit que si j'eusse pû me procurer le moindre entretien avec elle, j'aurois gagné infailliblement quelque chose sur son cœur. J'en connoissois si bien tous les endroits sensibles ! J'étois si sûr d'être aimé d'elle ! Cette bizarrerie même de m'avoir envoïé une jolie fille pour me consoler, j'aurois juré que cela venoit de son invention, et que c'étoit un effet de son amour, et de sa compassion pour mes peines. Je résolus d'emploïer toute mon industrie pour la
680 voir. Parmi quantité de voïes que j'examinai l'une après l'autre, je m'arrêtai à celle-ci. Mr. de T. avoit commencé à me rendre service avec trop d'affection, pour que je

676 aurois parié qu'elle venoit — 678 un effet de sa compas-

doutasse de sa sincérité et de son zéle. Je me proposai d'aller chez lui sur le champ, et de le prier de faire appeller G. M. sous le prétexte d'une affaire importante. Il ne me falloit qu'une demie heure pour parler à Manon. Mon dessein étoit de me faire introduire dans sa chambre même, et je crûs que cela me seroit aisé dans l'absence de G. M. Cette résolution m'ayant rendu plus tranquille,
690 je payai liberalement la jeune fille qui étoit encore avec moi; et pour lui ôter l'envie de retourner chez ceux qui me l'avoient envoïée, je pris son adresse en lui faisant esperer que j'irois passer la nuit avec elle. Je montai dans mon fiacre, et je me fis conduire à grand train chez Mr. de T... Je fus assez heureux pour l'y trouver. J'avois eu là-dessus de l'inquietude en allant. Je le mis aussi-tôt au fait de mes peines et du service que je venois lui demander. Il fut si étonné d'apprendre que G. M. avoit pû séduire Manon, qu'ignorant que
700 j'avois eu part moi-même à ce malheur, il m'offrit généreusement de ramasser tous ses amis pour emploïer leurs bras et leurs épées à la délivrance de ma maitresse. Je lui fis comprendre que cet éclat pouvoit être pernicieux à Manon et à moi. Reservons notre sang, lui dis-je, pour l'extrêmité. Je médite une voïe plus douce, et dont je n'espere pas moins de succès. Il s'engagea à faire tout ce que je lui demanderois, sans exception; et lui aïant repeté qu'il ne s'agissoit que de faire avertir G. M. qu'il avoit à lui parler, et de le tenir dehors une
710 heure ou deux, il partit aussi-tôt avec moi pour me satisfaire. Nous cherchâmes en allant de quel expedient il pourroit se servir pour l'arrêter si longtems. Je lui conseillai de lui écrire d'abord un billet simple, datté

sion — 682 pour me laisser le moindre doute de — 684 l'engager à faire appeler — 696 inquiétude en chemin. Un mot le mit au fait de mes peines, — 701 de rassembler tous ses Amis, — 711 cherchâmes de quel

d'un cabaret, par lequel il le prieroit de s'y rendre aussitôt pour une affaire si importante, qu'elle ne pouvoit souffrir de délai. J'observerai, ajoûtai-je, le moment de sa sortie, et je m'introduirai sans peine dans la maison, n'y étant connu que de Manon et de Marcel qui est mon Valet. Pour vous qui serez pendant ce tems-là
720 avec G. M., vous pourrez lui dire que cette affaire importante pour laquelle vous souhaitez de lui parler, est un besoin d'argent; que vous venez de perdre le votre au jeu, et que vous avez joué beaucoup plus sur votre parole avec le même malheur. Il lui faudra du tems pour vous mener à son coffre fort, et j'en aurai suffisamment pour executer mon dessein.

Mr. de T... suivit cet arrangement de point en point. Je le laissai dans un cabaret où il écrivit promptement sa lettre. J'allai me placer à quelques pas de la maison
730 de Manon. Je vis arriver le porteur du message, et G. M. sortit à pied un moment après suivi d'un laquais. Lui aïant laissé le tems de s'éloigner de la ruë, je m'avançai à la porte de mon infidelle, et malgré toute ma colere je frappai avec tout le respect qu'on a pour un temple. Heureusement ce fut Marcel qui vint m'ouvrir. Je lui fis signe de se taire. Quoique je n'eusse rien à craindre des autres domestiques, je lui demandai tout bas s'il pouvoit me conduire dans la chambre où étoit Manon, sans que je fusse apperçu. Il me dit que cela étoit
740 aisé en montant doucement par le grand escalier. Allons donc promptement, lui dis-je, et tâche d'empêcher pendant que j'y serai qu'il n'y monte personne. Je pénétrai sans obstacle jusqu'à l'appartement. Manon étoit occupée à lire. Ce fût-là que j'eus lieu d'admirer le caractère de cette étrange fille. Loin d'être effraïée, et de paroître timide en m'appercevant, elle ne donna que ces marques legeres de surprise, dont on n'est pas le maitre à la vûë d'une personne qu'on croit

éloignée : Ha ! c'est vous, mon amour, me dit-elle, en
750 venant m'embrasser avec sa tendresse ordinaire, bon
Dieu ! que vous étes hardi ! qui vous auroit attendu
aujourd'hui dans ce lieu ? Je me dégageai de ses bras,
et loin de répondre à ses caresses je la répoussai avec
dédain, et je fis deux ou trois pas en arriere pour m'éloigner d'elle. Ce mouvement ne laissa pas de la déconcerter. Elle demeura dans la situation où elle étoit, et
elle jetta les yeux sur moi en changeant de couleur.
J'étois dans le fond si charmé de la revoir qu'avec
tant de justes sujets de colere, j'avois à peine la force
760 d'ouvrir la bouche pour la quéreller. Cependant mon
cœur saignoit du cruel outrage qu'elle m'avoit fait, je
le rappellois vivement en ma mémoire pour exciter mon
dépit; et je tâchois de faire briller dans mes yeux un
autre feu que celui de l'amour. Comme je demeurai
quelque tems en silence, et qu'elle remarqua mon
agitation, je la vis trembler, apparemment par un effet
de sa crainte.

Je ne pûs soutenir ce spectacle. Ah ! Manon, lui
dis-je, d'un ton tendre, infidelle et parjure Manon, par
770 où commencerai-je à me plaindre ? Je vous vois pâle
et tremblante, et je suis encore si sensible à vos moindres
peines, que je crains de vous affliger trop par mes
reproches. Mais, Manon, je vous le dis, j'ai le cœur
percé de la douleur de votre trahison. Ce sont là des
coups qu'on ne porte point à un amant quand on n'a
pas résolu sa mort. Voici la troisiéme fois, Manon, je
les ai bien comptées, il est impossible que cela s'oublie.
C'est à vous de considerer à l'heure même quel parti
vous voulez prendre; car mon triste cœur n'est plus à
780 l'épreuve d'un si cruel traitement. Je sens qu'il succombe,
et qu'il est prêt à se fendre de douleur. Je n'en puis
plus, ajoûtai-je en m'asseïant sur une chaise, j'ai à
peine la force de parler et de me soutenir. Elle ne me

répondit point; mais lorsque je fus assis, elle se laissa tomber à genoux, et elle appuïa sa tête sur les miens, en cachant son visage de mes mains. Je sentis en un instant qu'elle les mouilloit de ses larmes. Dieux! de quels mouvemens n'étois-je point agité! Ah Manon, Manon, répris-je, avec un soupir, il est bien tard de me
790 donner des larmes, lorsque vous avez causé ma mort. Vous affectez une tristesse que vous ne sçauriez sentir. Le plus grand de vos maux est sans doute ma présence, qui a toujours été importune à vos plaisirs. Ouvrez les yeux, voyez qui je suis, on ne verse pas des pleurs si tendres pour un malheureux qu'on a trahi, et abandonné cruellement. Elle baisoit mes mains sans changer de posture. Inconstante Manon, répris-je encore; fille ingrate, et sans foi, où sont vos promesses, et vos sermens? Amante mille fois volage et cruelle, qu'as-tu
800 fait de cet amour que tu me jurois encore aujourd'hui? Juste Ciel! ajoutai-je, est-ce ainsi qu'une infidelle se rit de vous, après vous avoir attesté si saintement? c'est donc le parjure qui est recompensé! Le désespoir, et l'abandon sont pour la constance et la fidelité.

Ces paroles furent accompagnées d'une réflexion si amere, que j'en laissai échapper malgré moi quelques larmes. Manon s'en apperçut au changement de ma voix. Elle rompit enfin le silence. Il faut bien que je sois coupable, me dit-elle tristement, puisque j'ai pû
810 vous causer tant de douleur et d'émotion; mais que le Ciel me punisse si j'ai crû l'être, ou si j'ai eû la pensée de le devenir. Ce discours me parût si dépourvû de sens, et de bonne foi que je ne pûs me defendre d'un vif mouvement de colere. Horrible dissimulation! m'écriai-je; je vois mieux que jamais que tu es une coquine, et une perfide. C'est à présent que je connois

815 tu n'es qu'une Coquine et une Perfide.

ton miserable caractére. Adieu, lâche créature, continuai-je en me levant; j'aime mieux mourir mille fois que d'avoir le moindre commerce désormais avec toi.
820 Que le Ciel me punisse moi-même si je t'honore jamais du moindre régard. Demeure avec ton nouvel Amant, aime le, déteste moi, rénonce à l'honneur, au bon sens, je m'en ris, tout m'est égal. Elle fut si épouvantée de ce transport, que demeurant à genoux auprès de la chaise d'où je m'étois levé, elle me régardoit en tremblant, et sans oser respirer. Je fis encore quelques pas vers la porte en tournant la tête, et tenant les yeux fixez sur elle. Mais il auroit fallu que j'eusse perdu tous sentimens d'humanité pour m'endurcir contre tant de charmes.
830 J'étois si éloigné d'avoir cette force barbare, que passant au contraire tout d'un coup à l'extrémité opposée, je retournai vers elle, ou plutôt je m'y précipitai sans réflexion. Je la pris entre mes bras. Je lui donnai mille tendres baisers. Je lui demandai pardon de mon emportement. Je confessai que j'étois un brutal, et que je ne méritois pas le bonheur d'être aimé d'une fille comme elle. Je la fis asseoir, et m'étant mis à genoux à mon tour, je la conjurai de m'écouter en cet état. Là tout ce qu'un Amant soumis et passionné peut imaginer de
840 plus respectueux, et de plus tendre, je le renfermai en peu de mots dans mes excuses. Je lui demandai en grace de prononcer qu'elle me pardonnoit. Elle laissa tomber ses bras sur mon cou en disant, que c'étoit elle-même qui avoit besoin de ma bonté pour me faire oublier les chagrins qu'elle me causoit, et qu'elle commençoit à craindre avec raison que je ne goûtasse point ce qu'elle avoit à me dire pour se justifier. Moi ? interrompis-je aussi-tôt, ah ! je ne vous demande point de justification, j'approuve tout ce que vous avez fait ; ce n'est point
850 à moi d'exiger des raisons de votre conduite. Trop content, trop heureux, si ma chere Manon ne m'ôte

point la tendresse de son cœur ! Mais, continuai-je en réflechissant sur l'état de mon sort, toute-puissante Manon ! vous qui faites à votre gré mes joyes, et mes douleurs, après vous avoir satisfait par mes humiliations, et par les marques de mon répentir, ne me sera-t-il point permis de vous parler de ma tristesse et de mes peines ? Apprendrai-je de vous ce qu'il faut que je devienne aujourd'hui, et si c'est sans retour que vous
860 allez signer ma mort en passant la nuit avec mon Rival ?

Elle fut quelque temps à penser à sa réponse. Mon Chevalier, me dit-elle, en reprenant un air tranquille; si vous vous étiez d'abord expliqué si nettement, vous vous seriez épargné bien du trouble, et à moi une scene bien affligeante. Puisque votre peine ne vient que de votre jalousie, je l'aurois guérie en m'offrant à vous suivre sur le champ au bout du monde. Mais je me suis figuré que c'étoit la lettre que je vous ai écrite sous les yeux de Mr. de G. M. et la fille qu'il vous a envoïée
870 qui causoit votre chagrin. J'ai crû que vous auriez pû regarder ma lettre comme une raillerie, et cette fille, en vous imaginant qu'elle étoit allée vous trouver de ma part, comme une déclaration que je renonçois à tout pour m'attacher à G. M. C'est cette pensée qui m'a jettée tout d'un coup dans la consternation; car quelque innocente que je fusse, je trouvois en y pensant que les apparences ne m'étoient pas favorables. Cependant, continua-t-elle, je veux que vous soïez mon juge, après que je vous aurai expliqué la vérité du fait.
880 Elle m'apprit alors tout ce qui lui étoit arrivé depuis qu'elle avoit trouvé G. M. qui l'attendoit dans le lieu où nous étions. Il l'avoit reçûë effectivement, comme la premiére Princesse du monde. Il lui avoit montré tous les appartemens, qui étoient d'un goût et d'une

861 à méditer sa réponse. — 869 Fille que nous vous avons envoyée,

propreté admirables. Il lui avoit compté dix-mille livres dans son cabinet, et il y avoit ajouté quelques bijoux, parmi lesquels étoient le collier, et les bracelets de perles qu'elle avoit déja eus de son pére; il l'avoit menée de là dans un sallon qu'elle n'avoit pas encore vû, où elle
890 avoit trouvé une collation exquise. Il l'avoit fait servir par les nouveaux domestiques qu'il avoit pris pour elle, en leur ordonnant de la regarder desormais comme leur maitresse, enfin il lui avoit fait voir le carrosse, les chevaux, et tout le reste de ses présens, après quoi il lui avoit proposé une partie de jeu pour attendre le souper. Je vous avouë continua-t-elle, que j'ai été frappée de cette magnificence. J'ai fait réflexion que ce seroit dommage de nous priver tout d'un coup de tant de biens, en me contentant d'emporter les dix-mille francs
900 et les bijoux; que c'étoit une fortune toute faite pour vous, et pour moi, et que nous pourrions vivre agréablement aux dépens de G. M. Au lieu de lui proposer la Comedie, je me suis mis dans la tête de le sonder sur votre sujet, pour pressentir quelles facilitez nous aurions à nous voir, en supposant l'execution de mon systême. Je l'ai trouvé d'un caractére fort traitable. Il m'a demandé ce que je pensois de vous, et si je n'avois pas eu quelque regret à vous quitter. Je lui ai dit que vous étiez si aimable, et que vous en aviez toujours usé si honnête-
910 ment avec moi, qu'il n'étoit pas naturel que je pusse vous haïr. Il a confessé que vous aviez du mérite, et qu'il s'étoit senti porté à desirer votre amitié. Il a voulu sçavoir de quelle maniere je croïois que vous prendriez mon départ, surtout lorsque vous viendriez à sçavoir que j'étois entre ses mains. Je lui ai répondu que la date de notre amour étoit déja si ancienne, qu'il avoit eû le tems de se refroidir un peu; que vous n'étiez pas d'ail-

887 aveu pour un Amant !

leurs fort à votre aise, et que vous ne regarderiez peut-être pas ma perte comme un grand malheur, parce
20 qu'elle vous déchargeroit d'un fardeau qui vous pesoit sur les bras. J'ai ajouté que j'étois si convaincuë que vous agiriez pacifiquement que je n'avois pas fait difficulté de vous dire que je venois à Paris pour quelques affaires; que vous y aviez consenti, et qu'y étant venu vous-même, vous n'aviez pas paru extrêmement inquiet, lorsque je vous avois quitté. Si je croiois, m'a-t-il dit, qu'il fût d'humeur à bien vivre avec moi, je serois le premier à lui offrir mes services et mes civilitez. Je l'ai assuré que du caractére dont je vous connoissois, je ne doutois
30 point que vous n'y répondissiez honnêtement; sur tout, lui ai-je dit, s'il pouvoit vous servir dans vos affaires qui étoient fort dérangées depuis que vous étiez mal avec votre famille. Il m'a interrompûe pour me protester qu'il vous rendroit tous les services qui dépendroient de lui; et que si vous vouliez même vous embarquer dans un autre amour, il vous procureroit une jolie maitresse qu'il avoit quittée pour s'attacher à moi. J'ai applaudi à son idée, ajouta-t-elle, pour prévenir plus parfaitement tous ses soubçons; et me confirmant de
40 plus en plus dans mon projet, je ne souhaitois que de pouvoir trouver le moïen de vous en informer, de peur que vous ne fussiez trop allarmé lorsque vous me verriez manquer à notre assignation. C'est dans cette vûë que je lui ai proposé de vous envoïer cette nouvelle maitresse dès le soir-même, afin d'avoir une occasion de vous écrire; j'étois obligée d'avoir recours à cette adresse, parce que je ne pouvois pas esperer qu'il me laissât libre un moment. Il a ri de ma proposition. Il a appellé son laquais, et lui ayant demandé s'il pourroit retrouver
950 sur le champ son ancienne maitresse, il l'a envoïé de côté et d'autre pour la chercher. Il s'imaginoit que c'étoit à Chaillot qu'il falloit qu'elle allât vous trouver; mais

je lui ai appris qu'en vous quittant, je vous avois promis de vous rejoindre à la Comedie; ou que si quelque raison m'empêchoit d'y aller, vous vous étiez engagé de m'attendre dans un carrosse au bout de la ruë St. André; qu'il valoit mieux par conséquent vous envoïer là votre nouvelle amante, ne fût-ce que pour vous empêcher de vous y morfondre pendant toute la nuit. Je lui ai
960 dit encore qu'il étoit à propos de vous écrire un mot pour vous avertir de cet échange que vous auriez peine à comprendre sans cela. Il y a consenti, mais j'ai été obligée d'écrire en sa présence et je me suis bien gardée de m'expliquer trop ouvertement dans ma lettre. Voilà, ajouta Manon, de quelle maniere les choses se sont passées. Je ne vous déguise rien ni de ma conduite ni de mes desseins. La jeune fille est venuë, je l'ai trouvée jolie, et comme je ne doutois point que mon absence ne vous causât de la peine, c'étoit sincerement que je
970 souhaitois qu'elle pût servir à vous désennuïer quelques momens; car la fidelité que je souhaite de vous est celle du cœur. J'aurois été ravie de pouvoir vous envoïer Marcel; mais je n'ai pu me procurer un moment pour l'instruire de ce que j'avois à vous faire sçavoir. Elle conclud enfin son recit en m'apprenant l'embarras où G. M. s'étoit trouvé en recevant le billet de Mr. de T... Il a balancé, me dit-elle, s'il devoit me quitter, et il m'a assuré que son retour ne tarderoit point. C'est ce qui fait que je ne vous vois point ici sans inquiétude,
980 et que j'ai marqué de la surprise à votre arrivée.

J'écoutai ce discours avec beaucoup de patience, j'y trouvois assurement quantité de traits cruels et mortifians pour moi; car le dessein de son infidelité étoit si clair qu'elle n'avoit pas même eû le soin de me le déguiser. Elle ne pouvoit esperer que G. M. la laissât toute la nuit comme une vestale. C'étoit donc avec lui qu'elle comptoit de la passer. Quel aveu à faire à un amant ! cependant je considérai que j'étois cause en partie de sa faute par la connoissance que je lui avois donnée d'abord des sentimens que G. M. avoit pour elle, et par la complaisance que j'avois eu d'entrer aveuglément dans le plan téméraire de son avanture. D'ailleurs par un tour naturel de genie * qui m'est tout particulier, je fus touché de l'ingenuité de son recit, et de cette maniere bonne et ouverte avec laquelle elle me racontoit jusqu'aux circonstances mêmes dont j'étois le plus offencé. Elle pèche sans malice, disois-je en moi-même. Elle est legere, et imprudente ; mais elle est droite, et sincere. Ajoutez que l'amour suffisoit seul pour me fermer les yeux sur toutes ses fautes. J'étois trop satisfait de l'esperance de l'enlever le soir même à mon Rival. Je lui dis néanmoins : Et la nuit, avec qui l'auriez-vous passée ! Cette question que je lui fis tristement l'embarrassa. Elle ne me répondit que par des mais, et des si interrompus. J'eus pitié de sa peine, et rompant ce discours, je lui déclarai naturellement que j'attendois d'elle qu'elle me suivît à l'heure même. Je le veux bien, me dit-elle, mais vous n'approuvez donc pas mon projet ? ah ! n'est-ce pas assez, repartis-je, que j'approuve tout ce que vous avez fait jusqu'à présent ? quoi, nous n'emporterons pas même les dix-mille francs ? repliqua-t-elle, il me les a donnez. Ils sont à moi. Je lui conseillai d'abandonner tout, et de ne penser qu'à nous éloigner promptement ; car quoiqu'il y eût à peine une demie heure que j'étois avec elle, je craignois le retour de G. M. Cependant elle me fit de si pressantes instances pour me faire consentir à ne pas sortir les mains vuides, que je crus lui devoir accorder quelque chose après avoir tant obtenu d'elle.

Dans le tems que nous nous préparions au départ,

993 m'est particulier.

j'entendis frapper à la porte de la ruë. Je ne doutai nullement que ce ne fût G. M. et dans le trouble où cette pensée me jetta, je dis à Manon que c'étoit un homme mort s'il paroissoit. Effectivement je n'étois pas assez revenu de mes transports pour me modérer à sa vûë. Marcel finit ma peine, en m'apportant un billet qu'il avoit reçû pour moi à la porte. Il étoit de Mr. de T... Il me marquoit que G. M. étant allé lui querir de l'argent à sa maison, il profitoit de son absence, pour
1030 me communiquer une pensée fort plaisante; qu'il lui sembloit que je ne pouvois me vanger plus agréablement de mon Rival qu'en mangeant son souper et en couchant cette nuit même dans le lit qu'il esperoit d'occuper avec ma maitresse : que cela lui paroissoit assez facile si je pouvois m'assurer de trois ou quatre hommes qui eussent assez de résolution pour l'arrêter dans la ruë, et de la fidelité pour le garder à vûë jusqu'au lendemain, que pour lui il me promettoit de l'amuser encore une heure pour le moins par des raisons qu'il
1040 tenoit prêtes pour son rétour. Je montrai ce billet à Manon, et je lui appris de quelle ruse je m'étois servi pour m'introduire librement chez elle. Mon invention, et celle de Mr. de T. lui parurent admirables, nous en rimes à notre aise pendant quelques momens, mais je fus surpris que lorsque je lui parlai de la derniere comme d'un badinage, elle insista à me la proposer sérieusement comme une chose qu'il falloit executer. Je lui demandai en vain où elle vouloit que je trouvasse tout d'un coup des gens propres à arrêter G. M. et à
1050 le garder fidellement; elle me dit qu'il falloit du moins tenter, puisque Mr. de T... nous garantissoit encore une heure; et pour réponse à mes autres objections elle

— 1044 momens. Mais lorsque je lui parlai de la dernière comme d'un badinage, je fus surpris qu'elle insista sérieusement à me la proposer comme une chose dont l'idée la ravissoit. En vain

me dit que je faisois le tyran, et que je n'avois pas de complaisance pour elle. Elle ne trouvoit rien de si joli * que ce projet. Vous aurez son couvert à souper, me repetoit-elle, vous coucherez dans ses draps, et demain de grand matin vous enleverez sa maitresse et son argent. Vous serez bien vangé du pére et du fils. Je cédai à ses instances, malgré les mouvemens secrets
1060 de mon cœur qui sembloient me présager une catastrophe malheureuse. Je sortis dans le dessein de prier deux ou trois Gardes du Corps, avec lesquels Lescaut m'avoit mis en liaison, de se charger du soin d'arrêter G. M. Je n'en trouvai qu'un au logis, mais c'étoit un homme entreprenant qui n'eût pas plutôt sçu de quoi il étoit question qu'il m'assura du succès. Il me demanda seulement dix pistoles pour recompenser trois soldats aux Gardes qu'il prit la résolution d'emploïer en se mettant à leur tête. Je le priai de ne pas perdre de tems.
1070 Il les assembla en moins d'un quart d'heure, je l'attendois à la maison, et lorsqu'il fut de retour avec ses associez, je le conduisis moi-même au coin d'une ruë par où G. M. devoit nécessairement rentrer dans celle de Manon. Je lui recommandai de ne le pas maltraiter, mais de le garder si étroitement jusqu'à sept heures du matin, que je pusse être assuré qu'il ne lui échaperoit pas. Il me dit que son dessein étoit de le conduire à sa chambre, et de l'obliger à se deshabiller, et à se coucher dans son lit; tandis qu'il passeroit la
1080 nuit à boire et à jouer avec ses trois braves *. Je demeurai avec eux jusqu'au moment que je vis paroître G. M. et me retirai alors quelques pas au-dessous, dans un endroit obscur, voulant être témoin d'une scene si extraordinaire. Le Garde du Corps l'aborda pistolet au poing, et lui expliqua civilement qu'il n'en vouloit

lui demandai-je où elle — 1078 deshabiller, ou même à se coucher dans son lit tandis que lui et ses trois Braves passeroient la nuit à boire

ni à sa vie, ni à son argent, mais que s'il faisoit la moindre difficulté de le suivre, ou s'il jettoit le moindre cri, il alloit lui brûler la cervelle. G. M. le voïant soutenu par par trois soldats, et craignant sans doute la bourre du
1090 pistolet, ne fit pas de résistance. Je le vis emmener comme un mouton. Je retournai aussi-tôt chez Manon et pour ôter tout soubçon aux domestiques, je lui dis en entrant qu'il ne falloit pas attendre Mr. de G. M. pour souper, qu'il lui étoit survenu des affaires qui le retenoient malgré lui, et qu'il m'avoit prié de venir lui en faire ses excuses et, souper avec elle; ce que je régardois comme une grande faveur auprès d'une si belle Dame. Elle seconda adroitement mon dessein. Nous nous mimes à table, nous y primes un air grave tant que les
1100 laquais demeurerent à nous servir; les aïant enfin congédiez, nous passames une des plus charmantes soirées de notre vie. J'ordonnai en secret à Marcel de chercher un fiacre, et de l'avertir de se trouver le lendemain à la porte avant six heures du matin. Je feignis de quitter Manon vers minuit, mais étant rentré doucement par le secours de Marcel, je me préparai à occuper le lit de G. M. comme j'avois rempli sa place à table. Notre mauvais genie travailloit pendant ce tems-là à nous perdre. Nous étions dans l'yvresse du plaisir, et
1110 le glaive étoit suspendu sur nos têtes. Le fil qui le soutenoit alloit se rompre. Mais pour faire mieux entendre toutes les circonstances de notre ruine, il faut en éclaircir la cause.

G. M. étoit suivi d'un laquais, lorsqu'il avoit été arrêté par le Garde du Corps. Ce garçon effraïé de l'avanture de son maitre, retourna en fuïant sur ses pas, et la premiere démarche qu'il fit pour le secourir fut d'aller avertir le vieux G. M. de ce qui venoit d'arriver.

et à jouer. — 1098 seconda fort adroitement — 1109 dans le délire

Une si fâcheuse nouvelle ne pouvoit manquer de l'alar-
1120 mer beaucoup. Il n'avoit que ce fils, et il étoit d'une
extrême vivacité pour son âge. Il voulut sçavoir d'abord
du laquais tout ce que son fils avoit fait l'après-midi;
s'il s'étoit querellé avec quelqu'un, s'il avoit pris part
au demélé d'un autre, s'il s'étoit trouvé dans quelque
maison suspecte ? Celui-ci, qui croïoit son maître dans le
dernier danger, et qui s'imaginoit ne devoir plus rien
ménager pour aider à son salut, découvrit tout ce qu'il
sçavoit de son amour pour Manon, et de la dépense qu'il
avoit faite pour elle, la maniére dont il avoit passé
1130 l'après-midi dans sa maison jusqu'aux environs de neuf
heures, sa sortie, et le malheur de son retour. C'en fut
assez pour faire soubçonner au vieillard que l'affaire de
son fils étoit une querelle d'amour. Quoiqu'il fût au
moins dix heures et demie du soir, il ne balança point
à se rendre aussi-tôt chez Mr. le Lieutenant de Police.
Il le pria de faire donner des ordres particuliers à toutes
les Escoüades du Guet, et lui ayant demandé une
pour le faire accompagner, il courût lui-même vers la
ruë où son fils avoit été arrêté; il visita tous les endroits
1140 de la ville où il esperoit de le pouvoir trouver, et n'aïant
pû découvrir ses traces, il se fit conduire enfin à la
maison de sa maitresse, où il se figura qu'il pouvoit être
retourné. J'allois me mettre au lit, lorsqu'il arriva; la
porte de la chambre étant fermée, je n'entendis point
frapper à celle de la ruë. Mais étant entré, suivi de deux
Archers, et s'étant informé inutilement de ce qu'étoit
devenu son fils, il lui prit envie de voir sa maîtresse
pour tirer d'elle quelque lumière. Il monta à l'appartement, toujours accompagné de ses Archers; nous étions
1150 prêts à nous mettre au lit, il ouvre la porte, et il nous
glace le sang par sa vûë. O Dieu ! c'est le vieux G. M.

du plaisir, — 1127 ménager pour lui procurer du secours, découvrit

dis-je à Manon. Je saute sur mon épée. Elle étoit malheureusement entortillée de mon ceinturon. Les Archers qui virent mon mouvement, s'approcherent assez-tôt pour me la saisir. Un homme en chemise est sans résistance. Ils m'ôtèrent tous les moyens de me défendre. G. M. quoique troublé par ce spectacle ne tarda point à me reconnoître. Il remit encore plus aisément Manon. Est-ce une illusion, nous dit-il gravement, ne vois-je
1160 point le Chevalier Des Grieux et Manon Lescaut? J'étois si enragé de honte et de douleur que je ne lui fis pas de réponse. Il parut rouler pendant quelque temps diverses pensées dans sa tête; et comme si elles eussent allumé tout d'un coup sa colere, il s'écria en s'adressant à moi : Ah ! malheureux, je suis sûr que tu as tué mon fils. Cette injure me piqua vivement. Vieux scelerat, lui répondis-je avec fierté, si j'avois eu à tuër quelqu'un de ta famille, c'est par toi que j'aurois commencé. Tenez-le bien, dit-il aux Archers, il faut qu'il me dise des nou-
1170 velles de mon fils; je le ferai pendre demain s'il ne m'apprend tout à l'heure ce qu'il en a fait. Tu me feras pendre? répris-je, infame; ce sont tes pareils qu'il faut chercher au gibet; apprens que je suis d'un sang plus noble et plus pur que le tien. Ouï, ajoutai-je, je sçais ce qui est arrivé à ton fils, et si tu m'irrites davantage, je le ferai étrangler avant qu'il soit demain, et je te promets le même sort après lui. Je commis une imprudence, en lui confessant que je sçavois où étoit son fils; mais l'excès de ma colere me fit faire cette
1180 indiscretion. Il appella aussi-tôt cinq ou six autres Archers qui l'attendoient à la porte, et il leur ordonna de s'assurer de tous les domestiques de la maison. Ha ! Monsieur le Chevalier, reprit-il d'un ton railleur, vous sçavez où est mon fils, et vous le ferez étrangler, dites-

— 1153 embarrassée dans mon ceinturon. — 1199 meilleur parti.

vous ? comptez que nous y mettrons bon ordre. Je sentis aussitôt la faute que j'avois commis. Il s'approcha de Manon, qui étoit assise sur le lit en pleurant; il lui dit quelques galanteries ironiques sur l'empire qu'elle avoit sur le pére, et sur le fils, et sur le bon usage qu'elle
1190 en faisoit. Ce vieux Monstre d'incontinence voulut prendre quelques familiaritez avec elle. Garde toi de la toucher, m'écriai-je, il n'y auroit rien de sacré qui te pût sauver de mes mains. Il sortit en laissant trois Archers dans la chambre, auxquels il ordonna de nous faire prendre promptement nos habits.

Je ne sçais quels étoient alors ses desseins sur nous. Peut-être eussions-nous obtenu la liberté en lui apprenant où étoit son fils. Je méditois en m'habillant, si ce n'étoit pas le meilleur parti que je pusse prendre; mais
1200 s'il étoit dans cette disposition en quittant notre chambre, elle étoit bien changée lorsqu'il y revint. Il étoit allé interroger les domestiques de Manon que les Archers avoient arrêtez. Il ne pût rien apprendre de ceux qu'elle avoit reçus de son fils; mais lorsqu'il sçut que Marcel nous avoit servis auparavant, il résolut de le faire parler en l'intimidant par des menaces. C'étoit un garçon fidelle, mais simple, et grossier. Le souvenir de ce qu'il avoit fait à l'Hôpital pour délivrer Manon, joint à la terreur que G. M. lui inspiroit, fit tant d'impression
1210 sur son esprit foible, qu'il s'imagina qu'on alloit le conduire à la potence ou sur la roüe. Il promit de découvrir tout ce qui étoit venu à sa connoissance, si l'on vouloit lui sauver la vie. G. M. se persuada là-dessus qu'il y avoit quelque chose dans nos affaires de plus sérieux et de plus criminel qu'il n'avoit eu lieu jusque-là de se le figurer. Il offrit à Marcel non seulement la vie, mais des recompenses pour sa confession. Le malheureux lui apprit une partie de notre dessein, sur lequel nous n'avions pas fait difficulté de nous entre-

1220 tenir devant lui, parce qu'il devoit y entrer pour quelque chose. Il est vrai qu'il ignoroit entierement les changemens que nous y avions faits à Paris; mais il avoit été informé en partant de Chaillot du plan de l'entreprise et du rôle qu'il y devoit jouër. Il lui déclara donc que notre vûë étoit de dupper son fils, et que Manon devoit recevoir ou avoit déja reçu dix-mille francs, qui selon notre projet ne retourneroient jamais aux héritiers de la maison de G. M.

Après cette découverte, le Vieillard emporté remonta 1230 brusquement dans notre chambre. Il passa sans parler dans le cabinet, où il n'eut pas de peine à trouver la somme, et les bijoux. Il revint à nous avec un visage enflammé, et nous montrant ce qu'il lui plût de nommer notre larcin, il nous accabla de réproches outrageans. Il fit voir de près à Manon le collier de perles et les bracelets; les réconnoissez-vous ? lui dit-il, avec un souris môqueur; ce n'étoit pas la premiére fois que vous les eussiez vûs. Ce sont les mêmes sur ma foi. Ils étoient de votre goût ma belle, je me le persuade aisé-1240 ment. Les pauvres enfans ! ajoûta-t-il, ils sont bien aimables en effet l'un et l'autre, mais ils sont un peu fripons. Mon cœur crêvoit de rage à ce discours insultant. J'aurois donné pour être libre un moment... Juste ciel ! que n'aurois-je pas donné ! Enfin je me fis violence pour lui dire avec une modération qui n'étoit qu'un rafinement de fureur : Finissons, Mr. ces insolentes railleries; de quoi est-il question ? voïons, que prétendez-vous faire de nous ? Il est question, Mr. le Chevalier, me répondit-il, d'aller de ce pas au Chatelet. Il fera 1250 jour demain, nous verrons plus clair dans nos affaires, et j'espere que vous me ferez la grace à la fin de m'apprendre où est mon fils. Je compris sans beaucoup de réflexions que c'étoit une chose d'une terrible conséquence pour nous que d'être une fois renfermez au

Chatelet. J'en prévis en tremblant tous les dangers. Malgré toute ma fierté, je reconnus qu'il falloit plier sous le poids de ma fortune, et flater mon plus cruel ennemi pour en obtenir quelque chose par la soumission. Je le priai d'un ton honnête de m'écouter un
1260 moment. Je me rends justice, Mr. lui dis-je, je confesse que la jeunesse m'a fait commettre de grandes fautes, et que vous en étes assez blessé pour vous plaindre; mais si vous connoissez la force de l'amour; si vous pouvez juger de ce que souffre un malheureux jeune homme à qui l'on enleve tout ce qu'il aime, vous me trouverez peut-être pardonnable d'avoir cherché le plaisir d'une petite vangeance ou du moins vous me croirez assez puni par l'affront que je viens de recevoir. Il n'est besoin ni de prison, ni de supplice pour me forcer à
1270 vous découvrir où est Mr. votre fils. Il est en sûreté; mon dessein n'a pas été de lui nuire, ni de vous offencer; je suis prêt à vous nommer le lieu où il passe tranquillement la nuit si vous me faites la grâce de nous accorder la liberté. Ce vieux Tigre, loin d'être touché de ma priere, me tourna le dos en riant. Il lâcha seulement quelques mots pour me faire comprendre qu'il sçavoit notre dessein jusqu'à l'origine. Pour ce qui regardoit son fils, il ajouta brutalement qu'il se retrouveroit assez, puis que je ne l'avois pas assassiné. Conduisez-les au
1280 petit Chatelet *, dit-il aux Archers, et prenez garde que le Chevalier ne vous échappe. C'est un rusé qui s'est déjà sauvé de St. Lazare.

Il sortit, et me laissa dans l'état que vous pouvez vous imaginer. O Ciel ! m'écriai-je, je recevrai avec soumission tous les coups qui viennent de ta main, mais qu'un malheureux coquin ait le pouvoir de me traiter avec cette tyrannie; c'est ce qui me réduit au dernier désespoir. Les Archers nous prierent de ne pas les faire attendre plus longtems. Ils avoient un carrosse

1290 tout prêt à la porte. Je tendis la main à Manon pour descendre. Venez, ma chere Reine, lui dis-je, venez vous soumettre à toute la rigueur de votre sort. Il plaira peut-être au Ciel, de nous rendre quelque jour plus heureux. Nous partîmes dans le même carrosse. Elle se mit dans mes bras; je ne l'avois pas entendu ouvrir la bouche depuis le premier moment de l'arrivée de G. M. mais se trouvant seule alors avec moi, elle me dit mille tendresses en se reprochant d'être la cause de mon malheur. Je l'assurai que je ne me plaindrois jamais de mon sort,
1300 tant qu'elle continueroit à m'aimer. Ce n'est pas moi qui suis à plaindre, continuai-je; quelques mois de prison ne m'effraïent nullement, et je préfererai toujours le Chatelet à St. Lazare; mais c'est pour toi, ma chere ame, que mon cœur s'interesse : quel sort pour une creature aussi charmante que toi ! Ciel ! comment traitez-vous avec tant de rigueur le plus parfait de vos ouvrages ! Pourquoi ne sommes-nous pas nez l'un et l'autre avec des qualitez conformes à notre misere ? Nous avons reçu de l'esprit, du goût, des sentimens.
1310 Helas ! quel triste usage en faisons-nous ? tandis que tant d'ames basses, et dignes de notre sort jouissent de toutes les faveurs de la fortune ! Ces réflexions me pénétroient de douleur, mais ce n'étoit rien en comparaison de celles que me causoit la pensée de l'avenir; car je sechois de crainte pour Manon. Elle avoit déja été à l'Hôpital, et quand elle en fût sortie par la bonne porte, je sçavois que les rechutes en ce genre étoient d'une conséquence extrêmement dangereuse. J'aurois voulu lui exprimer mes fraïeurs. J'aprehendois de lui
1320 en causer trop, je tremblois pour elle sans oser l'avertir du danger, et je l'embrassois en soupirant pour l'assurer

Mais — 1289 carrosse à la porte. — 1295 Je ne lui avois pas entendu prononcer un mot, depuis — 1300 qu'elle ne cesseroit pas de m'aimer. — 1305 Créature si charmante ! — 1314 celles qui regardoient

du moins de mon amour, qui étoit presque le seul sentiment que j'osasse exprimer. Manon, lui dis-je, parlez sincerement, m'aimerez-vous toujours ? Elle me répondit qu'elle étoit bien malheureuse que j'en pusse douter. Hé bien, repris-je, je n'en doute point, et je veux braver tous nos ennemis avec cette assurance. J'emploïrai ma famille pour sortir du Chatelet, et tout mon sang ne sera utile à rien si je ne vous en tire pas aussi-tôt que je
330 serai libre. Nous arrivâmes à la prison. On nous mit chacun dans un lieu séparé. Ce coup me fut moins rude, parce que je l'avois prévû. Je recommandai Manon au Concierge, en lui apprenant que j'étois un homme de quelque distinction, et lui promettant une récompense considerable. J'embrassai ma pauvre maitresse avant que de la quitter. Je la conjurai de ne pas s'affliger excessivement, et de ne rien craindre tant que je serois au monde. Je n'étois pas sans argent. Je lui en donnai une partie, et je païai au Concierge sur ce qui me restoit
340 un mois de grosse pension * par avance pour elle et pour moi.

Mon argent eut un fort bon effet : On me mit dans une chambre proprement meublée, et l'on m'assura que Manon en avoit une pareille. Je m'occupai aussitôt des moyens de hâter ma liberté. Il étoit clair qu'il n'y avoit rien d'absolument criminel dans mon affaire; et supposant même que le dessein de notre vol fût prouvé par la déposition de Marcel, je savois fort bien qu'on ne punit point les simples volontez. Je resolus d'écrire
350 promptement à mon pere, et de le prier de venir en personne à Paris. J'avois bien moins de honte, comme j'ai déja dit, d'être au Châtelet qu'à St. Lazare. D'ailleurs quoique je conservasse tout le respect dû à l'autorité paternelle, l'âge et l'experience avoit diminué beaucoup

l'avenir ; car — 1335 ma chere Maîtresse.

ma timidité. J'écrivis donc, et l'on ne fit pas difficulté au Châtelet de laisser sortir ma lettre; mais c'étoit une peine que j'aurois pû m'épargner, si j'eusse sçu que mon pére devoit arriver le lendemain à Paris. Il avoit reçû celle que je lui avois écrite huit jours auparavant.
1360 Il en avoit ressenti une joye extrême; mais de quelque esperance que je l'eusse flatté au sujet de ma conversion, il n'avoit pas crû devoir s'arrêter tout à fait à mes promesses. Il avoit pris le parti de venir s'assurer de mon changement par ses yeux et régler sa conduite sur la sincerité de mon repentir. Il arriva le lendemain de mon emprisonnement ; sa premiere visite fut celle qu'il rendit à Tiberge, à qui je l'avois prié d'adresser sa réponse. Il ne put sçavoir de lui ni ma demeure, ni ma condition présente. Il en apprit seulement mes principales
1370 avantures, depuis que je m'étois échappé de St. Sulpice. Tiberge lui parla fort avantageusement des dispositions que je lui avois marquées pour le bien dans notre derniere entrevûe. Il ajouta qu'il me croïoit entierement dégagé de Manon; mais qu'il étoit surpris néanmoins que je ne lui eusse pas donné de mes nouvelles depuis huit jours. Mon pére n'étoit pas duppe. Il comprit qu'il y avoit quelque chose qui échappoit à la pénétration de Tiberge dans le silence dont il se plaignoit, et il emploïa tant de soins pour découvrir mes traces, que
1380 deux jours après son arrivée, il apprit que j'étois au Châtelet. Avant que de recevoir sa visite à laquelle j'étois fort éloigné de m'attendre si-tôt, je reçus celle de Mr. le Lieutenant de Police, ou, pour expliquer les choses par leur nom, je subis l'interrogatoire. Il me fit quelques reproches; mais ils n'étoient ni durs ni desobligeans. Il me dit avec douceur qu'il plaignoit ma mauvaise conduite; que j'avois manqué de sagesse en me faisant un ennemi tel que Mr. de G. M.; qu'à la vérité il étoit aisé de remarquer qu'il y avoit dans mon affaire plus

390 d'imprudence et legereté que de malice; mais que c'étoit néanmoins la seconde fois que je me trouvois sujet à son tribunal, et qu'il avoit esperé que je fusse devenu plus sage après avoir pris deux ou trois mois de leçons à St. Lazare. Charmé d'avoir affaire à un juge raisonnable, je m'expliquai avec lui d'une maniere si respectueuse, et si moderée, qu'il parût extrêmement satisfait de mes réponses. Il me dit que je ne devois point me livrer trop au chagrin, et qu'il se sentoit disposé à me rendre service en faveur de ma naissance, 400 et de ma jeunesse. Je me hazardai à lui recommander Manon et à lui faire l'éloge de sa douceur, et de son bon naturel. Il me répondit en riant qu'il ne l'avoit point encore vûë; mais qu'on la representoit comme une dangereuse personne. Ce mot excita tellement ma tendresse, que je lui dis mille choses passionnées pour la défense de ma pauvre maitresse; et je ne pus même m'empêcher de répandres quelques larmes. Il ordonna qu'on me reconduisît à ma chambre. Amour, amour, s'écria ce grave Magistrat en me voïant sortir, ne te 410 réconcilieras-tu jamais avec la sagesse ?

J'étois à m'entretenir tristement de mes idées et à réflechir sur la conversation que j'avois euë avec Mr. le Lieutenant de Police, lorsque j'entendis ouvrir la porte de ma chambre : c'étoit mon pére. Quoique je dûsse être à demi préparé à cette vûë, puisque je m'y attendois quelques jours plus tard, je ne laissai pas d'en être frappé si vivement, que je me serois précipité au fond de la terre, si elle s'étoit entr'ouverte à mes pieds. J'allai l'embrasser avec toutes les marques d'une extrême con-420 fusion. Il s'assit sans que ni lui, ni moi eussions encore ouvert la bouche. Comme je demeurois debout les yeux baissez, et la tête découverte : Asseïez-vous, Monsieur, me dit-il gravement, asseïez-vous. Graces au scandale de votre libertinage et de vos fripponneries, j'ai décou-

vert le lieu de votre demeure. C'est l'avantage d'un mérite tel que le votre, de ne pouvoir demeurer caché. Vous allez à la renommée par un chemin infaillible. J'espere que le terme en sera bientôt la Greve *, et que vous aurez effectivement la gloire d'y être exposé
1430 à l'admiration de tout le monde. Je ne répondis rien. Il continua : Qu'un pére est malheureux, lorsqu'après avoir aimé tendrement un fils, et n'avoir rien épargné pour en faire un honnête homme, il n'y trouve à la fin qu'un fripon qui le deshonore ! On se console d'un malheur de fortune : le tems l'efface, et le chagrin diminuë : mais quel remede contre un mal qui augmente tous les jours, tel que les desordres d'un fils vicieux, qui a perdu tous sentimens d'honneur ! Tu ne dis rien, malheureux, ajoûta-t-il; voïez cette modestie contre-
1440 faite, et cet air de douceur hipocrite; ne le prendroit-on pas pour le plus honnête homme de sa race ? Quoique je fusse obligé de réconnoître que je méritois une partie de ces outrages, il me parût néanmoins que c'étoit les porter à l'excès. Je crus qu'il m'étoit permis d'expliquer naturellement ma pensée. Je vous assure, Monsieur, lui dis-je, que la modestie où vous me voïez devant vous, n'est nullement affectée; c'est la situation naturelle d'un fils bien né qui respecte infiniment son pére, et surtout un pére irrité. Je ne prétens pas non plus
1450 passer pour l'homme le plus réglé de notre race; je me connois digne de vos réproches; mais je vous conjure d'y mettre un peu plus de bonté, et de ne pas me traiter comme le plus infame de tous les hommes. Je ne mérite pas des noms si durs. C'est l'amour, vous le sçavez, qui a causé toutes mes fautes. Fatale passion ! Helas ! n'en connoissez-vous pas la force, et se peut-il que votre sang qui est la source du mien, n'ait jamais ressenti les mêmes ardeurs ! L'amour m'a rendu trop tendre, trop passionné, trop fidele, et peut-être trop

460 complaisant pour les désirs d'une maitresse toute charmante; voilà mes crimes, En voïez-vous là quelqu'un qui vous deshonore? Allons, mon cher pére, ajoûtai-je tendrement, un peu de pitié pour un fils qui a toujours été plein de respect, et d'affection pour vous, qui n'a pas renoncé comme vous pensez à l'honneur et au devoir, et qui est mille fois plus à plaindre que vous ne sçauriez vous l'imaginer. Je laissai tomber quelques larmes en finissant ces paroles.

Un cœur de pére est le chef-d'œuvre de la nature; 470 elle y regne pour ainsi parler avec complaisance, et elle en régle elle-même tous les ressorts. Le mien qui étoit avec cela homme d'esprit et de bon goût, fut si touché du tour que j'avois donné à mes excuses qu'il ne fut pas le maitre de me cacher ce changement. Vien, mon pauvre Chevalier, me dit-il, vien m'embrasser. Tu me fais pitié. Je l'embrassai. Il me serra d'une maniere qui me fit juger de ce qui se passoit dans son cœur; mais quel moïen prendrons-nous donc, réprit-il, pour te tirer d'ici? explique-moi toutes tes affaires sans 480 déguisement. Comme il n'y avoit rien après tout dans le gros de ma conduite qui pût me deshonorer absolument, du moins en la mesurant sur celle des jeunes gens d'un certain monde, et qu'une maitresse entretenuë ne passe point pour une infamie dans le siécle où nous sommes, non plus qu'un peu d'adresse à s'attirer la fortune du jeu, je fis sincerement à mon pere le détail de la vie que j'avois menée. A chaque faute dont je lui faisois l'aveu, j'avois soin de joindre des exemples * célebres, pour en diminuër la honte. Je vis avec une 490 maitresse, lui disois-je, sans être lié par les cérémonies du mariage; Monsieur le Duc de... en entretient deux aux yeux de tout Paris, Mr. de F... en a une depuis

1483 maîtresse ne — 1492 , M. de... en — 1494 des honnêtes gens de France se

dix ans qu'il aime avec une fidelité qu'il n'a jamais eûë pour sa femme. Les deux tiers des habitans de Paris se font un honneur d'en avoir. J'ai usé de quelque supercherie au jeu : Mr. le Marquis de... et le Comte de... n'ont point d'autres revenus, Mr. le Prince de... et Mr. le Duc de... sont les chefs d'une bande de Chevaliers du même Ordre. Pour ce qui régardoit mes desseins sur
1500 la bourse des deux G. M. j'aurois pû trouver aussi facilement que je n'étois pas sans modeles; mais il me restoit trop d'honneur pour ne pas me condamner moi-même avec tous ceux dont j'aurois pû me proposer l'exemple : desorte que je priai mon pére de pardonner cette foiblesse aux deux violentes passions qui m'avoient agité, la vangeance et l'amour. Il me demanda si je pouvois lui donner quelques ouvertures sur les plus courts moyens d'obtenir ma liberté, sur tout d'une maniere qui pût lui faire éviter l'éclat. Je lui appris
1510 les sentimens de bonté que le Lieutenant de Police avoit pour moi. Si vous trouvez quelques difficultez, lui dis-je, elles ne peuvent venir que de la part des G. M.; ainsi je crois qu'il seroit à propos que vous prissiez la peine de les voir. Il me le promit. Je n'osai le prier de solliciter pour Manon. Ce ne fut point un défaut de hardiesse, mais un effet de la crainte où j'étois de le revolter par cette proposition, et de lui faire naître quelque dessein funeste à elle et à moi. Je suis encore à sçavoir si cette crainte n'a pas causé mes plus grandes
1520 infortunes, en m'empêchant de tenter les dispositions de mon père, et de faire des efforts pour lui en inspirer de favorables à ma malheureuse maitresse. J'aurois peut-être excité encore une fois sa pitié. Je l'aurois mis en garde contre les impressions qu'il alloit recevoir trop facilement du vieux G. M. que sçais-je ? ma mauvaise destinée n'auroit peut-être emporté sur tous mes efforts; mais je n'aurois eu qu'elle du moins, et la

cruauté de mes ennemis à accuser de mon malheur.

En me quittant mon pére alla faire une visite à Mr. de
1530 G. M. Il le trouva avec son fils, à qui le Garde du Corps
avoit honnêtement rendu la liberté. Je n'ai jamais sçu
les particularitez de leur conversation; mais il ne m'a
été que trop facile d'en juger par ses mortels effets. Ils
allerent ensemble, je dis les deux péres, chez Mr. le
Lieutenant de Police, à qui ils demandèrent deux graces :
l'une de me faire sortir sur le champ du Châtelet;
l'autre d'enfermer Manon pour le reste de ses jours, ou
de l'envoïer en Amerique. On commençoit dans ce
tems-là à embarquer quantité de gens sans aveu pour
1540 le Mississipi *. Monsieur le Lieutenant de Police leur
donna la parole de faire partir Manon par le premier
vaisseau. Mr. de G. M. et mon pére vinrent aussitôt
m'apporter ensemble la nouvelle de ma liberté. Mr. de
G. M. me fit un compliment civil sur le passé, et m'aïant
félicité sur le bonheur que j'avois d'avoir un tel pére,
il m'exhorta à profiter desormais de ses leçons, et de ses
exemples. Mon pére m'ordonna de lui faire des excuses
des injures prétenduës que j'avois faites à sa famille, et
de le remercier de s'être emploïé avec lui pour mon
1550 élargissement. Nous sortimes ensemble sans faire mention de ma maitresse. Je n'osai même parler d'elle aux
Guichetiers en leur présence. Helas ! mes tristes recommandations eussent été bien inutiles ! L'ordre cruel
étoit venu en même temps que celui de ma délivrance.
Cette fille infortunée fut conduite une heure après à
l'Hôpital pour y être associée à quelques malheureuses,
qui étoient condamnées à subir le même sort. Mon pére
m'ayant obligé de le suivre à la maison où il avoit pris
sa demeure, il étoit presque six heures du soir, lorsque
1560 je trouvai le moment de me dérober de ses yeux pour

1548 excuses de l'injure prétendue que — 1550 sans avoir dit un mot

retourner au Châtelet. Je n'avois dessein que de faire tenir quelques rafraichissemens à Manon, et de la recommander au Concierge; car je ne me promettois pas que la liberté de la voir me fût accordée. Je n'avois point encore eu le temps non plus de réflechir aux moïens de la délivrer.

Je demandai à parler au Concierge. Il avoit été content de ma liberalité, et de ma douceur; de sorte qu'aïant quelques sentimens de bienveillance pour moi, il me
1570 parla du sort de Manon, comme d'un malheur dont il avoit beaucoup de regret, parce qu'il pouvait m'affliger. Je ne compris point ce langage. Nous nous entretinmes quelques momens sans nous entendre; à la fin s'appercevant que j'avois besoin d'une explication, il me la donna telle que j'ai déjà eu horreur de vous la dire, et que j'ai encore de la répeter. Jamais apoplexie violente ne causa d'effet plus subit et plus terrible. Je tombai avec une palpitation de cœur si douloureuse, qu'à l'instant que je perdis la connoissance, je me crus
1580 délivré de la vie pour toujours. Il me resta même quelque chose de cette pensée, lorsque je revins à moi. Je tournai mes régards vers toutes les parties de la chambre, et sur moi-même, pour m'assurer si je portois encore la malheureuse qualité d'homme vivant. Il est certain qu'en ne suivant que le mouvement naturel qui fait chercher à se délivrer de ses peines, rien ne pouvoit me paroître plus doux que la mort dans ce moment de désespoir, et de consternation. La religion même ne pouvoit me faire envisager rien de plus insupportable
1590 après la vie, que les convulsions cruelles dont j'étois tourmenté. Cependant par un miracle propre à l'amour, je retrouvai bientôt assez de forces pour remercier le ciel de m'avoir rendu la connoissance et la raison.

de ma Maîtresse. — 1568 ayant quelque disposition à me rendre service, il

Ma mort n'eût été utile qu'à moi; Manon avoit besoin de ma vie pour la délivrer, pour la secourir, pour la vanger; je jurai de m'y emploier sans ménagement. Le Concierge me donna toute l'assistance que j'eusse pû attendre du meilleur de mes amis. Je reçus ses services avec une vive reconnoissance. Helas! lui dis-je,
1600 vous étes donc touché de mes peines! Tout le monde m'abandonne. Mon pére même est sans doute un de mes plus cruels persecuteurs, personne n'a pitié de moi. Vous seul, dans le séjour de la dureté, et de la barbarie, marquez de la compassion pour le plus miserable de tous les hommes. Il me conseilloit de ne point paroître dans la ruë sans être un peu remis du trouble où j'étois. Laissez, laissez, répondis-je en sortant, je vous reverrai plus tôt que vous ne pensez. Préparez-moi le plus noir de vos cachots, je vais travailler à le mériter. En effet
1610 mes premieres résolutions n'alloient à rien moins qu'à me défaire des deux G. M., et du Lieutenant de Police, et à fondre ensuite à main armée sur l'Hôpital avec tous ceux que je pourrois engager à soutenir ma quérelle. Mon pere lui-même eût été à peine respecté dans une vangeance qui me paroissoit si juste; car le Concierge ne m'avoit pas caché que lui, et G. M. étoient les auteurs de ma perte; mais lorsque j'eus fait quelques pas dans les ruës, et que l'air eût un peu rafraichi mon sang et mes humeurs *, ma fureur fit place peu à peu à des senti-
1620 mens plus raisonnables. La mort de nos ennemis eût été d'une foible utilité pour Manon, et elle m'eût exposé sans doute à me voir ôter tous les moïens de la secourir. D'ailleurs aurois-je eu recours à un lâche assassinat! quelle autre voïe pouvois-je m'ouvrir à la vangeance? Je récueillis toutes mes forces et tous mes esprits pour travailler d'abord à la délivrance de Manon, remettant tout le reste après le succès de cette importante entreprise. Il me restoit peu d'argent. C'étoit néanmoins

un fondement nécessaire par lequel il falloit commencer;
1630 je ne voïois que trois personnes de qui j'en pusse attendre; Mr. de T., mon pére, et Tiberge. Il y avoit peu d'apparence d'obtenir quelque chose des deux derniers, et j'avois honte de fatiguer l'autre par mes importunitez; mais ce n'est point dans le désespoir qu'on garde des ménagemens. J'allai sur le champ au Seminaire de St. Sulpice, sans m'embarrasser si j'y serois reconnu. Je fis appeller Tiberge. Ses prémieres paroles me firent comprendre qu'il ignoroit encore mes dernieres avantures. Cela me fit changer le dessein que
1640 j'avois de l'attendrir par la compassion. Je lui parlai en général du plaisir que j'avois eu de revoir mon pére, et je le priai ensuite naturellement de me prêter quelque argent, sous prétexte de païer avant mon départ de Paris quelques dettes que je souhaitois de tenir inconnuës. Il me présenta aussi-tôt sa bourse. Je pris cinqcens livres sur six-cens que j'y trouvai. Je lui offris mon billet; il étoit trop généreux pour l'accepter.

Je tournai de là chès Mr. de T. je n'eus point de réserve avec lui. Je lui fis l'exposition de mes malheurs,
1650 et de mes peines. Il en sçavoit déja jusqu'aux moindres circonstances par le soin qu'il avoit eu de suivre l'avanture du jeune G. M. Il m'écouta néanmoins, et il me plaignit beaucoup. Lors que je lui demandai ses conseils sur les moïens de délivrer Manon, il me répondit tristement, qu'il y voïoit si peu de jour qu'à moins d'un secours extraordinaire du ciel, il falloit renoncer à l'esperance, qu'il avoit passé exprès à l'Hôpital depuis qu'elle y étoit renfermée; qu'il n'avoit pû obtenir lui-même la liberté de la voir; que les ordres du Lieutenant de Police
1660 étoient de la derniere rigueur, et que pour comble d'infortune la malheureuse bande où elle devoit entrer, étoit destinée à partir le surlendemain du jour où nous étions. J'étois si consterné de son discours, qu'il eût

pû parler une heure sans que j'eusse songé à l'interrompre. Il continua à me dire, qu'il ne m'étoit point allé voir au Châtelet pour se donner plus de facilité à me servir, lorsqu'on le croiroit sans liaison avec moi; que depuis quelques heures que j'en étois sorti, il avoit eu beaucoup de chagrin d'ignorer où je m'étois retiré, 1670 et qu'il avoit souhaité de me voir promptement pour me donner le seul conseil dont il sembloit que je pusse esperer du changement dans le sort de Manon; mais un conseil dangereux, et auquel il me prioit de cacher éternellement qu'il eût eu part : c'étoit de choisir quelques braves * qui eussent le courage d'attaquer les Gardes de Manon, lorsqu'ils seroient sortis de Paris avec elle. Il n'attendit point que je lui parlasse de mon indigence. Voilà cent pistoles, me dit-il, en me présentant une bourse, qui pourront vous être de quelque 1680 usage. Vous me les remettrez lorsque la fortune aura retabli vos affaires. Il ajouta que si le soin de sa réputation lui eût permis d'entreprendre lui-même la délivrance de ma maitresse, il m'eût offert son bras et son épée.

Cette excessive générosité me toucha jusqu'aux larmes. J'emploïai pour lui marquer ma reconnaissance, toute la vivacité que mon affection me laissoit de reste. Je lui demandai s'il n'y avoit rien à esperer par la voie des intercessions, auprès du Lieutenant de Police. Il me dit qu'il y avoit pensé ; mais qu'il croïoit cette res- 1690 source très foible, parce qu'une grace de cette nature ne pouvoit se demander sans motif, et qu'il ne voïoit pas bien duquel on pourroit se servir pour se faire un intercesseur d'une personne grave, et puissante; que si l'on pouvoit se flater de quelque chose de ce côté-là, ce ne pouvoit être qu'en faisant changer de sentiment à Mr. de G. M., et à mon pére, et en les engageant à

— 1669 eu le chagrin — 1690 ressource inutile, parce — 1692 pas

prier eux-mêmes Mr. le Lieutenant de Police de revoquer sa sentence. Il s'offrit à faire tous ses efforts pour gagner le jeune G. M., quoiqu'il le crût un peu refroidi
1700 à son égard par quelques soupçons qu'il avoit conçus de lui à l'occasion de notre affaire; et il m'exhorta à ne rien omettre de mon côté pour fléchir l'esprit de mon pére.

Ce n'étoit pas une legere entreprise pour moi; je ne dis pas seulement par la difficulté que je devois naturellement trouver à la vaincre; mais par une autre raison qui me faisoit même redouter ses approches; je m'étois dérobé de son logis contre ses ordres, et j'étois fort resolu de n'y pas retourner depuis que j'avois appris
1710 la triste destinée de Manon. J'apprehendois avec sujet qu'il ne m'y fît retenir, malgré moi, et qu'il ne me reconduisît de même en Province. Mon frere aîné avoit usé autrefois de cette méthode. Il est vrai que j'étois devenu plus âgé; mais l'âge étoit une foible raison contre la force. Cependant je trouvois une voïe qui me sauvoit du danger; c'étoit de le faire appeller dans un endroit public, et de m'annoncer à lui sous un autre nom. Je pris aussitôt ce parti. Mr. de T... s'en alla chez G. M., et moi au Luxembourg, d'où j'envoïai avertir mon
1720 pére qu'un Gentilhomme de ses serviteurs étoit à l'attendre. Je craignois qu'il n'eût quelque peine à venir parce qu'il commençoit à faire nuit. Il parût néanmoins peu après, suivi de son laquais. Je le priai de prendre une allée où nous puissions être seuls. Nous fimes cent pas pour le moins sans parler. Il s'imaginoit bien sans doute que tant de préparations ne s'étoient pas faites sans un dessein d'importance. Il attendoit ma harangue, et je la méditois. Enfin j'ouvris la bouche : Monsieur, lui dis-je en tremblant, vous étes un bon pére. Vous

bien quel motif on pouvoit employer pour — 1722 parce que la nuit approchoit

1730 m'avez comblé de graces, et vous m'avez pardonné un nombre infini de fautes. Aussi le Ciel m'est-il témoin que j'ai pour vous tous les sentimens du fils le plus tendre, et le plus respectueux; mais il me semble... que votre rigueur... Hé bien, ma rigueur, interrompit mon pére, qui trouvoit sans doute que je parlois lentement pour son impatience : Ah ! Monsieur, repris-je, il me semble que votre rigueur est extrême dans le traitement que vous avez fait à la malheureuse Manon. Vous vous en étes rapporté à Mr. de G. M. Sa haine vous l'a repré-
1740 sentée sous les plus noires couleurs. Vous vous étes formé d'elle une affreuse idée; cependant c'est la plus douce et la plus aimable creature qui fut jamais. Que n'a-t-il plû au Ciel de vous inspirer l'envie de la voir un moment ! Je ne suis pas plus sûr qu'elle est charmante que je le suis qu'elle vous l'auroit paru. Vous auriez pris parti pour elle. Vous auriez détesté les noirs artifices de G. M. Vous auriez eû compassion d'elle et de moi. Helas ! j'en suis sûr. Votre cœur n'est pas insensible, vous vous seriez laissé attendrir. Il m'interrompit
1750 encore, voïant que je parlois avec une ardeur qui ne m'auroit pas permis de finir si-tôt. Il vouloit savoir à quoi j'avois dessein d'en venir par un discours si passionné. A vous demander la vie, répondis-je, que je ne puis conserver un moment, si Manon part une fois pour l'Amérique. Non, non, me dit-il, d'un ton severe, j'aime mieux te voir sans vie que sans sagesse, et sans honneur. N'allons donc pas plus loin, m'écriai-je en l'arrêtant par le bras; otez la moi cette vie odieuse et insupportable; car dans le désespoir où vous me jetez,
1760 la mort sera une faveur pour moi. C'est un présent digne de la main d'un pére. Je ne te donnerois que ce que tu mérites, repliqua-t-il. Je connois bien des péres qui n'auroient pas attendu si longtemps pour être euxmêmes tes bourreaux; mais c'est ma bonté excessive

qui t'a perdu. Je me jettai à ses genoux : Ah ? s'il vous en reste encore, lui dis-je en les embrassant, ne vous endurcissez donc pas contre mes pleurs. Songez que je suis votre fils... Helas ! souvenez-vous de ma mére. Vous l'aimiez si tendrement. Auriez-vous souffert qu'on l'eût
1770 arrachée de vos bras ? Vous l'auriez défenduë jusqu'à la mort. Les autres n'ont-ils pas un cœur comme vous ? Peut-on être barbare quand on a une fois éprouvé ce que c'est que la tendresse, et la douleur ? Ne me parle pas davantage de ta mére, reprit-il d'une voix irritée, ce souvenir échauffe mon indignation. Tes desordres la feroient mourir de douleur, si elle eût assez vecû pour les voir. Finissons cet entretien, ajouta-t-il, il m'importune, et ne me fera point changer de resolution. Je t'ordonne de me suivre. Le ton sec et dur avec lequel il
1780 m'intima cet ordre me fit trop comprendre que son cœur étoit inflexible. Je m'éloignai de quelques pas, dans la crainte qu'il ne lui prît envie de m'arrêter de ses propres mains. N'augmentez pas mon désespoir, lui dis-je, en me forçant à vous desobéir. Il est impossible que je vous suive, il ne l'est pas moins que je vive après la dureté avec laquelle vous me traitez. Ainsi je vous dis un éternel adieu. Ma mort que vous apprendre bientôt, ajoutai-je tristement, vous fera peut-être reprendre pour moi des sentimens de pére. Comme je me tournois
1790 pour le quitter : Tu refuses donc de me suivre, s'écria-t-il avec une vive colére ? Va, cours à ta perte. Adieu, fils ingrat et rebelle. Adieu, lui dis-je dans mon transport, adieu, pére barbare et dénaturé.

Je sortis aussitôt du Luxembourg. Je marchai dans les ruës comme un furieux, jusqu'à la maison de Mr. de T... Je levois, en marchant, les yeux et les mains pour invoquer toutes les puissances celestes. O Ciel ! disois-je, serez-vous aussi impitoïable que les hommes ? je n'ai plus de secours à attendre que de vous. Mr. de T...

1800 n'étoit point encore retourné chez lui; mais il revint après que je l'y eus attendu quelques momens. Sa négociation n'avoit pas réüssi mieux que la mienne. Il me le dit d'un visage abbattu. Le jeune G. M. quoique moins irrité que son pére contre Manon et contre moi, n'avoit pas voulu entreprendre de le solliciter en nôtre faveur. Il s'en étoit deffendu par la crainte qu'il avoit lui-même de ce Vieillard vindicatif, qui s'étoit déja fort emporté contre lui, en lui reprochant ses desseins de commerce avec Manon. Il me restoit donc que la 1810 voïe de la violence, telle que Mr. de T... m'en avoit tracé le plan; j'y reduisis toutes mes esperances. Elles sont bien incertaines, lui dis-je, mais la plus solide et la plus consolante pour moi est celle de périr du moins dans l'entreprise. Je le quittai en le priant de me secourir par ses vœux, et je ne pensai plus qu'à m'associer des camarades à qui je pusse communiquer une étincelle de mon courage, et de ma resolution.

Le premier qui s'offrit à mon esprit fut le même Garde du Corps, que j'avois emploïé pour arrêter 1820 G. M. J'avois dessein aussi d'aller passer la nuit dans sa chambre, n'aïant point eu l'esprit assez libre pendant l'après-midi pour me procurer un logement. Je le trouvai seul. Il eut de la joye de me voir sorti du Châtelet. Il m'offrir affectueusement ses services. Je lui expliquai ceux qu'il pouvoit me rendre. Il avoit assès de bon sens pour en appercevoir toutes les difficultez; mais il fût assez genereux pour entreprendre de les surmonter. Nous emploïâmes une partie de la nuit à raisonner sur mon dessein. Il me parla des trois soldats aux Gardes 1830 dont il s'étoit servi dans la derniere occasion, comme de trois braves à l'épreuve; Mr. de T... m'avoit informé exactement du nombre des Archers qui devoient conduire Manon, ils n'étoient que six. Cinq hommes hardis, et resolus suffisoient pour donner l'épouvante à ces

miserables, qui ne sont point capables de se défendre honorablement, lorsqu'ils peuvent éviter le péril du combat par une lâcheté. Comme je ne manquois point d'argent, le Garde du Corps me conseilla de ne rien menager pour assurer le succès de notre attaque. Il
1840 nous faut des chevaux, me dit-il, avec des pistolets, et chacun un mousqueton. Je me charge de prendre demain le soin de ces préparatifs. Il faudra aussi trois habits communs pour nos soldats qui n'oseroient paroître dans une affaire de cette nature avec l'uniforme du Regiment. Je lui remis entre les mains les cent pistoles que j'avois reçeuës de Mr. de T.. Elles furent emploiez le lendemain jusqu'au dernier sou. Les trois soldats passerent en revuë devant moi. Je les animai par de grandes promesses; et pour leur ôter toute défiance, je commençai
1850 par leur faire présent à chacun de dix pistoles. Le jour de l'execution étant venu, j'en envoïai un de grand matin à l'Hôpital, pour s'instruire par ses propres yeux du moment auquel les Archers partiroient avec leur proïe. Quoique je n'eusse pris cette précaution que par un excès d'inquietude et de prévoïance, il se trouva qu'elle avoit été absolument nécessaire. J'avois compté sur quelques fausses informations qu'on m'avoit données de leur route, et m'étant persuadé que c'étoit à la Rochelle que cette deplorable troupe devoit être embar-
1860 quée, j'aurois perdu mes peines à l'attendre sur le chemin d'Orleans; cependant je fus informé par le rapport du soldat aux gardes qu'elle prenoit le chemin de Normandie, et que c'étoit du Havre de Grace qu'elle devoit partir pour l'Amerique. Nous nous rendimes aussitôt à la porte St. Honoré, observant de marcher par des ruës differentes. Nous nous réunîmes au bout du Fauxbourg; nos chevaux étoient frais. Nous ne tar-

1841 chacun notre mousqueton. — 1869 il y a deux ans.

dames point à découvrir les six gardes, et les deux miserables voitures que vous vites à Passy, il y a environ
870 deux ans. Ce spectacle faillit à m'ôter la force, et la connoissance. O fortune, m'écriai-je, fortune cruelle,
accorde-moi ici du moins la mort ou la victoire. Nous
tinmes conseil un moment sur la maniere dont nous
ferions notre attaque. Les Archers n'étoient gueres plus
de quatre cens pas devant nous, et nous pouvions les
couper en passant au travers d'un petit champ, autour
duquel le grand chemin tournoit. Le Garde du Corps
fut d'avis de prendre cette voïe pour les surprendre en
fondant tout d'un coup sur eux. J'approuvai sa pensée,
880 et je fus le premier à piquer mon cheval, mais la fortune
avoit rejetté impitoïablement mes vœux. Les Archers
voïant cinq Cavaliers courir vers eux, ne douterent
point que ce ne fût pour les attaquer. Ils se mirent en
défense, en préparant leurs bayonnettes, et leurs fusils
d'un air assez résolu. Cette vûë qui ne fit que nous
animer le Garde du Corps et moi, ôta tout d'un coup le
courage à nos trois lâches compagnons. Ils s'arrêterent
comme de concert, et s'étant dit entr'eux quelques mots
que je n'entendis point, ils tournerent la tête de leurs
890 chevaux pour reprendre le chemin de Paris à bride
abbattuë. Dieux ! me dit le Garde du Corps qui paroissoit aussi éperdu que moi de cette infame désertion,
qu'allons nous faire, nous ne sommes plus que deux.
J'avois perdu la voix, de fureur, et d'étonnement.
Je m'arrêtai, incertain si ma premiere vangeance ne
devoit pas s'emploïer à la poursuite, et au châtiment
des lâches qui m'abandonnoient. Je les regardois fuir,
je jettois les yeux de l'autre côté sur les Archers; s'il
m'eût été possible de me partager, j'aurois fondu tout
900 à la fois sur ces deux objets de ma rage. Je les dévorois

1870 faillit de m'ôter — 1914 Archers je résolus d'aller, avec s.

tous ensemble. Le Garde du Corps qui jugeoit de mon incertitude par le mouvement égaré des mes yeux, me pria d'écouter son conseil. N'étant que deux, me dit-il, il y auroit de la folie à attaquer six hommes aussi bien armez que nous, et qui paroissent nous attendre de pied ferme. Il faut retourner à Paris, et tâcher de réüssir mieux dans le choix de nos braves. Les Archers ne sçauroient faire de grandes journées avec deux pésantes voitures, nous les rejoindrons demain sans peine. Je
1910 fis un moment de réflexion sur ce parti; mais ne voïant de tous côtez que des sujets de désespoir, je pris une résolution véritablement désesperée. Ce fut de remercier mon compagnon de ses services; et loin d'attaquer les Archers, d'aller avec soumission les prier de me recevoir dans leur troupe, pour accompagner Manon avec eux jusqu'au Havre de Grace, et passer ensuite au-delà des mers avec elle. Tout le monde me persecute ou me trahit, dis-je au Garde du Corps, je n'ai plus de fond à faire sur personne. Je n'attens plus rien ni de la
1920 fortune ni du secours des hommes. Mes malheurs sont au comble, il ne me reste plus que de m'y soumettre. Ainsi je ferme les yeux à toute esperance. Puisse le Ciel recompenser votre generosité. Adieu, je vais aider mon mauvais sort à consommer ma ruïne, en y courant moi-même volontairement. Il fit inutilement ses efforts pour m'engager à retourner à Paris. Je le priai de me laisser suivre mes résolutions, et de me quitter sur le champ, de peur que les Archers ne continuassent à croire que notre dessein étoit de les attaquer.

1930 J'allai seul vers eux d'un pas lent, et le visage si consterné qu'ils ne dûrent rien trouver d'effraïant dans mes approches. Ils se tenoient toujours néanmoins en posture de défense. Rassurez-vous, Messieurs, leur dis-je, en les abordant : je ne vous apporte point la guerre, je viens vous demander des graces. Je les priai de continuër leur chemin sans défiance, et je leur appris en marchant les faveurs que j'attendois d'eux. Ils consulterent ensemble de quelle maniere ils devoient recevoir cette ouverture. Le Chef de la bande prit la parole pour les autres. Il me répondit, que les ordres qu'ils avoient de veiller sur leurs captives étoient d'une extrême rigueur; que je lui paroissois néanmoins si joli homme *, que lui et ses compagnons se rélacheroient un peu de leur dévoir; mais que je devois bien comprendre qu'il falloit qu'il m'en coutât quelque chose. Il me restoit environ quinze pistoles; je leur dis naturellement en quoi consistoit le fond de ma bourse. Hé bien, me dit l'Archer, nous en userons généreusement. Il ne vous en coûtera qu'un écû par heure pour entretenir celle de nos filles qui vous plaira le plus, c'est le prix courant de Paris. Je ne leur avois pas parlé de Manon en particulier; parce que je n'avois pas dessein qu'ils connussent ma passion. Ils s'imaginerent d'abord que ce n'étoit qu'une fantaisie de jeune homme qui me faisoit chercher un peu de passetems avec les créatures; mais lorsqu'ils crurent s'être apperçus que j'étois amoureux, ils augmenterent tellement le tribut, que ma bourse se trouve épuisée en partant de Mante où nous avions couché le jour que nous arrivâmes à Passy.

Vous dirai-je quel fût le déplorable sujet de mes entretiens avec Manon pendant cette route; ou quelle impression sa vûë fit sur moi, lorsque j'eus obtenu des Gardes la liberté d'approcher de son chariot ? Ah ! les expressions ne rendent jamais qu'à demi les sentimens du cœur; mais figurez-vous ma pauvre Maitresse enchainée par le milieu du corps *, assise sur quelques poignées de paille, la tête appuïée languissamment sur un côté de la voiture, le visage pâle, et mouillé d'un ruisseau de larmes qui se faisoient un passage au travers de ses paupieres, quoiqu'elle eût continuellement les

yeux fermez. Elle n'avoit pas même eu la curiosité de les ouvrir lorsqu'elle avoit entendu le bruit de ses Gardes qui craignoient d'être attaquez. Son linge étoit sale, et derangé, ses mains délicates exposées à l'injure de l'air *; enfin tout ce composé charmant, cette figure capable de ramener l'univers à l'idolâtrie, paroissoit dans un desordre, et un abbatement inexprimable. J'employai quelque tems à la considerer, en allant à cheval à côté du chariot. J'étois si peu à moi-même, que je fus sur le point plusieurs fois de tomber dangereu-
1980 sement. Mes soupirs, et mes exclamations fréquentes, m'attirerent d'elle quelques régards. Elle me reconnut, et je remarquai que dans le premier mouvement, elle tenta de se précipiter hors de la voiture pour venir à moi, mais étant retenuë par sa chaine, elle retomba dans sa premiere attitude. Je priai les Archers d'arrêter un moment par compassion, ils y consentirent par avarice. Je quittai mon cheval pour m'asseoir auprès d'elle. Elle étoit si languissante, et si affoiblie qu'elle fut longtems sans pouvoir se servir de sa langue, ni remuer ses mains.
1990 Je les mouillois pendant ce tems-là de mes pleurs, et ne pouvant proferer moi-même une seule parole, nous étions l'un et l'autre dans une des plus tristes situations dont il y ait jamais eu d'exemple. Nos expressions ne le furent pas moins, lorsque nous eûmes retrouvé la liberté de parler. Manon parla peu; il sembloit que la honte, et la douleur eussent alteré les organes de sa voix; le son en étoit foible et tremblant. Elle me remercia de ne l'avoir pas oubliée, et de la satisfaction que je lui accordois, dit-elle en soupirant, de me voir du moins
2000 encore une fois, et de me dire le dernier adieu. Mais lorsque je l'eus assurée que rien n'étoit capable de me séparer d'elle, et que j'étois disposé à la suivre jusqu'à l'extrémité du monde, pour prendre soin d'elle, pour la servir, pour l'aimer, et pour attacher inseparablement

ma miserable destinée à la sienne, cette pauvre fille se livra à des sentimens si tendres et si douloureux, que j'apprehendai quelque chose pour sa vie d'une si violente émotion. Tous les mouvemens de son ame sembloient se réünir dans ses yeux. Elle les tenoit fixez sur moi. Quelquefois elle ouvroit la bouche sans avoir la force d'achever quelques-mots qu'elle commençoit. Il lui en échapoit néanmoins quelques-uns. C'étoient des marques d'admiration sur mon amour, de tendres plaintes de son excès, des doutes qu'elle pût être assez heureuse pour m'avoir inspiré une passion si parfaite, des instances pour me faire renoncer au dessin de la suivre, et chercher ailleurs un bonheur digne de moi, qu'elle me disoit que je ne pouvois esperer avec elle.

En dépit du plus cruel de tous les sorts, je trouvois ma felicité dans ses régards, et dans la certitude que j'avois de son affection. J'avois perdu à la verité tout ce que le reste des hommes estime, mais j'étois le maitre du cœur de Manon, le seul bien que j'estimois. Vivre en Europe, vivre en Amerique, que m'importoit-il en quel endroit vivre si j'étois assuré d'y être heureux en y vivant avec ma maîtresse ? Tout l'univers n'est-il pas la patrie de deux amans fideles ? Ne trouvent-ils pas l'un dans l'autre pére, mere, parens, amis, richesses et felicité ? Si quelque chose me causoit de l'inquiétude, c'étoit la crainte de voir Manon exposée aux besoins de l'indigence. Je me supposois déja avec elle dans une region inculte et habitée par des Sauvages. Je suis bien sûr, disois-je, qu'il ne sçauroit y en avoir d'aussi cruels * que G. M. et mon pere. Ils nous laisseront du moins vivre en paix. Si les rélations qu'on en fait sont fidelles, ils suivent les lois de la nature. Ils ne connoissent ni les fureurs de l'avarice qui possedent G. M., ni les idées fantastiques de l'honneur qui m'ont fait un ennemi de mon pére. Ils ne troubleront point deux amans qu'ils verront vivre avec autant de simplicité qu'eux. J'étois donc tranquille de ce côté-là. Mais je ne me formois point des idées Romanesques par rapport aux besoins communs de la vie. J'avois éprouvé trop souvent qu'il y a des nécessitez insupportables, surtout pour une fille délicate, qui est accoûtumée à une vie commode, et abondante. J'étois au désespoir d'avoir épuisé inutilement ma bourse, et que le peu d'argent qui me restoit, fût encore sur le point de m'être ravi par la friponnerie des Archers. Je concevois qu'avec une petite somme, j'aurois pû esperer non seulement de me soutenir quelque tems contre la misere en Amerique, où l'argent étoit rare; mais d'y former même quelque entreprise pour un établissement durable. Cette considération me fit naître la pensée d'écrire à Tiberge que j'avois toujours trouvé si prompt à m'offrir les secours de l'amitié. J'écrivis dès la premiere ville où nous passames. Je ne lui apportai point d'autre motif que le pressant besoin dans lequel je prévoïois que je me trouverois au Havre de Grace; où je lui confessois que j'étois allé conduire Manon. Je lui demandois cent pistoles; faites les moi tenir au Havre, lui disois-je, par le Maitre de la Poste. Vous voïez bien que c'est la derniere fois que j'importune votre affection, et que ma malheureuse maitresse m'étant enlevée pour toujours, je ne puis la laisser partir sans quelques soulagemens qui adoucissent son sort, et mes mortels régrets.

Les Archers devinrent si intraitables, lors qu'ils eurent découvert la violence de ma passion, que redoublant continuellement le prix de leurs moindres faveurs, ils me réduisirent bientôt à la dernière indigence. L'amour d'ailleurs ne me permettoit guère de ménager ma bourse. Je m'obliois du matin au soir auprès de Manon, et ce n'étoit plus par heure que le tems m'étoit mesuré, c'étoit par la longueur entiere des jours. Enfin ma bourse étant tout à fait vuide, je me trouvai exposé aux caprices, et à la brutalité de six miserables qui me traitoient avec une hauteur insupportable. Vous en futes témoin à Passy. Votre rencontre fut un heureux moment de relâche qui me fut accordé par la fortune. Votre pitié à la vûë de mes peines fut ma seule recommandation auprès de votre cœur généreux. Le secours que vous m'accordâtes liberalement servit à me faire gagner le Havre, et les Archers tinrent leur promesse avec plus de fidelité que je ne l'esperois. Nous arrivâmes au Havre. J'allai d'abord à la poste. Tiberge n'avoit point encore eû le tems de me répondre. Je m'informai exactement quel jour je pourrois attendre sa lettre. Ce ne pouvoit être que deux jours après; et par une étrange disposition de mon mauvais sort, il se trouva que notre vaisseau devoit partir le matin de celui auquel j'attendois l'ordinaire. Je ne puis vous representer quel fut mon désespoir. Quoi ? disois-je, dans le malheur même il faudra toujours que je sois distingué par des excès ? Manon répondit : Helas ! une vie si malheureuse mérite t-elle le soin que nous en prenons ! Mourons au Havre, mon cher Chevalier, finissons tout d'un coup nos miseres. Irons-nous les trainer dans un païs inconnu, où nous devons nous attendre sans doute à des extremitez horribles, puisqu'on a eû dessein de m'en faire un supplice ! mourons, me repeta-t-elle, ou du moins donne moi la mort, et va chercher un autre sort dans les bras d'une amante plus heureuse. Non, non, lui dis-je, c'est pour moi un sort digne d'envie que d'être malheureux avec vous. Son discours me fit trembler. Je jugeai qu'elle étoit accablée de ses maux. Je m'efforçai de prendre un air plus tranquille pour lui ôter ses funestes pensées de mort et de désespoir. Je resolus de

2087 jour je pouvois attendre sa Lettre ? Elle ne pouvoit arriver

tenir la même conduite à l'avenir, et j'ai éprouvé dans la suite que rien n'est plus capable d'inspirer du courage
2110 à une femme, que l'intrépidité d'un homme qu'elle aime...

Voïant que je n'avois point de secours à attendre de Tiberge, je vendis mon cheval. L'argent que j'en tirai joint à ce qui me restoit encore de vos liberalitez, me composa la petite somme de dix-sept pistoles. J'en emploïai sept à l'achat de quelques soulagemens nécessaires à Manon, et je serrai les dix autres avec soin comme le fondement de notre fortune, et de nos esperances en Amerique. Je n'eus point de peine à me faire
2120 recevoir dans le vaisseau. On cherchoit de tous cotez de jeunes gens qui fussent disposez à se joindre volontairement à la Colonie. Le passage, et la nourriture me furent accordez gratis. La Poste de Paris devant partir le lendemain, j'y laissai une lettre pour Tiberge. Elle étoit touchante, et capable de l'attendrir sans doute au dernier point; puisqu'elle lui fit prendre une resolution qui ne pouvoit venir que d'un fond infini de tendresse et de generosité pour un ami malheureux.

Nous mimes à la voile. Le vent nous fut continuelle-
2130 ment favorable. J'obtins du Capitaine un lieu à part pour Manon, et pour moi. Il eut la bonté de nous regarder d'un autre œil que le commun de nos miserables associez. Je l'avois pris en particulier dès le premier jour, et pour m'attirer de lui quelque consideration je lui avois découvert une partie de mes infortunes. Je ne crus pas me rendre coupable d'un mensonge honteux en lui disant que j'étois marié à Manon. Il fit semblant de le croire, et il m'accorda sa protection. Nous en

que deux jours — 2112 Lorsque j'eus perdu l'espérance de recevoir du secours de Tiberge, je — 2120 cherchoit alors de jeunes gens, — 2129 vent ne cessa point de nous être favorable. — 2137. Il feignit de le croire, —

reçûmes des marques pendant toute la navigation. Il
2140 eut soin de nous faire nourrir honnêtement, et les
égards qu'il eût pour nous servirent à nous faire respecter des compagnons de nôtre misere. J'avois une
attention continuelle à ne pas laisser souffrir la moindre
incommodité à Manon. Elle le remarquoit bien, et
cette vûë jointe au vif ressentiment de l'étrange extrémité où je m'étois reduit pour elle, la rendoit si tendre
et si passionnée, si attentive aussi à mes plus legers
besoins, que c'étoit entre elle et moi une perpetuelle
émulation de services et d'amour. Je ne regrettois point
2150 l'Europe. Au contraire plus nous avancions vers l'Amerique, plus je sentois mon cœur s'élargir, et devenir
tranquille; si j'eusse pû m'assurer de n'y manquer des
necessitez absolue de la vie, j'aurois remercié la fortune
d'avoir donné un tour si favorable à nos malheurs.

Après une navigation de deux mois, nous abordames
enfin au rivage desiré. Le païs ne nous offrit rien d'agréable à la première vûë. C'étoient des campagnes steriles,
et inhabitées, où l'on voïoit à peine quelques roseaux
et quelques arbres dépouillez par le vent. Nulle trace
2160 d'hommes, ni d'animaux. Cependant le Capitaine aïant
fait décharger quelques pièces de notre artillerie, nous
ne fumes pas longtems sans appercevoir une troupe de
Citoïens du nouvel Orleans * qui s'approcherent de
nous avec de vives marques de joye. Nous n'avions pas
découvert la ville. Elle est cachée de ce côté-là par une
petite colline. Nous fumes reçus comme des gens descendus du Ciel. Ces pauvres habitans s'empressoient
pour nous faire mille questions sur l'état de la France et
sur les differentes Provinces où ils étoient nez. Ils nous
2170 embrassoient comme leurs freres, et comme de chers
compagnons qui venoient partager leur misere et leur
solitude. Nous primes le chemin de la ville avec eux;
mais nous fumes surpris de découvrir en avançant, que

ce qu'on nous avoit vanté jusqu'alors comme une bonne ville, n'étoit qu'un assemblage de quelques pauvres cabanes *. Elles étoient habitées par cinq ou six cens personnes. La maison du Gouverneur nous parut un peu distinguée par sa hauteur, et par sa situation. Elle est deffenduë par quelques ouvrages de terre, autour 2180 desquels regne un large fossé.

Nous fumes d'abord présentez à lui. Il s'entretint longtems en secret avec le Capitaine, et revenant ensuite à nous, il considera l'une après l'autre toutes les filles qui étoient arrivées par le vaisseau. Elles étoient au nombre de trente, car nous en avions trouvé au Havre une autre bande qui y étoit à attendre la nôtre. Le Gouverneur les aïant longtems examinées, fit appeller divers jeunes gens de la ville qui languissoient dans l'attente d'une épouse. Il donna les plus jolies aux prin- 2190 cipaux, et le reste fut tiré au sort *. Il n'avoit point encore parlé à Manon; mais lorsqu'il eut ordonné aux autres de se retirer, il nous fit demeurer elle et moi. J'apprens du Capitaine, nous dit-il, que vous etes mariez et qu'il vous a reconnus sur la route pour deux personnes d'esprit et de mérite *. Je n'entre point dans les raisons qui ont causé votre malheur; mais s'il est vrai que vous aïez autant de sçavoir vivre que votre figure me le promet, je n'épargnerai rien pour adoucir votre sort et vous contribuerez vous même à me faire trouver 2200 quelque agrément dans ce lieu sauvage et desert. Je lui répondis de la maniere que je crus la plus propre à confirmer l'idée qu'il avoit de nous. Il donna quelques ordres pour nous faire avoir un logement dans la ville, et il nous retint à souper avec lui. Je lui trouvai beaucoup de politesse pour un chef de malheureux bannis. Il ne nous fit point de question en public sur le fond de nos avantures. La conversation fut générale, et malgré notre tristesse nous nous effor-

çames Manon et moi de contribuer à la rendre agréable.
2210 Le soir il nous fit conduire au logement qu'on nous avoit préparé *. Nous trouvâmes une miserable cabane composée de planches et de boüe, qui consistoit en deux chambres de plain-pied avec un grenier au-dessus. Il y avoit fait mettre deux ou trois chaises, et quelques commoditez nécessaires à la vie. Manon parut effraïée à la vûë d'une si triste demeure. C'étoit pour moi qu'elle s'affligeoit beaucoup plus que pour elle-même. Elle s'assit, lorsque nous fumes seuls, et elle se mit à pleurer amerement. J'entrepris d'abord de la consoler; mais
2220 lorsqu'elle m'eût fait entendre que c'étoit moi seul qu'elle plaignoit et qu'elle ne consideroit dans nos malheurs communs que ce que j'avois à souffrir, j'affectai de montrer assez de courage, et même assez de joïe pour lui en inspirer. De quoi me plaindrois-je, lui dis-je ? je possede tout ce que je desire. Vous m'aimez n'est-ce pas ? quel autre bonheur me suis-je jamais proposé ? Laissons au Ciel le soin de notre fortune. Je ne la trouve pas si désesperée. Le Gouverneur est un homme civil, il nous a marqué de la consideration, il ne permettra
2230 pas que nous manquions du nécessaire. Pour ce qui regarde la pauvreté de notre cabanne, et la grossiereté de nos meubles, vous avez pû remarquer qu'il y a peu de personnes ici qui paroissent mieux logées et mieux meublées que nous; et puis tu es une Chimiste * admirable, ajoutai-je en l'embrassant, tu transformes tout en or. Vous serez donc la plus riche personne de l'univers, me répondit-elle, car s'il n'y eût jamais d'amour tel que le votre, il est impossible aussi d'être aimé plus tendrement que vous l'êtes de moi. Je me rens justice,
2240 continua-t-elle. Je sens bien que je n'ai jamais mérité ce prodigieux attachement que vous avez pour moi.

2224 mettre cinq ou six chaises, — 2239 êtes. Je —

Je vous ai causé des chagrins que vous n'avez pû me pardonner sans une bonté extrême. J'ai été legere et volage; et même en vous aimant éperduëment comme j'ai toujours fait, je n'étois qu'une ingrate. Mais vous ne sçauriez croire combien je suis changée. Mes larmes que vous avez vû couler si souvent depuis notre départ de France, n'ont pas eû une seule fois mes malheurs pour objet. J'ai cessé de les sentir aussitôt que vous avez commencé à les partager. Je n'ai pleuré que de tendresse et de compassion pour vous. Je ne me console point d'avoir pû vous chagriner un moment dans ma vie. Je ne cesse point de me reprocher mes inconstances, et de m'attendrir en admirant de quoi l'amour vous a rendu capable pour une malheureuse qui n'en étoit pas digne, et qui ne païeroit pas bien avec tout son sang, ajouta-t-elle avec une abondance de larmes, la moitié des peines qu'elle vous a causées. Ses pleurs, son discours, et le ton dont elle le prononça firent sur moi une impression si étonnante, que je crus sentir une espece de division dans mon ame. Pren garde, dis-je, pren garde, ma chere Manon, je n'ai point assez de force pour supporter des marques si vives de ton affection; je ne suis point accoûtumé à ces excès de joïe. O Dieu ! m'écriai-je, je ne vous demande plus rien; je suis assuré du cœur de Manon, il est tel que je l'ai souhaité pour être heureux. Je ne puis plus cesser de l'être à présent. Voilà ma felicité bien établie. Elle l'est, reprit-elle, si vous la faites dépendre de moi; et je sçais bien où je puis compter aussi de trouver toujours la mienne. Je me couchai avec ces charmantes idées, qui changerent ma cabane en un Palais digne du premier Roi du monde. L'Amerique me parut un lieu de délices après cela. C'est au nouvel Orleans qu'il faut venir, disois-je souvent à Manon, quand on veut goûter les vraïes douceurs de l'amour. C'est ici qu'on s'aime sans interêt, sans jalousie, sans inconstance. Nos compatriotes y viennent chercher de l'or, ils ne s'imaginent pas que nous y avons trouvé des trésors bien plus estimables.

2280 Nous cultivâmes soigneusement l'amitié du Gouverneur. Il eut la bonté quelques semaines après notre arrivée de me donner un petit emploi qui vint à vaquer dans le Fort; quoiqu'il ne fût pas bien distingué, je l'acceptai comme une faveur du Ciel. Il me mettoit en état de vivre sans être à charge à personne. Je pris un valet pour moi, et une servante pour Manon. Notre petite fortune s'arrangea. J'étois réglé dans ma conduite, Manon ne l'étoit pas moins. Nous ne laissions point échaper l'occasion de rendre service et de faire du bien 2290 à nos Voisins; cette disposition officieuse, et la douceur de nos manieres nous attirerent la confiance et l'affection de toute la Colonie. Nous fumes en peu de temps si considerez, que nous passions pour les premieres personnes de la ville après le Gouverneur.

L'innocence de nos occupations, et la tranquilité où nous étions continuellement, servit à nous ramener peu à peu à l'esprit des idées de pieté, et de religion. Manon n'avoit jamais été une fille impie; je n'étois pas non plus de ces libertins outrez, qui se font gloire 2300 d'ajoûter l'irreligion à la dépravation des mœurs. L'amour et la jeunesse avoient causé tous nos desordres. L'experience commençoit à nous tenir lieu d'âge; elle fit sur nous le même effet que les années. Nos conversations qui étoient toujours réflechies, nous mirent insensiblement dans le goût d'un amour vertueux. Je fus le premier qui proposai ce changement à Manon; je connoissois les principes de son cœur. Elle étoit droite, et naturelle dans tous ses sentimens, qualité qui dispose toujours à la vertu. Je lui fis comprendre qu'il manquoit

2296 servirent à nous faire rappeller insensiblement à des idées de r.

2310 une chose à notre bonheur; c'est, lui dis-je, de le faire
approuver du Ciel. Nous avons l'ame trop belle, et le
cœur trop bien fait l'un et l'autre pour vivre volontairement dans le crime. Passe d'y avoir vécu en France, où
il nous étoit également impossible de cesser de nous
aimer, et de nous satisfaire par une voïe légitime; mais
en Amerique où nous ne dépendons que de nous-
mêmes; ou nous n'avons plus à ménager les loix arbi-
traires du rang, et de la bienseance, où l'on nous croit
même mariez; qui empêche que nous ne le soïons
2320 bientôt effectivement, et que nous en santifiions notre
amour par des sermens que la Religion autorise ? Pour
moi, ajoûtai-je, je ne vous offre rien de nouveau en vous
offrant mon cœur et ma main; mais je suis prêt à vous
renouveller le don au pied d'un Autel *. Il me parût
que ce discours la pénétroit de joïe. Croiriez-vous,
me répondit-elle, que j'y ai pensé mille fois depuis que
nous sommes en Amerique ? La crainte de vous déplaire
m'a fait renfermer ce désir dans mon cœur. Je n'ai
point la présomption de vous solliciter à m'accorder
2330 la qualité de votre épouse. Ah ! Manon, répliquai-je,
tu le serois bientôt d'un Roi, si le Ciel m'avoit fait
naître avec une couronne. Ne balançons plus. Nous
n'avons nul obstacle à apprehender. J'en veux parler
dès aujourd'hui au Gouverneur, et lui avouër que nous
l'avons trompé jusqu'à ce jour. Laissons craindre aux
amans vulgaires, ajoûtai-je, les chaines indissolubles
du mariage. Ils ne les craindroient pas s'ils étoit assurez
comme nous de porter toujours celles de l'amour. Je
laissai Manon au comble de la joïe après cette résolution.
2340 Je suis persuadé qu'il n'y a point d'honnête homme
au monde qui n'eût approuvé mes vûës dans les circonstances où j'étois, c'est-à-dire, asservi fatalement à une

2320 et que nous n'annoblissions notre amour — 2329 présomption d'aspirer à la qualité — 2333 obstacle à redouter

passion que je ne pouvois vaincre, et combattu par des rémords que je ne devois point étouffer. Mais se trouvera-t-il quelqu'un qui accuse mes plaintes d'injustice, si je gemis de la rigueur du Ciel à rejetter un dessein que je n'avois formé que pour lui plaire. Helas ! que dis-je, à le réjeter ? Il l'a puni comme un crime. Il m'avoit souffert avec patience lorsque je marchois aveuglement
2350 dans la route du vice; et ses plus rudes châtimens m'étoient réservez lorsque je commencerois à retourner à la vertu. Je crains de manquer de force pour achever le recit du plus funeste évenement qui fut jamais.

J'allai chez le Gouverneur, comme j'en étois convenu avec Manon, pour le prier de consentir à la cérémonie de notre mariage. Je me serois bien gardé d'en parler à lui, ni à personne, si j'eusse pû me promettre que son Aumônier qui étoit le seul alors Prêtre de la ville, m'eût rendu ce service sans sa participation; mais n'osant
2360 esperer qu'il voulût s'engager au silence *, j'avois pris le parti d'agir ouvertement. Le Gouverneur avoit un neveu nommé Synnelet, qui lui étoit extrêmement cher. C'étoit un homme de trente ans, brave, mais emporté et violent. Il n'étoit point marié. La beauté de Manon l'avoit touché dès notre arrivée, et les occasions sans nombre qu'il avoit eu de la voir pendant neuf ou dix mois, avoient tellement enflâmé sa passion, qu'il se consumoit en secret pour elle. Cependant comme il étoit persuadé avec son oncle et toute la ville que j'étois
2370 réellement marié, il s'étoit rendu maitre de son amour, jusqu'au point de n'en laisser rien appercevoir; et son zéle s'étoit même déclaré pour moi dans plusieurs occasions de me rendre service. Je le trouvai avec son oncle, lorsque j'arrivai dans le Fort. Je n'avois nulle raison qui m'obligeât à lui faire un secret de mon dessein; desorte que je ne fis point difficulté de m'expliquer en sa présence. Le Gouverneur m'écouta avec sa bonté ordi-

naire. Je lui racontai une partie de mon histoire qu'il entendit avec plaisir; et lorsque je le priai d'assister à la
2380 cérémonie que je méditois, il eut la générosité de s'engager à faire toute la dépense de la fête. Je me retirai fort content.

Environ une heure après je vis entrer l'Aumônier chez moi. Je m'imaginois qu'il venoit me donner quelques instruction sur mon mariage; mais après m'avoir salué froidement, il me déclara en deux mots que Mr. le Gouverneur me défendoit d'y penser, et qu'il avoit d'autres vûës sur Manon. D'autres vûës sur Manon ! lui dis-je avec un saisissement de cœur;
2390 et quelles vûës donc Mr. l'Aumônier ? Il me répondit, que je n'ignorois pas que Mr. le Gouverneur étoit le maitre, que Manon aïant été envoïée de France pour la Colonie, c'étoit à lui de disposer d'elle; qu'il ne l'avoit pas fait jusqu'alors, parce qu'il la croïoit mariée; mais qu'aïant appris de moi-même qu'elle ne l'étoit point, il jugeoit à propos de la donner à Mr. Synnelet qui en étoit amoureux. Ma vivacité l'emporta sur ma prudence. J'ordonnai fierement à l'Aumônier de sortir de ma maison, en jurant que le Gouverneur, Synnelet, et toute
2400 la ville, n'oseroient porter la main sur mon épouse, ou ma maitresse, comme ils voudroient l'appeller.

Je fis part aussitôt à Manon du funeste message que je venois de recevoir. Nous jugeâmes que Synnelet avoit séduit l'esprit de son oncle depuis mon retour, et que c'étoit l'effet de quelque dessein médité depuis long-tems. Ils étoient les plus forts. Nous nous trouvions dans le nouvel Orleans comme au milieu de la mer; c'est-à-dire, séparez du reste du monde par des espaces immenses. Où fuir ! dans un païs inconnu, désert, ou
2410 habité par des bêtes feroces, et par des Sauvages aussi

2400 ville ensemble, n'oseroient porter la main sur ma Femme,

barbares qu'elles. J'étois estimé dans la ville, mais je ne pouvois esperer d'émouvoir assez le peuple en ma faveur pour en esperer un secours proportionné au mal. Il eût fallu de l'argent, j'étois pauvre. D'ailleurs le succès d'une émotion populaire étoit incertain, et si la fortune nous eût manqué, notre malheur seroit devenu sans remede. Je roulois toutes ces pensées dans ma tête, j'en communiquoi une partie à Manon, j'en formois de nouvelles sans écouter sa réponse. Je prenois un
2420 parti, je le réjettois pour en prendre un autre. Je parlois seul, je répondois tout haut à mes pensées; enfin j'étois dans une agitation que je ne sçaurois comparer à rien; parce qu'il n'y en eût jamais d'égale. Manon avoit les yeux sur moi, elle jugeoit par mon trouble de la grandeur du péril; et tremblant pour moi plus que pour elle-même, cette tendre fille n'osoit pas même ouvrir la bouche pour m'exprimer sa crainte. Après une infinité de réflexions, je m'arrêtai à la résolution d'aller trouver le Gouverneur pour m'efforcer de le toucher pas des
2430 considerations d'honneur, et par le souvenir de mon respect, et de son affection. Manon vouloit s'opposer à ma sortie. Elle me disoit en pleurant : Helas ! ils vont vous tuer; je ne vous reverrai plus que mort. Je veux mourir avant vous. J'eus besoin de quantité d'efforts pour la persuader de la nécessité où j'étois de sortir, et de celle qu'il y avoit pour elle de demeurer au logis. Je lui promis qu'elle me verroit de retour en un moment. Elle ignoroit, et moi aussi, que c'étoit sur elle-même que devoit tomber toute la colere du Ciel, et la rage de
2440 nos ennemis.

Je me rendis au Fort. Le Gouverneur étoit avec son Aumônier. Je m'abaissai pour le toucher à des soumis-

ou ma Maîtresse — 2432 disoit, les larmes aux yeux : Vous allez à la mort. Ils vont vous tuer. Je ne vous reverrai plus. Je veux — 2434 vous. Il fallut beaucoup d'efforts — 2437 me reverroit

sions qui m'auroient fait mourir de honte, si je les eusse faites pour toute autre cause. Je le pris par tous les motifs qui devoient faire une impression certaine sur un cœur qui n'est pas celui d'un Tigre feroce et cruel. Ce Barbare ne fit à mes plaintes, que deux réponses qu'il répeta cent fois; Manon, me dit-il, dépendoit de lui. Il avoit donné sa parole de l'accorder à son néveu. 2450 J'étois résolu de me moderer jusqu'à l'extremité. Je me contentai de lui dire que je le croïois trop de mes amis pour vouloir ma mort, à laquelle je consentirois plutôt qu'à la perte de ma maitresse.

Je fus trop persuadé en sortant que je n'avois rien à esperer de cet opiniâtre Vieillard, qui se seroit damné mille fois pour son néveu. Cependant je persistai dans le dessein d'user jusqu'à la fin de moderation; résolu, si l'on en venoit aux excès, de donner au nouvel Orleans une des plus sanglantes, et des plus horribles scenes 2460 que l'amour ait jamais produites. Je retournois chez moi en méditant sur ce projet; lorsque le sort qui vouloit hâter ma ruïne me fit rencontrer Synnelet. Il lût dans mes yeux une partie de mes pensées. J'ai dit qu'il étoit brave; il vint à moi, ne me cherchez-vous pas, me dit-il ? Je connois que mes desseins vous offensent, et j'ai bien prévû qu'il faudroit se couper la gorge avec vous. Allons voir qui sera le plus heureux. Je lui répondis qu'il avoit raison et qu'il n'y avoit que ma mort qui pût finir nos differens. Nous nous écartames d'une centaine de pas 2470 hors de la ville. Nos épées se croiserent, je le blessai, et je le desarmai presque en même tems. Il fut si enragé de son malheur, qu'il refusa de me demander la vie, et de renoncer à Manon. J'avois peut-être droit de lui ôter tout d'un coup, l'un et l'autre; mais un sang généreux ne se dément jamais. Je lui jettai son épée. Recommen-

dans un instant. Elle — 2449 parole à son Neveu. — 2457 fin un air de modération ; résolu, si l'on en venoit aux excès d'injustice;

çons, lui dis-je, et songez que c'est sans quartier. Il m'attaqua avec une furie inexprimable. Je dois confesser que je n'étois point fort dans les armes, n'ayant eu que trois mois de salle à Paris. L'amour conduisoit mon
2480 épée. Synnelet ne laissa pas de me percer le bras d'outre en outre; mais je le pris sur le tems *, et je lui fournis un coup si vigoureux qu'il tomba à mes pieds sans mouvement.

Malgré la joïe que donne la victoire après un combat mortel, je réfléchis aussitôt sur les conséquences de cette mort. Il n'y avoit pour moi ni grace, ni délai de supplice à esperer. Connoissant comme je faisois la passion du Gouverneur pour son neveu, j'étois assuré que ma mort ne seroit pas differée d'une heure après la
2490 connoissance de la sienne. Quelque pressante que fût cette crainte, elle n'étoit pas la plus forte cause de mon inquietude. Manon, l'interêt de Manon, son péril, et la nécessité de la perdre me troubloient jusqu'à répandre de l'obscurité sur mes yeux, et à m'empêcher de réconnoître le lieu où j'étois. Je regrettai le sort de Synnelet; une prompte mort me sembloit le seul remede de mes peines. Cependant ce fut cette pensée même qui me fit rappeler vivement mes esprits, et qui me rendit capable de prendre une résolution. Quoi ? je veux mourir,
2500 m'écriai-je, pour finir mes peines ? Il y en a donc que j'apprehende plus que la perte de ma chere Maitresse? ah! souffrons toutes celles auxquelles il faut m'exposer pour la secourir, et remettons à mourir après les avoir souffertes inutilement. Je repris le chemin de la ville. J'entrai chez moi, j'y trouvai Manon à demi-morte de fraïeur, et d'inquiétude. Ma présence la ranima. Je ne pouvois lui cacher, ni même diminuer le terrible accident qui venoit

de donner à l'Amérique une des — 2501 perte de ce que j'aime ? Ah ! souffrons jusqu'aux plus cruelles extrêmités pour secourir ma Maîtresse ; et remettons — 2507 . Je ne pouvois lui déguiser le ter-

de m'arriver. Elle tomba sans connoissance entre mes bras au recit de la mort de Synnelet et de ma blessure. 2510 J'emploïai plus d'un quart d'heure à lui faire retrouver le sentiment.

J'étois à demi-mort moi-même. Je ne voïois pas le moindre jour à sa sûreté, ni à la mienne. Manon, que ferons-nous ? lui dis-je lorsqu'elle eut repris un peu ses forces ? Helas ! qu'allons-nous faire ! Il faut nécessairement que je m'éloigne. Voulez-vous demeurer dans la ville ? Ouï, demeurez y. Vous pouvez encore y être heureuse, et moi je vais loin de vous chercher la mort parmi les Sauvages, ou entre les griffes des bêtes 2520 feroces. Elle se leva malgré sa foiblesse et elle me prit par la main pour me conduire vers la porte. Fuïons ensemble, me dit-elle, ne perdons pas un instant. Le corps de Synnelet peut avoir été trouvé par hazard, nous n'aurions pas le tems de nous éloigner de la ville. Mais chere Manon, répris-je tout éperdu, dites moi donc où nous pouvons aller. Voïez-vous quelque ressource ? Ne vaut-il pas mieux que vous tachiez de vivre ici sans moi, et que je porte volontairement ma tête au Gouverneur ? Cette proposition ne fit qu'augmenter son 2530 ardeur à partir. Il fallut la suivre. J'eus encore assez de présence d'esprit en sortant pour prendre quelques liqueurs que j'avois dans ma chambre, et toutes les provisions que je pus faire entrer dans mes poches, nous dîmes à nos Domestiques qui étoient dans la chambre voisine que nous partions pour la promenade du soir, nous avions cette coûtume tous les jours, et nous nous éloignames de la ville plus promptement que la délicatesse de Manon ne sembloit le permettre.

Quoique j'eusse été si irresolu sur le lieu de notre

ible — 2515 un peu de force. — 2524 , et nous n'aurions pas le tems de nous éloigner. Mais — 2532 liqueurs fortes que — 2539 Quoique

2540 retraite, je ne laissois pas d'avoir deux esperances, sans lesquelles j'aurois preferé la mort à l'incertitude de ce qui pouvoit arriver à Manon. J'avois acquis assez de connoissance du païs depuis près de dix mois que j'étois en Amerique, pour ne pas ignorer de quelle maniere on apprivoisoit les Sauvages. On pouvoit se mettre entre leurs mains sans courir à une mort certaine. J'avois même appris quelques mots de leur langue, et quelques-unes de leurs coûtumes dans les diverses occasions que j'avois euës de les voir. Avec cette triste res-
2550 source j'en avois une autre du côté des Anglois *, qui ont comme nous un établissement dans cette partie du nouveau monde; mais j'étois effrayé de l'éloignement. Nous avions à traverser pour aller chez eux de steriles campagnes de plusieurs journées de largeur, et quelques montagnes si hautes et si escarpées, que le chemin en paroissoit difficile aux hommes les plus grossiers et les plus vigoureux. Je me flattois néanmoins que nous pourrions tirer parti de ces deux ressources; des Sauvages pour aider à nous conduire, et des Anglois
2560 pour nous recevoir dans leurs habitations.

Nous marchâmes aussi longtems que le courage de Manon pût la soutenir, c'est-à-dire, environ deux lieuës; car cette Amante incomparable refusa absolument de s'arrêter plus tôt. Accablée enfin de lassitude, elle me confessa qu'il lui étoit impossible d'avancer davantage Il étoit déja nuit. Nous nous assimes au milieu d'une vaste plaine, sans avoir pû trouver un arbre pour nous mettre à couvert. Son premier soin fut de changer le linge de ma blessure, qu'elle avoit pansée elle-même
2570 avant notre départ. Je m'opposai en vain à ses volontez. J'aurois achevé de l'accabler mortellement si je lui

je ne fusse pas sorti de mon irrésolution, sur — 2551 nous des Etablissemens — 2553. Nous avions à traverser, jusqu'à leurs Colonies,

eusse refusé la satisfaction de me croire à mon aise, et sans danger, avant que de penser à ma propre conservation. Je me soumis durant quelques momens à ses desirs. Je reçus ses soins en silence, et avec honte; mais lorsqu'elle eut satisfait sa tendresse, avec quelle ardeur la mienne ne prit-elle pas son tour ! je me dépouillai de tous mes habits pour lui faire trouver la terre moins dure, en les mettant sous elle. Je la fis
2580 consentir malgré elle à me voir emploïer à son usage tout ce que je pus imaginer de moins incommode. J'échaufai ses mains par mes baisers ardens et par la chaleur de mes soupirs. Je passai la nuit toute entiere à veiller auprès d'elle et à prier le Ciel de lui accorder un sommeil doux et paisible. O Dieu ! que mes vœux étoient vifs et sinceres; et par quel rigoureux jugement aviez-vous resolu de ne les pas exaucer !

Pardonnez si j'acheve en peu de mots un recit qui me tüe. Je vous raconte un malheur qui n'eut jamais
2590 d'exemple. Toute ma vie est destinée à le pleurer, mais quoique je le porte sans cesse dans ma mémoire, mon ame semble se reculer d'horreur chaque fois que j'entreprens de l'exprimer.

Nous avions passé tranquilement une partie de la nuit. Je croïois ma chere maitresse endormie, et je n'osois pousser le moindre souffle de crainte de troubler son sommeil. Je m'apperçus dès le point du jour, en touchant ses mains, qu'elle les avoit froides et trem-
2600 blantes. Je les approchai de mon sein pour les échauffer. Elle sentit ce mouvement, et faisant un effort pour saisir les miennes, elle me dit d'une voix foible, qu'elle se croïoit à sa derniere heure. Je ne pris d'abord ses paroles que pour une expression ordinaire dans l'infor-

de stériles — 2579 dure en les étendant sous elle — 2582 nuit entière — 2592 semble reculer — 2596 soufle, dans la crainte — 2604 pour

tune, et je n'y répondis que par les tendres consolations que l'amour inspire. Mais ses soupirs fréquens, son silence à mes interrogations, le serrement de ses mains dans lequelles elle continuoit de tenir les miennes, me firent connoitre que la fin de ses malheurs appro-
2610 choit. N'exigez point de moi que je vous décrive mes sentimens, ni que je vous rapporte les dernieres expressions. Je la perdis, je reçus d'elle des marques d'amour au moment même qu'elle expiroit, c'est tout ce que j'ai la force de vous apprendre de ce fatal et déplorable moment *.

Mon ame ne suivit pas la sienne. Le Ciel ne me trouva point sans doute assez rigoureusement puni. Il a voulu que j'aïe trainé depuis une vie languissante, et miserable. Je renonce volontairement à en mener jamais
2620 une plus heureuse.

Je demeurai deux jours et deux nuits avec la bouche attachée sur le visage et sur les mains de ma chere Manon. Mon dessein étoit d'y mourir; mais je fis réflexion au commencement du troisieme jour, que son corps seroit exposé après mon trépas à devenir la pâture des bêtes sauvages. Je formai la resolution de l'enterrer, et d'attendre la mort sur sa fosse. J'étois déja si proche de ma fin par l'affoiblissement que je jeûne et
2630 la douleur m'avoient causé, que j'eus besoin de quantité d'efforts pour me tenir debout. Je fus obligé de recourir aux liqueurs que j'avois apportées. Je repris autant de force qu'il en falloit pour le triste office que j'allois executer. Il ne m'étoit pas difficile d'ouvrir la terre dans le lieu où je me trouvois. C'étoit une campagne couverte de sable. Je rompis mon épée pour m'en servir à creuser, mais j'en tirai moins de secours que de mes

un langage ordinaire — 2606 consolations de l'Amour. — 2615 déplorable événement. — 2619 à la mener jamais plus — 2621 demeurai plus de ving-quatre heures, la — 2624 du second jour — 2648 terre ce

mains. J'ouvris une large fosse. J'y plaçai l'idole de mon cœur, après avoir pris soin de l'envelopper de 2640 tous mes habits pour empêcher le sable de la toucher. Je ne la mis dans cet état qu'après l'avoir embrassée mille fois avec toute l'ardeur du plus parfait amour. Je m'assis encore auprès d'elle. Je la considérai longtems. Je ne pouvois me résoudre à fermer sa fosse. Enfin mes forces recommençant à s'affoiblir et craignant d'en manquer tout à fait avant la fin de mon entreprise, j'ensevelis pour toujours dans le sein de la terre tout ce qu'elle avoit porté de plus parfait et de plus aimable. Je me couchai ensuite sur la fosse, le 2650 visage tourné vers le sable; et fermant les yeux avec le dessein de ne les ouvrir jamais, j'invoquai le secours du Ciel, et j'attendis la mort avec impatience. Ce qui vous paroitra difficile à croire, c'est que pendant tout l'exercice de ce lugubre ministere, il ne sortit point une larme de mes yeux, ni de soupir de ma bouche. La consternation profonde où j'étois, et le dessein déterminé de mourir avoit coupé le cours à toutes les expressions du désespoir, et de la douleur; aussi ne demeurai-je point longtems dans la posture où j'étois sur la fosse, 2660 sans perdre le peu de connoissance, et de sentiment qui me restoit.

Après ce que vous venez d'entendre, la conclusion de mon histoire est de si peu d'importance qu'elle ne mérite point la peine que vous voulez bien prendre à l'écouter. Le corps de Synnelet aïant été rapporté à la ville, et ses plaïes visitées avec soin, il se trouva non seulement qu'il n'étoit pas mort, mais qu'il n'avoit pas même reçu de blessure dangereuse. Il apprit à son oncle de quelle maniere les choses s'étoient passées entre nous, 2670 et sa générosité le porta à publier honnêtement les effets

— 2659 je pas long-temps — 2664 mérite pas la — 2670 porta sur le

de la mienne. On me fit chercher aussitôt, et mon absence avec Manon me fit soupçonner d'avoir pris le parti de la fuite. Il étoit trop tard pour envoïer sur mes traces; mais le lendemain, et les jours suivans furent employés à me poursuivre. On me trouva sans apparence de vie sur la fosse de Manon, et ceux qui me découvrirent en cet état me voïant presque nu, et sanglant de ma blessure, ne douterent point que je n'eusse été volé et assassiné. Ils me porterent à la ville. Le
2680 mouvement du transport réveilla en moi quelque sentiment. Les soupirs que je poussai en ouvrant les yeux, et en gémissant de me retrouver parmi les vivans firent connoître que j'étois encore en état de recevoir du secours. On m'en donna de trop heureux. Je ne laissai pas en arrivant d'être enfermé dans une étroite prison. Mon procès fut instruit, et comme Manon ne paroissoit point, on m'accusa de m'être défait d'elle par un mouvement de rage et de jalousie. Je racontai naturellement ma pitoyable aventure. Synnelet malgré
2690 les transports de douleur où ce récit le jetta, eut la générosité de solliciter ma grace. Il l'obtint. J'étois si foible qu'on fut obligé de me transporter de la prison dans mon lit, où je fus retenu pendant trois mois par une funeste maladie. Ma haine pour la vie ne diminuoit point. J'invoquois continuellement la mort, et je m'obstinai long-tems à rejetter tous les remedes. Mais le Ciel après m'avoir poursuivi avec tant de rigueur, avoit dessein de me rendre utiles mes malheurs et ses châtimens. Il m'éclaira des lumieres de sa grace *, et
2700 il m'inspira le dessein de retourner à lui par les voïes de la pénitence. La tranquilité aïant commencé à renaitre

champ à publier les — 2671 chercher ; et — 2673 et le jour suivant furent — 2680 réveilla mes sens. — 2685 pas d'être renfermé dans — 2694 une violente maladie — 2697 m'avoir puni avec — 2699 éclaira de ses lumières, qui me firent rappeler des idées dignes de ma nais-

un peu dans mon ame, ce changement fut suivi de près par ma guérison, je me livrai entierement aux exercices de pieté, et je continuai à remplir mon petit emploi, en attendant les vaisseaux de France qui vont une fois chaque année dans cette partie de l'Amerique. J'étois résolu de retourner dans ma patrie pour y réparer par une vie sage et régüliere le scandale de ma conduite passée. Je pris soin de faire transporter le
2710 corps de ma chere maitresse dans un lieu honorable. Ce fut peu après cette cérémonie que me promenant seul un jour sur le rivage, je vis arriver un vaisseau que des affaires de commerce amenoient au nouvel Orleans. J'étois attentif au débarquement de l'équipage. Je fus frapé de surprise excessive en reconnoissant Tiberge parmi ceux qui s'avançoient vers la vllle. Ce fidel ami me remit de loin malgré les changemens que la tristesse avoit fait sur mon visage. Il m'apprit que l'unique motif de son voïage avoit été le dessein de me
2720 voir, et de m'engager à retourner en France; qu'ayant reçu la lettre que je lui avois écrite du Havre, il s'y étoit rendu en personne pour m'y rendre le service que je lui demandois, qu'il avoit ressenti la plus vive douleur en apprenant mon départ, et qu'il fût parti sur le champ pour me suivre, s'il eût trouvé un vaisseau prêt à faire voile : qu'il en avoit cherché pendant plusieurs mois dans divers ports, et qu'en ayant enfin rencontré un à St. Malo qui alloit à Quebec *, il s'y étoit embarqué dans l'esperance de se procurer de-là un passage facile
2730 au nouvel Orleans; que le vaisseau Malouïn aïant été pris en chemin par des Corsaires Espagnols, et conduit

sance et de mon éducation. La — 2703 entièrement aux inspirations de l'honneur, et je continuai de remplir — 2708 sage et réglée le scandale de ma conduite. Synnelet avoit pris — 2711 fut environ six semaines après mon rétablissement, que — 2715 frappé d'une surprise — 2719 le désir de me voir — 2720 qu'il seroit parti — 2722 personne, pour me porter les secours que — 2728 qui levoit

dans une de leurs Iles, il s'étoit échapé par adresse, et qu'après diverses courses, il avoit trouvé l'occasion du vaisseau qui venoit d'arriver, pour se rendre heureusement auprès de moi.

Je ne pouvois marquer trop de réconnoissance pour un ami si généreux et si constant. Je le conduisis chès moi. Je le rendis le maitre de tout ce que je possedois. Je lui appris tout ce qui m'étoit arrivé depuis mon
2740 départ de France, et pour lui causer une joye à laquelle il ne s'attendoit pas, je lui déclarai que les semences de vertu qu'il avoit jettées autrefois dans mon cœur, commençoient à produire des fruits dont il seroit satisfait. Il me protesta qu'une si heureuse nouvelle le dédommageoit pleinement de toutes les traverses de son voïage.

Nous avons passé quelques mois ensemble au Nouvel Orleans pour attendre l'arrivée des vaisseaux de France; et nous étant enfin mis en mer, nous primes terre, il y
2750 a quinze jours au Havre de Grace. J'écrivis à ma famille, en arrivant. J'ai appris par la réponse de mon frere aîné, la triste nouvelle de la mort de mon pére. Le vent étant favorable pour Calais, je me suis embarqué aussitôt dans le dessein de me rendre auprès de cette ville chez un Gentilhomme de mes parens, où mon frere m'écrit qu'il ne manquera pas de se trouver.

l'ancre pour la Martinique, il — 2734 du petit Bàtiment qui — 2743 dont il alloit être satisfait — 2744 une si douce assurance le — 2745 les fatigues de son voyage — 2747 passé deux mois — 2752 Père, à laquelle je tremble, avec trop de raison, que mes égaremens n'ayent contribué. Le vent — 2754 rendre à quelques lieues de cette Ville — 2756 qu'il doit attendre mon arrivée.

Fin du Tome VII. & dernier.

NOTES

Les numéros précédant les notes renvoient aux chiffres des lignes figurant dans le texte. L'Avis au Lecteur et chacune des deux parties ont une numérotation séparée.

1. *(Avis de l'auteur)*. — Il s'agit des *Mémoires et Aventures* d'un *homme de qualité* qui ont commencé de paraître en 1728.

2. — Voir note 228, p. 203.

11. — « Qu'on dise dans l'instant où on prend l'action ce qui devoit être dit dans cet instant, et qu'on renvoie l'exposé du reste à quelque occasion favorable » *Art poét.*, v. 43-44, trad. Batteux, *Les 4 Poétiques*, II, 13, éd. 1771.

15. — Le *bon sens* est trois fois mentionné dans l'*Avis au lecteur*. L'auteur doit en avoir pour faire une œuvre utile, et le lecteur, pour comprendre la portée de celle-ci, doit également posséder cette qualité intellectuelle, que Descartes assimilait à la raison, et que tous les écrivains classiques ont exalté. Voir les textes très intéressants cités par Littré à *sens (bon-)* et notamment ceux de Bossuet, Boileau, d'Olivet, Marmontel. Il faudra attendre la valorisation du *génie* vers 1760 pour que le bon sens soit méprisé.

19. — *Point* nie plus fortement que *pas*.

24. — « Beauté » : c'est le sens du mot dans les premières comédies de Corneille, mais ce mot vague et très employé peut recouvrir plus tard des acceptions complexes. Pour les femmes, il peut désigner, à côté de la beauté un ensemble de qualités qui comprennent la grâce, l'entrain, la séduction ;

pour les hommes, en même temps que la beauté physique, *mérite* s'applique à des qualités intellectuelles : « gaillardise », brillant, etc., et quelquefois à des vertus morales. Pour Prévost comme pour Marivaux (*Vie de Marianne*, éd. Pléiade, p. 320), le mérite est indépendant de la condition sociale.

26. — *Fortune*, mot dont les sens complexes se chevauchent souvent, a été étudié par Dorothy M. Page dans une thèse de l'Université de Paris (1950) restée dactylographiée. Page 4, le mot semble désigner la richesse en biens et aussi la naissance, puisqu'il s'oppose à *nature* qui comprend les qualités innées : beauté, élégance, etc. Notons que le sens le plus répandu aujourd'hui : « richesse en argent » est rare avant le milieu du XVIIIe siècle. Page 63, il signifie « avancement dans la société. Miss Page cite Vauvenargues (*Réfl. Max.*, 57) qui parle des « femmes qui attendent leur fortune de leur beauté ». Furetière 1690 cite l'express. *ménager sa fortune* qu'emploie ici Prévost.

26. — Voir note précédente et *Introduction*, p. XXIII sq.

32. — Il ne faut pas croire ici à une influence des arts plastiques, nouvelle au XVIIIe siècle. Le terme de *tableau* est fréquemment employé par les classiques du siècle précédent.

40. — *étonner :* sens classique.

46. — Emploi fréquent de *certain* avec une valeur légèrement restrictive dans des expressions à valeur sociale ; cf. p. 3 : « les gens d'un certain goût », qui sont à la mode et dont Dancourt se moque dans le Prologue des *Trois Cousines* (1700). Cette expression qui exprime une qualité, mais avec réticence, a été critiquée par Callières (1690) qui la donne comme née à la Cour.

46. — « Le mot esprit, quand il signifie une qualité de l'âme, est un de ces mots vagues, auxquels tous ceux qui les prononcent attachent presque toujours des sens différents : il exprime autre chose que jugement, génie, goût, talent, pénétration, étendue, grâce, finesse, et il doit tenir de tous ces mérites : on pourrait le définir raison ingénieuse ». (Voltaire, *Dict. phil. : Esprit*, II.) Cf. Montesquieu, *Essai sur le*

goût, III. Les « personnes d'un certain ordre d'esprit et de politesse » sont des personnes « délicates et cultivées ».

46. — *Politesse :* « culture individuelle », élégance, aisance, etc. La Bruyère qui distinguait (*Caract.*, XII) la politesse des manières et celle de l'esprit, employait une expression voisine de celle de l'abbé Prévost quand il écrivait qu'on pouvait voir dans les ouvrages des Pères « plus de politesse et d'esprit... que l'on n'en remarque dans la plupart des livres de ce temps... » (*Caract.*, XVI). Furetière 1727 : « conduite honnête... manière agréable de parler, d'agir... »

48. — Furetière : « se dit aussi des méditations, des applications d'esprit. Les Poëtes nous ont fait part de leurs doctes *resveries*. Les amants se plaisent à s'entretenir tout seuls de leur amour, de leurs douces *resveries*. »

51. — Voir *douceur*, note ligne 79, p. 198.

52. — On connaît l'importance du *goût* au XVIIIe siècle, et l'intérêt manifesté par les écrivains à cette notion : Montesquieu, *Essai sur le goût*. Voltaire, article *goût* du *Dict. philos.*, *Le Temple du goût*, etc.

« La définition la plus générale du goût, sans considérer s'il est bon ou mauvais, juste ou non, est ce qui nous attache à une chose par le sentiment, ce qui n'empêche pas qu'il se puisse appliquer aux choses intellectuelles, dont la connaissance fait tant de plaisir à l'âme. » (Montesquieu, *Ess. sur le goût*).

53. — Au XVIIIe s., la *vertu* est de moins en moins considérée comme exigée par Dieu; la *vertu* est le chemin du bonheur individuel : il y a plaisir à être vertueux. Dans la discussion qu'il a (p. 83) avec Tiberge, des Grieux qui est pourtant le truchement de l'abbé Prévost manifeste une attitude différente de celle de l'*Avis au lecteur ;* des Grieux fait en effet des réserves sur le vrai « bonheur de la vertu ». Pour Prévost, qui hésite entre catholicisme et déisme, il existe une vertu, de caractère religieux « sévère et pénible » (p. 86) et une vertu laïque, aimable, qui sera celle de Voltaire et de Diderot.

56. — HORACE, *Sat.* II, VI, pp. 73-76. BOILEAU, *Epître*, VI, v. 155-158.

68. — *bien né :* « qui apporte en naissant de bonnes... dispositions » (Littré), s'emploie fréquemment, mais il est souvent malaisé de savoir si l'idée d'extraction noble n'existe pas implicitement dans l'expression *bien né.* En 1730, le préjugé existe : des Grieux est fier de sa noblesse, et Manon flattée « d'avoir fait la conquête d'un amant » qui est une personne de qualité (p. 18) ; pourtant ce préjugé est attaqué, notamment par Marivaux dans la *Vie de Marianne.* Ici, *bien né* a le sens de « né avec des dispositions vertueuses et aimables ».

71. — Furetière : « *Suspendu* se dit figurément en choses spirituelles et morales, et signifie, Arrêter pour quelque temps ».

71. — « au moment de mettre en pratique ces vertus ». Le mot est généralement suivi d'un complément : *exercice de piété, de pénitence* (voir Furetière et les ex. du Littré).

75. — « qui aime à faire du bien »; cet adj. est employé à l'ép. classique ; ex. Bossuet parlant de Le Tellier, dit : « il nous paraissait un homme que sa nature avait fait bienfaisant, et que la raison rendait inflexible » (in Littré); mais le mot acquiert, au début du XVIIIe s., au moment où l'abbé de St.-Pierre crée *bienfaisance*, une valeur sociale et laïque ; *bienfaisant* et *bienfaisance* s'opposent alors à *charitable* et *charité* qui conservent quelque chose de religieux et d'individuel.

75. — Furetière : « *libéral :* qui donne avec raison et jugement, en sorte qu'il ne soit ni prodigue ni avare ». « L'Académie a jugé tout d'une voix, que la libéralité ne se peut pas dire de l'inférieur au supérieur, mais seulement du supérieur à l'inférieur, ou d'égal à égal ». Vaugelas, *Nouv. Rem.*, in Littré.

79. — *humanité :* « signifie en Morale, Douceur, bonté, honnêteté, tendresse, telle qu'il convient avoir pour son semblable... » (Furetière 1690). — La notion moderne d'*humanité* n'est pas antérieure au milieu du XVIIIe siècle.

79. — *Dict. de Trévoux*, *douceur :* mot plus spécialement réservé aux femmes « parce qu'elles tirent leur principale

gloire des qualités convenables à la société, pour laquelle il semble qu'elles aient été précisément faites. C'est par une conduite modérée, par des manières modestes et polies que l'homme doit montrer la douceur de son caractère, et non pas par des avis féminins et affectés ». Notion très fréquente chez l'abbé Prévost, cf. notre *Introduction*, p. XXVI et note ligne 159.

87. — A la conception chrétienne de la *vertu* se substitue au XVIIIe s. une conception laïque : « Qu'est-ce que vertu ? Bienfaisance envers le prochain. Puis-je appeler vertu autre chose que ce qui me fait du bien ?... Mais que deviendront les vertus cardinales et théologales ? Quelques-unes resteront dans les écoles » (Voltaire, *Dict. phil.*, art. : *vertu*). Au XVIIIe s., la *vertu* a d'ailleurs une valeur plus émotionnelle qu'intellectuelle.

91. — *Lumière*. Cf. notre *Introduction*, p. XXXIV et P. Hazard, *La Pensée europ. au XVIIIe s.*, I, p. 40 sqq.

13. — Pacy-sur-Eure est à 16 km. à l'est d'Evreux. L'abbé Prévost connaissait bien la région.

26. — « Ces archers spéciaux, qui commencèrent à paraître le 10 mai 1729, portaient l'habit bleu, le chapeau bordé d'argent, et une bandoulière bleue sur laquelle était brodée en jaune une fleur de lis. Ils étaient armés d'une épée, d'un fusil, d'une baïonnette et de deux pistolets de poche, et ils étaient divisés par brigades de douze hommes chacune, avec un exempt de la prévôté à la tête et deux archers de la prévôté en qualité de caporaux » (*Manon L.*, éd. Lescure, p. 49). Le convoi de Manon n'est accompagné que de six gardes : il semble en effet qu'après la banqueroute de Law l'importance de la colonisation forcée ait beaucoup décru.

26. — Furetière : « *bandoulière :* espèce de baudrier qu'on met sur le corps de gauche à droite, qui sert... soit pour porter des carabines, soit pour porter des charges pour le mousquet ».

32. — Un certain nombre de filles détenues à l'Hôpital Général étaient déportées aux « isles de l'Amérique », c'est-à-dire à Saint-Domingue et à la Louisiane. Malgré les pro-

testations des gouverneurs et les démarches de Law, qui insistaient pour obtenir des filles physiquement et moralement saines, on n'envoyait en Amérique que des filles débauchées qui, comme le dit le *Journal de la Régence*, de Buvat (12 mai 1719, p. 386, cité par Lescure dans son éd. de *Manon*, p. 45) créaient « beaucoup de désordre par leurs libertinages et par des maladies vénériennes, ce qui avait causé beaucoup de préjudice au commerce et à la compagnie (d'Occident) ». On déportait aussi des jeunes gens. Dans le même texte de Buvat (1719, Lescure, p. 47), on lit le passage suivant : « le 8 (octobre) on fit partir trente charrettes remplies de demoiselles de la moyenne vertu, qui avaient toutes la tête ornée de fontanges de rubans de couleur jonquille, et un pareil nombre de garçons qui avaient des cocardes de pareille couleur à leurs chapeaux et qui allaient à pied. Les donzelles en traversant Paris chantaient comme des gens sans souci, et appelaient par leur nom ceux qu'elles remarquaient pour avoir eu commerce ensemble, sans épargner les petits collets, en les invitant de les accompagner dans leur voyage au Mississipi... » De nombreux graveurs, au XVIIIe siècle, ont représenté ces étranges caravanes que les chansonniers ont décrites plaisamment.

44. — Ce mot qui exprime bien la sensibilité du XVIIIe siècle est très employé, et notamment par Marivaux, dans la *Vie de Marianne* (p. 263, 317, 366, etc.)

45. — On distinguait au XVIIIe siècle deux catégories de filles vénales : les *filles de théâtre*, qui étaient *encataloguées* (inscrites) à l'Opéra et à la Comédie française, et qui de ce fait n'étaient pas soumises à la police, et les *filles du monde* dont le sort dépendait des inspecteurs de police en même temps que d'une *appareilleuse*, qui prélevait une dîme sur les charmes de ses clientes.

47. — Cette pratique barbare ne semble pas avoir été fréquente pour les femmes; les hommes par contre étaient souvent enchaînés.

60. — Voir note ligne 2149.

61. — Voir note ligne 1787.

70. — Les pleurs sont très fréquents dans notre roman comme dans la *Vie de Marianne* de Marivaux, éd. Pléiade, 87, 219, 236, 368, etc. On pleure d'ailleurs beaucoup à la fin du XVIIe et pendant le XVIIIe siècle qui éprouve la « volupté des larmes ». Trahard, *Maîtres de la sensibilité*, I, 113, cite un texte de Prévost (*Mém. d'un h. de qual.*, I, 228).

71. — *amant :* homme qui témoigne de l'amour à une femme. « Il suffit d'aimer pour être amoureux. Il faut témoigner qu'on aime pour être amant » (Girard, *Syn.*, I, 25). Conserve encore à l'époque une signification honnête ; la disparition du *galant* au sens d' « amant favorisé » à la fin du XVIIe s. a marqué le triomphe du sens actuel qui coexistait avec le précédent depuis 1670 environ. Cf. Quemada, *Comm. am.*, 62-72 sq.

79. — « Fin s'étend encore plus loin que *finesse*. Il n'y a rien de plus commun que de dire, il en fait le *fin*... Un esprit *fin*, un goust *fin*... « (Bouhours, *Entret.*, éd. 1671, p. 115). La notion de *finesse* est importante au XVIIIe siècle. Cf. Voltaire, *Dict. philos.*, et Girard, *Syn. franç.*

127. — *Ce que j'aime* est une élégance pour « celui que, celle que » ; Brunot et Bruneau, *Gramm. hist.*, citent le P. Bouhours et Racine (*Mithridate*, v. 660) :

« C'est peu de voir un père épouser ce que j'aime. »

157. — Femme aimée, ayant accordé ou non ses faveurs. Dans la *Vie de Marianne* de Marivaux, Climal dit à la vertueuse héroïne du roman qu'elle est sa *maîtresse* (éd. Pléiade, p. 106). De même des Grieux (p. 17) dit de Manon, à qui il a à peine parlé, qu'elle est sa *maîtresse*. Cf. aussi *Paysan parvenu*, 258.

159. — Adj. très employé aux XVIIe-XVIIIe s., s'applique à l'impression faite sur l'esprit et le cœur par un « objet » aimable. Cf. notre *Introduction*, p. XXVI et note 79, p. 198. Dans la langue galante, *doux* s'oppose à *sévère ;* l'homme *doux* est un homme poli, surtout avec les femmes, il est alors l'opposé de *brutal*. D'après le Dictionnaire de Trévoux, *doux* est

spécialement réservé aux femmes ; très fréquent chez Marivaux (*Vie de Marianne*).

167. — L'Homme de qualité qui raconte l'histoire est le précepteur du jeune marquis de ***.

173. — « Un homme est en pauvre, en triste *équipage*, lorsqu'il est mal vêtu, qu'il n'a pas de quoi vivre... » (Furetière, 1727).

175. — Pièce d'étoffe taillée « en rond en forme de valise » dans laquelle « on enveloppe les manteaux, et qu'on met sur la croupe d'un cheval » (Furetière, 1727).

176. — 1° Art de connaître le tempérament par l'observation des traits du visage. — 2° Mine, aspect du visage (c'est le sens du texte).

181. — Furetière, *Dict.* : on *baise* la main par civilité, lors qu'on donne, ou qu'on reçoit quelque chose ».

191. — 1° démonstration d'amitié (sans contact). — 2° paroles galantes. — 3° (voir ligne 1093) : sens moderne.

207. — Le mot n'est pas péjoratif. Au sens le plus général, celui qui cherche les aventures, guerrières en particulier. On donnait aussi le nom d'Aventurier à certains coureurs de mer, « qui piratent sur les mers d'Amérique et qu'on appelle autrement Flibustier et Boucanier. » Cf. Acad. 1762. La signification la plus commune à l'époque était : « Celui qui n'a aucune fortune et qui vit d'intrigues. » Furetière 1727 ajoute : « à travers les dangers. »

207. — *grâce*. Au XVIIIe siècle, les *grâces* succèdent à la beauté classique. Ce sont les *grâces* qui habitent la demeure du *Je ne sais quoi* de Marivaux (Cabinet du Phil. II). Dans la *Vie de Marianne*, Marivaux distingue les *grâces* qui peuvent « s'ôter » (*grâces de l'âge* et de *la figure*) et les *grâces de façons* et de *caractère* « qui n'ont point d'âge » (Pp. 130, 336). — Les grâces, dit le *Dict. de Trévoux* à *agrément* « naissent d'une politesse naturelle accompagnée d'une noble liberté... Il semble que le corps soit plus susceptible de grâces et l'esprit d'agréments. » La notion dynamique de *grâce* n'est pas fréquente chez Prévost.

211. — Sur l'enseignement au XVIIIe siècle, consulter A. Franklin, *La vie privée d'autrefois, Écoles et collèges.* Paris, Plon, 1892.

212. — Il s'agit probablement de Péronne.

221. — Voir note 273, p. 203.

222. — « examens ».

223. — Lire « *Monsieur* », cf. variante.

226. — L'ordre de Malte, réservé aux cadets des familles de condition, exigeait de ses membres les trois vœux monastiques et celui de protéger les pèlerins. En réalité, ni la chasteté ni la pauvreté n'étaient observées par les chevaliers de l'Ordre ; ceux-ci ne pouvaient naturellement contracter mariage ; le frère aîné de des Grieux qui est d'épée est destiné à perpétuer la famille et le nom.

228. — L'anthroponyme *Grieux* est connu : c'est une des formes du mot *grec* qui, en ancien français avait aussi la valeur d' « escroc ». Il a existé (simple similitude de noms) des familles nobles *De Grieu* et *des Grieux* en Artois et en Picardie aux XVIIe-XVIIIe siècles. Cf. l'éd. de *Manon* de Lescure, p. 8, Schrœder, *op. cit.*, p. 288 et les *Mémoires* de Mme de Staal-Delaunay où le nom est fréquent au début.

230. — Les cours des Académies parachevaient l'éducation d'un jeune homme bien élevé : on y apprenait l'équitation, la danse, la musique, l'escrime et quelquefois les éléments de mathématiques nécessaires aux futurs officiers. Il s'agit ici de l'Académie dont le manège se trouvait au dessous de la galerie du Louvre. Furetière 1690 : « Se dit... des maisons des Escuyers où la Noblesse apprend à monter à cheval, et les autres exercices qui lui conviennent. »

254. — Il a exité, ont noté différents éditeurs de *Manon*, un Louis Tiberge, abbé d'Ardres en Picardie, qui fut longtemps directeur du séminaire des Missions étrangères, à Paris, et qui mourut en 1730. Il est possible que l'abbé Prévost ait emprunté le nom de cet ecclésiastique. Prévost, notons-le, estimait beaucoup sa propre création du personnage de Tiberge (*Pour et Contre*, III, 139).

255. — Voiture en forme de carrosse, mais plus grande et non suspendue.

263. — Conserve la valeur étymologique : « irrésistible »; « avec la plus jolie physionomie du monde, vous n'êtes encore qu'aimable, vous ne faites que plaire ; ajoutez-y seulement une main de plus.., on ne vous résiste plus, vous êtes charmante. » (*Vie de Mar.*, p. 124).

273. — Paroles de civilité, sans galanterie marquée. Sur *compliment* : Livet, *Lex. de la l. de Molière*. Le mot *honnête* était très ambigu. Dans le *Paysan parvenu* de Marivaux il signifie 1° qui a de la naissance; 2° qui suppose des qualités sociales; 3° qui suppose des qualités morales; ex. très curieux dans le *Paysan parv.*, p. 26.

283. — Sur les couvents au XVIIIe siècle, lire Mme de Staal-Delaunay, *Mémoires*, passim et Goncourt, *La Femme au XVIIIe siècle.*

285. — Il est étonnant que des Grieux, qui a ensuite longuement et intimement connu Manon, soit si mal renseigné sur la cause de son départ pour le couvent.

294. — Mot à la mode depuis le milieu du XVIIe. En 1671, Bouhours (*Entret.*, 115) : « *Air*, est tout-à-fait du bel usage. Il a *l'air* d'un homme de qualité; il a l'*air* noble... » A la fin du siècle Callières critique l'abus du terme; cf. *Mots*, 72-76 et Schenk, *Table comparée*. Le *Dict. Néologique* se moque à son tour de l'emploi qu'en font les Précieux. Cf. Girard, *Syn.*

295. — Terme d'astrologie, mis à la mode à la fin du XVIIe. Il y avait des gens « qui mettent *ascendant* à tout ». A. de Bois-Regard, *Réflex. crit.*, 1692, p. 67, cit. par Livet. — « Influence des astres sur l'homme »; au figuré : « influence, puissance de quelque chose considéré comme un astre » — c'est le cas ici. Cette action des astres sur la destinée se manifeste par l'écoulement d'un fluide qui, chez les Astrologues, s'appelle l'*influence*.

298. — *Dict. de Trévoux ; tendresse* : « La sensibilité du cœur et de l'âme. La délicatesse du siècle a renfermé ce mot dans l'amour et dans l'amitié... Quand on dit, j'ai de la ten-

dresse pour vous, c'est dire, j'ai beaucoup d'amour, si on parle à une femme, et beaucoup d'amitié, si on parle à un homme ». Très fréquent chez Marivaux, *Vie de Mar.*, 110; *Paysan*, 288. *Tendresse* a remplacé *galanterie* à la mode vers 1670-1680.

343. — *Manon* est l'hypocoristique de *Marianne*.

345. — *charmes*, mot très général dans la langue de l'amour aux XVIIe et XVIIIe s. « Il y a quelque chose de plus fort et de plus extraordinaire dans les charmes que dans les attraits et les appâts... C'est ordinairement par les brillants attraits de la beauté que le cœur se laisse attraper ; ensuite les appâts étalés à propos achèvent de le soumettre à l'empire de l'amour ; mais s'il ne se trouve des charmes secrets, la chaîne n'est pas de longue durée » (*Dict. de Trévoux*). Pour Marivaux, les charmes ont quelque chose de piquant et sont incompatibles avec le sérieux (bonté, tristesse, etc.). Cf. *Vie de Mar.*, éd. Pléiade, p. 395.

350. — « *De qualité* enchérit sur *De condition*, car on se sert de cette dernière expression dans l'ordre de la Bourgeoisie, et l'on ne peut se servir de l'autre que dans l'ordre de la Noblesse. Un homme né roturier ne fut jamais un *homme de qualité ;* un homme né dans la robe, quoique roturier, se dit homme *de condition*. » (Girard, *Synonymes*, I, p. 182, éd. 1749).

350. — On « *épluche la naissance* » dans le monde en 1736, cf. Marivaux, *Pays. parvenu*, 369. La question des origines est encore très importante *ibid.*, 99. Remarquer la nuance introduite par la variante. Voir, p. 198, note 68.

352. — Les Goncourt font de l'éducation des filles dans les milieux bourgeois (F. Didot, 1887, p. 189) un tableau très favorable : « les filles bourgeoises restent... attachées à la mère. Elles grandissent, modestes et retenues... portant sur la jupe ces outils du travail des femmes, des ciseaux et une pelote, comme le signe de leur vocation ». Comme le disent les Goncourt, peu de jeunes filles de la bourgeoisie se laissaient séduire.

356. — Le mot n'a pas le sens péjoratif qu'il a acquis depuis.

358. — Ac. 1718 : « petit carrosse pour deux personnes ».

380. — Furetière 1727 : « Quand on dit qu'une femme est jolie, on entend qu'elle est bien prise dans sa taille, et qu'elle a de l'agrément dans sa personne et dans ses manières. Mais une *jolie femme* exprime davantage. On entend qu'outre les charmes de sa personne, elle a de l'esprit et de la raison ». Cf. Girard, *Syn.* : « Le beau fait plus d'effet sur l'esprit ; nous ne lui refusons pas nos applaudissements. Le joli fait quelquefois plus d'impression sur le cœur; nous lui donnons nos sentiments. » Cf. notes 1054 et 1942.

416. — P. Hazard (*op. cit.*, p. 62) voit dans le terme d'*équivoque* une allusion à la doctrine des équivoques que Pascal a reprochée aux jésuites dans les *Provinciales.*

431. — « Petit carosse pour deux personnes » (Acad. 1718). Ici, la chaise semble très exiguë. Cf. p. 28.

439. — Comme le remarque P. Hazard (*op. cit.*, p. 39), qui mentionne le *Nouveau voyage de France, géographique et curieux* (Paris, 1720), il était possible de faire ce voyage en une journée.

455. — Mot très employé par Prévost et par Marivaux; cf. *Vie de Mar.*, 109, 134, 110, et *Paysan parvenu*, 76 : « Petit à petit mes discours augmentaient de force; d'obligeants, ils étaient devenus flatteurs, et puis quelque chose de plus vif encore, et puis ils s'approchaient du tendre, et puis, la foi c'était de l'amour... » Voir *tendresse*, note 298.

468. — Il s'agit vraisemblablement de la rue Vivienne, dans le voisinage de laquelle habitaient plusieurs Fermiers-généraux, et qui, sous la Régence, était un centre de spéculations et de galanterie. La banque royale dirigée par Law était établie non loin de là, à l'hôtel de Nevers (aujourd'hui Bibliothèque Nationale. (Voir *Journal* de Barbier, juillet 1720).

469. — Dans son édition de *Manon*, Lescure après avoir donné les noms de plusieurs fermiers généraux dont le nom correspond à l'initiale B, émet l'idée que le personnage de Prévost pourrait être M. de la Live de Bellegarde, beau-père de Mme d'Epinay et père de Mme d'Houdetot, qui habita rue Louis-le-Grand, puis rue Saint-Honoré sous la Régence.

469. — Les fermiers-généraux menaient grand train depuis le rétablissement de la Ferme par Fleury et les baux Carlier et Bourgeois. Dans la littérature du temps, les fermiers-généraux sont décrits comme des libertins.

499. — *Dans* a fréquemment aux XVIIe et XVIIIe s. les valeurs de *à*, *sur*, et comme ici : *en*. Haase, *Synt. fr. XVIIe s.*, cite des textes, p. 347.

507. — *ajustemens* : « Habit, parure » (Richelet, *Dict.* 1728).

519. — « Servante ».

539. — Il existait à Paris en 1723, trois cent quatre-vingts cafés. Cf. Savary, *Dict. du commerce*, éd. de 1723, t. II, p. 424. Sur le café détrônant le cabaret au début du XVIIIe siècle, lire Michelet, *La Régence*, éd. de 1874, p. 135.

557. — *adorer* « s'emploie également pour le culte de religion et pour le culte civil », écrit l'abbé Girard, *Synon. franç.*, I, 238, « Dans le second cas, on *adore* une maîtresse, on *honore* les honnêtes gens, on *révère* les personnes illustres... Dans le style profane, on adore en se dévouant totalement au service de ce qu'on aime, et en admirant jusques à ses défauts ».

553. — 1° enthousiasme; 2° agitation créée par l'amour. Le mot est très fréquent à l'époque.

619. — Pièce à usages multiples. Cf. Havard, *Dict. de l'Ameublement*.

679. — L'expression n'est pas ici méprisante comme le dit Furetière 1727. Elle est à rapprocher de *joli homme*, note 1942, p. 215.

740. Expression mise à la mode par la préciosité romanesque au XVIIe; cf. Quemada, *Comm. am.*, 291 sq. : les *honnêtes amitiés* de l'Astrée furent adaptées en *belles amitiés* par les amis de Mlle de Scudéry, puis en *parfaites amitiés* par toutes les précieuses prudes. Le qualificatif s'imposait quand les moralistes condamnaient toute « amitié » entre homme et femme. Cf. d'Aubignac, *Amelonde*, 45 et *Conseils*, 225. Sens repris et développé à la fin du règne de Louis XIV. Le sens de l'expression est très net.

819. — « ému ». Très fréquent dans la littérature des XVIIe et XVIIIe siècles. Marivaux emploie le mot constamment.

873. — Terme hyperbolique très fréquent dans la langue classique.

899. — impulsion (plus forte que l'*inclination*) vers quelqu'un ou quelque chose. Cf. note 2197, p. 212.

943. « Ce qui distingue une personne des autres à l'égard des mœurs et de l'esprit. » *Académie* 1762. « Elle était bonne, généreuse, ne se formalisait de rien, familière avec ses domestiques, abrégeant les respects des uns, les révérences des autres... c'était un caractère sans façon. » (Marivaux, *Pays. parvenu*, 7).

959. — Furetière 1727 : « arrangement de principes et de conclusions, un enchaînement, un tout de doctrine dont toutes les parties sont liées ensemble et suivent ou dépendent les unes des autres. S'emploie aussi au figuré : Le système de la vie de cet homme consiste dans le jeu et dans le cabaret ».

963. — *propre :* « élégant », ex. dans Huguet, *Petit gloss. class.*

964. — Sens général d'*échange* appliqué à la correspondance.

985. — « année scolaire ».

987. — *Séminaire de St Sulpice*. Construit en 1645, démoli en 1802 et reconstruit en 1820, cet établissement joua un rôle considérable dans la pensée religieuse des XVIIe, XVIIIe et XIXe siècles.

1004. — Exercice de piété.

1038. — Le premier sens (qui est aussi celui du texte est le sens mondain : « qui occupe une haute situation sociale »; l'*homme de mérite* peut être pauvre, l'*homme* ou la *femme de considération* sont riches. Mais le mot peut avoir aussi un sens moral; cf. Girard, *Synonymes*, II, 191, qui cite Duclos.

1125. — Terme ecclésiastique désignant les plaisirs du siècle.

1153. — *délicatesse :* « Manière d'amour et de tendresse rafinée et délicate » *Dict.* de Richelet, 1728.

1154. — *agrément :* « Il semble que le corps soit plus susceptible de *grâces*, et l'esprit d'*agrémens* » Girard, *Syn.*

1213. — Chaillot était alors un village voisin de Paris.

1215. — Il s'agit probablement de la porte débouchant sur le pont tournant qui donnait sur l'esplanade appelée aujourd'hui place de la Concorde.

1241. — Dans le boueux Paris de la Régence, les gens de condition sortent en chaises à porteurs ou en voiture pour éviter de salir leurs perruques et leurs vêtements ; indépendamment des *fiacres*, on peut louer, à la journée ou au mois, des *carrosses de remise*. Un carrosse est un luxe et un signe de supériorité sociale ; le prix de sa location s'élève, dit Nemeitz, à 30 ou 40 louis d'or par mois, et le prix des deux chevaux, des harnais et du coupé atteint 2.800 francs (in Franklin, *Vie de Paris sous la Régence*, p. 245).

1242. — Très en faveur à la fin du XVIIe (cf. La Bruyère), l'opéra connaît pendant la première moitié du XVIIIe une vogue exceptionnelle. En 1735, création des *Indes Galantes* de Rameau.

1265. — Terme vague : « réunion » de caractère souvent mondain. Cf. Livet, *Lex. de Molière.*

1272. — Les gardes du corps avaient le titre d'écuyer, et bien que la plupart d'entre eux fussent roturiers, ils jouissaient de droits spéciaux et ne payaient pas la taille. Leurs turbulences, leurs escroqueries et leurs débauches qui étaient proverbiales, n'étaient que trop rarement punies par la justice. Lire à ce sujet la préface de l'éd. de Lescure, qui cite des textes.

1301. — *compliment :* « discours obligeant, par lequel on témoigne à quelqu'un l'estime, la considération, les égards qu'on a pour lui. » Trévoux, 1771.

1359. — « ingéniosité ».

1373. — Cf. notre *Introduction*, p. XXV.

1438. — Sous Louis XIV, on ne jouait ouvertement qu'à la Cour à des jeux d'argent, mais une véritable fièvre de jeu se répandit, en même temps que l'agiotage, sous la Régence ; les ordonnances interdisant le jeu public étaient devenues caduques, et la police, souvent complice, avait accordé des licences à des tripots comme l'Hôtel de Transylvanie. A partir du 16 avril 1722, les pouvoirs publics autorisèrent à Paris huit maisons de jeu moyennant un forfait de 200.000 livres à verser aux pauvres. La tricherie au jeu, pourvu qu'elle ne fût pas découverte, était admise par les mœurs indulgentes du temps. Lire notamment les *Mémoires du Comte de Gramont*, d'Hamilton, *passim*, et les *Mémoires* de Mme Staal-Delaunay, qui raconte que la duchesse de la Ferté trichait quand elle jouait avec ses fournisseurs et ses domestiques. On sait que le banquier Law avait été expulsé pour sa malhonnêteté au jeu lors de son premier séjour à Paris.

1448. — « Associés ».

1595. — Furetière 1727 : « promesse ou rescription sous signature privée, pour laquelle on s'oblige à quelque payement ou à quelque autre chose ». Tiberge se fait faire une avance par son banquier ; la reconnaissance de dette qu'il signe a la valeur du numéraire.

1648. — Furetière 1727 note l'existence de l'expression *Chevaliers d'Industrie*.

1666. — L'Hôtel de Transylvanie existe encore à l'angle de la rue Bonaparte et du quai Malaquais. Son propriétaire, François Rakoczi II, prince de Transylvanie, qui habitait en France depuis 1713 (Voir L. Mouton, *L'Hôtel de Transylvanie*) y avait installé un tripot très fréquenté des « gens d'épée ».

1668. — Jeu de hasard qui se joue à 52 cartes et qui était très répandu au XVIIIe siècle. Cf. notre *Introduction*, p. XVI.

1736. — *et :* « ni »; fréquent chez les Classiques.

1787. — *Grand Prévôt de Paris.* Chef nominal du Châtelet, tribunal de la vicomté et prévôté de Paris, il avait rang aussitôt après le premier Président du Parlement. On rendait les jugements du Chatelet en son nom. Il exerçait exclusivement *fonction de Justice*, au contraire du *Lieutenant général de Police*, indépendant du Châtelet depuis l'édit de 1667, qui exerçait des *fonctions de police* auxquelles s'ajoutaient des attributions nombreuses et variées : il s'occupait notamment de la Bastille et des prisons d'Etat.

1818. — « partie de la maison où l'on habitait personnellement ». Cf. Havard, *Dict. de l'Ameubl.* qui étudie le mot en détail.

1822. — *idole de mon cœur.* « Objet d'une passion véhémente et extraordinaire ». Furetière, 1727.

1824. — *âme (mon-)* : Terme de tendresse. Furetière mentionne que le mot « se dit particulièrement des maistresses »... *mon âme* — « ma vie ». Le mot *âme* était plus employé en franç. class. ; on le trouve dans beaucoup d'acceptions disparues : l'*âme* des métaux, l'*âme* d'un fagot, l'*âme* d'un canon, etc.

1830. — Image précieuse telle qu'on en rencontre fréquemment chez Marivaux.

1832. *filets* (tomber dans ses-). Appartient à la catégorie importante des expressions galantes empruntées au vocabulaire cynégétique (*prise d'amour*, *cage*, etc.) : « piège, séduction ». Déjà dans les *Amours* de 1552 de Ronsard, l'Amour utilise les cheveux féminins comme des filets, des *rêts* (3, 17; 3, 177, etc.). Dans le portrait caricatural de la « belle Charite » exécuté pour le *Berger extravagant* de Sorel (1627), les cheveux de la femme sont tressés en filets. Littré cite Malherbe; voir aussi Tristan, *Parasite*, v. 1721.

1889. — Il s'agit peut-être ici du personnage réel que fut M. de Guéménée-Montbazon. Cf. *Manon*, éd. de Lescure, p. 31.

2034. — Remettre à la ville : reporter à plus tard.

2072. — On constate le rappel fréquent, dans la littérature des années 1680-1740, de l'ancienne galanterie en usage à la Cour de Louis XIV avant le règne de Mme de Maintenon. Déjà La Bruyère notait le changement de ton : « L'on parle d'une région où les vieillards sont galants, polis et civils, les jeunes gens au contraire, durs, féroces, sans mœurs ni politesse », VII, 74. Prodiguer les fleurettes et les compliments galants c'était *aimer à l'antique* en 1700; la nouvelle mode est la *galanterie sans façons*. Cf. Quemada, *Commerce*, 62 sq.

2093. — Littré (*chapelle*) dit que les enfants « imitent les cérémonies de l'église et construisent de petites chapelles avec une serviette et quelques figurines de plâtre »..

2142. — Les exempts sont des officiers de police. Ils sont, dit Trévoux 1771, « chargés de notifier les ordres du Roi, et de faire les captures ».

2149. — L'*Hôpital Général* fut fondé en 1656 dans un enclos au confluent de la Seine et de la Bièvre où l'on fabriquait autrefois du salpêtre, d'où le nom de *Salpêtrière*. A la fois prison pour mendiants et lieu de détention pour filles débauchées, l'Hôpital général constituait, avec ses succursales, une énorme agglomération de 12.000 personnes, dont 3.000 filles. L'*Hôpital* était l'effroi des prostituées parisiennes qui y étaient rasées, y travaillaient durement, y subissaient dans certains cas des châtiments corporels et n'en sortaient généralement que par la mort ou la déportation. Cf. à ce sujet les estampes que mentionnent les Goncourt, *Femme au XVIIIe s.*, p. 220. Comme l'indique Lescure dans son édition de *Manon* (p. 40), l'évasion de la comtesse de La Motte-Valois en 1786 rappelle curieusement celle de Manon.

2150. — Saint-Lazare qui fut d'abord au XIIe s. une léproserie devint en 1632 la propriété de la congrégation des missionnaires de Vincent de Paul qui avaient pour tâche de redresser les jeunes gens joueurs ou débauchés que les familles ou le lieutenant de police confiaient à leurs bons offices. Ceux-ci se manifestaient de manière souvent brutale, et la réputation de la maison, connue de des Grieux, était sévère.

2197. — Le mot gardait au figuré un sens très général de « Chose pour laquelle on a du penchant », *Ac.* 62. — Furetière 1690 citait déjà un emploi plus particulier dans la langue galante qui est celui du texte : « Se prend quelquefois pour la chose aimée. Cette femme est l'inclination d'un tel, il a changé d'inclination ».

Le *Dict. de Trévoux* distingue avec finesse *l'inclination* de la *passion* et du *penchant*, et, citant l'abbé Girard, il nous apprend que l'inclination est « quelque chose de moins fort que le penchant. Le premier nous porte vers un objet, et l'autre nous y entraîne... On donne ordinairement à l'inclination un objet honnête, mais... on suppose celui du penchant plus sensuel, et quelquefois même honteux ».

2342. — « Une perruque bien faite est l'ornement du visage, la plus noble partie de l'homme. Qu'on fasse mettre l'une sur les cordes pendant qu'on portera l'autre, et qu'on en change ainsi tous les mois; l'on ne sauroit croire combien cela conserve les perruques. » (Texte cité in A. Franklin, *La Vie de Paris sous la Régence*, p. 33). Cf. aussi id., *Les Soins de toilette*, *passim*.

2440. — « séjour prolongé ».

2543. — Furetière 1727 : « Qui ne veut pas s'assujettir aux lois, aux règles de bien vivre... Signifie aussi quelquefois une personne qui hait la contrainte... » Le mot a ici le troisième sens qu'indique Furetière : « Qui fait une espèce de profession de ne point s'assujettir aux lois de la Religion, soit pour la croyance, soit pour la pratique ».

2605. — Voir notre *Introduction*, pp. xx sqq.

2673. — Personne qui garde, dit Furetière 1727 : « la porte d'une grande maison, d'un Collège ,d'un Couvent, ou d'un hôtel où l'on joue la comédie. » Ici : *Frère portier*, dans un couvent ou un monastère où le Portier est frère convers. Cf. *Ac.*, 1762.

2712. — *juste-au-corps* : Espèce de veste qui va jusqu'aux genoux, serrée à la taille. Mis à la mode par Louis XIV qui lança les célèbres *justaucorps à brevet*, puis raccourci et plus collant, il demeure le vêtement élégant pendant la première moitié du XVIIIe s. En 1736 il est porté plus spécialement par les *enfants de famille*. Cf. Marivaux, *Pays. parvenu*, 278.

2762. — « rapidement ».

2822. — « convenablement ».

2824. — On appelait *fiacre* à la fois le cocher et le carrosse de louage qu'il conduisait. La littérature romanesque du XVIIIe siècle est pleine de discussions entre leurs clients et les fiacres qui passaient pour peu sobres, peu scrupuleux et mal embouchés. Cf. *Vie de Marianne* de Marivaux. Une course en fiacre coûtait 24 sols. Dancourt nous apprend (*Le Moulin de Javelle*, 1696, sc. II) que les *fiacres* qui prétendaient au titre de cochers, protestaient contre ce terme de *fiacre* qu'ils jugeaient méprisant.

2846. — Furetière 1727 cite l'expression : « C'est un homme qui sait son monde, qui a vu le monde, qui a beaucoup de monde, qui sait bien vivre. »

2891. — *Concierge :* « geôlier » (Furetière 1717).

3010. — *Surtout :* « grosse casaque ou justaucorps qu'on met en hiver sur les autres habits ». Furetière, 1690, qui dit que le mot *surtout* a été introduit en 1684.

3089. — *Guet :* « Compagnie qui fait la ronde dans les rües toute la nuit pour empêcher les voleurs » (Furetière 1690).

3171. — Avenue de trois allées ombragées d'ormes, tracée en 1628 le long de la Seine en aval des Tuileries dont elle était séparée par un mur. Le *Cours* était une promenade à la mode, presque champêtre aux XVIIe et XVIIIe siècles jusqu'au moment où le monde élégant adopta les Champs-Elysées.

3198. — Remarquons, dans ce passage que des Grieux fait allusion à de nombreuses reprises à l'idée de « verser son sang ». Voir aussi *supra*, p. 94.

3356. — Mot d'un emploi très vague. Ici : « action élégante ». Cf. Livet, *Lex. de Molière*.

Livre II, l. 23. — Voir notre *Introduction*, p. x.

10. — « Celuy qui fait un traité, un parti avec le Roy pour les affaires de finances » (*Acad.* 1718).

34. — « jeune fille ».

39. — L'ancienne forêt de Rouvray était un lieu très champêtre en 1725.

45. — Voir grâce, n. 210, p. 203.

60. — *Mademoiselle :* titre donné aux filles de condition et aux femmes mariées de la bourgeoisie. L'usage évolue au XVIIIe siècle. Cf. Livet, *Lex. de la l. de Molière.*

87. — Avancement (en bien ou en mal).

383. — *rêver :* « réfléchir », emploi très fréquent. Cf. *supra*, p. 197, note 48.

435. — Cf. Racine, *Iphigénie*, acte II, scène 5 :

Eriphile :

Moi, vous me soupçonnez de cette perfidie ?
Moi, j'aimerais, Madame, un vainqueur furieux,
Qui toujours tout sanglant se présente à mes yeux !

Iphigénie :

... Ces mots, cette Lesbos, ces cendres, cette flamme
Sont les traits dont l'amour l'a gravé dans votre âme.

448. — « Ce qui excite » (Furetière 1727).

488. — « L'on a à Paris trois sortes de théâtres, le Théâtre françois, le Théâtre italien et l'Opéra. » Nemeitz, in Franklin, *La Vie à Paris sous la Régence*, p. 38. Il s'agit ici du Théâtre français, celui des « Comédiens du Roy », dans la rue de la Comédie (aujourd'hui : rue de l'Ancienne Comédie).

491. — Nemeitz nous apprend que, sous la Régence un valet coûte par jour « un franc ou vingt-cinq sols, avec lesquels il se nourrit et s'habille. »

515. — *Café de Feré.* « Les cafés qui avoisinent l'Opéra et la Comédie sont fréquentés par des centaines de personnes, qu'attire la curiosité de voir qui entre au spectacle et qui en sort. » (Nemeitz in Franklin, *op. cit.*, p. 51). Il s'agit probablement ici du café situé rue Saint-André-des-Arts, presque en face du pont Saint-Michel, qui fut fondé par un Levantin, Etienne d'Alep, à la fin du XVIIe siècle et qui porta plus tard le nom de *café Cuisinier.*

524. — « A la Comédie, un homme de qualité se place sur

le théâtre, dans une première loge ou au parterre, rarement aux secondes loges qui sont destinées aux bourgeois, jamais à l'amphithéâtre où s'assemble la racaille. » (Nemeitz in Franklin, *Vie de Paris sous la Régence*).

610. — L'expression se *suicider* n'apparaît qu'à la fin du XVIIIe s.

636. Jeu de cartes introduit au XVe siècle et très en faveur aux XVIIe et XVIIIe siècles.

993. — Ici, on pourrait traduire *génie* par « caractère ».

1054. — Terme à la mode du langage mondain. Cf. Brunot, *Hist. de la langue fr.*, t. VI et Littré. Voir *infra*, p. 215, note ligne 1942.

1080. — « Coupe-jarret » (ital. *bravo*).

1280. — Le petit Châtelet, situé sur la rive gauche de la Seine, près de l'Hôtel-Dieu, servait de prison; il fut démoli en 1782.

1340. — On pouvait obtenir une meilleure nourriture en versant une pension au concierge.

1488. — La littérature relative aux mœurs du XVIIIe siècle fourmille de tels exemples. On en trouvera notamment dans *La Femme au XVIIIe s.*, des Goncourt.

1540. — La *Compagnie du Mississipi*, fondée en 1720 par Law, se proposait de mettre en valeur la Louisiane.

1619. — T. de l'ancienne médecine. Les *humeurs* étaient au nombre de quatre : sang, pituite, bile et atrabile. C'est d'elles que dépendaient l'équilibre du corps dans la physiologie galénique ; elles étaient causes des diverses passions de l'âme dans la physiologie mécaniste de Descartes.

1942. — *Acad.* 1694 : « On dit, d'Un jeune homme qui commence à entrer dans le monde, et qui s'y distingue et s'y fait estimer, que *C'est un joli homme* ». — Furetière 1727 : « Quand on dit, c'est un joli homme, on ne devroit entendre par là qu'un homme propre et assez beau. Mais *joli* a pris la place de gentil et s'étend assez loin ». *Joli homme* a été dans la langue mondaine de la fin du XVIIe et du début du XVIIIe siècle l'équivalent d'*honnête homme*. Cf. note 1054.

1966. — Voir note 47, p. 200.

1975. — La beauté des mains, et en particulier leur douceur et leur blancheur sont les appas féminins les plus vantés. Cf. Marivaux, *Pays. parvenu* et *Vie de Marianne*, 53 : « C'est que ce n'est point une nudité qu'un visage, quelque aimable qu'il soit, nos yeux ne l'entendent pas ainsi; mais une belle main commence à en devenir une... » Les gants restent le complément indispensable de la toilette féminine ; vers 1730 les femmes les portent en toilette comme en négligé, et les traités de Civilité fixent leur emploi dans le monde ; cf. J.-B. de La Salle, *Règles de la Bienséance et de la Civilité*, *passim* et p. 251.

2033. — Le tableau des Indiens brossé par notre auteur appartient à la littérature naïve consacrée au XVIIIe s. au *Bon Sauvage*. cf. pourtant *infra*, p. 182.

2163. — Les erreurs de Prévost sur la Louisiane ont été relevées par G. Chinard, *L'Amérique et le rêve exotique...* : le Nouvel-Orléans est en réalité bâti sur un terrain marécageux, et non sablonneux, à soixante milles de la mer; on n'y voit pas de collines, et la ville était trop éloignée des colonies anglaises pour que les deux amants pussent s'y rendre à pied.

2190. — Le tirage au sort des femmes avait lieu effectivement à la Louisiane.

2195. — Nous avons ici un exemple de l'usure sémantique des deux mots *esprit* et *mérite*, appliqués ici d'une manière qu'on eût jugée insolite en 1660.

2176. — « Cette ville, que les gazettes françaises décoraient déjà de huit cents maisons et de cinq paroisses, comprenait cent pauvres cabanes de bois de cyprès. Des sauvages débonnaires et plus cultivateurs que nous, labouraient quelques arpents autour de son enceinte ». Lemontey, *Hist. de la Régence*, t. II, 323, cité par Lescure, *op. cit.*, p. 53.

2211. — L'aventure de Manon et de des Grieux au Missisipi a été rapprochée par M. de Villiers (*Hist. de la fondation de la Nouv. Orléans*, 1917) d'une affaire Froget-la-Varenne-Raujon qui présente en effet des similitudes, mais aussi de notables différences avec celle que nous conte l'abbé Prévost. Cf. l'article de Beaunier dans la *Rev. des Deux-Mondes*, 1918.

2234. — Emploi nouveau de ce mot avec le sens ancien d' « *alchimiste* ». Pour Furetière 1690, *Chymiste* ou *Alchymiste* sont équivalents. « Quand on met ce mot tout seul, on dit plutôt Alchymiste, et alors il est substantif. Quand on le joint avec quelqu'autre pour épithète, on dit plutôt *chymiste* : un médecin chymiste ». Au début du XVIIIe une nouvelle Chimie se répand. A partir de 1745-50, les deux termes sont nettement disitngués. Cf. *Acad.* 1762.

2324. — Idée de Prévost (aussi chez La Chaussée, *Le Préjugé à la mode*) que l'amour et le mariage ne sont pas incompatibles; sur le sentiment opposé manifesté fréquemment à l'époque, voir Goncourt, *La Femme au XVIIIe s., passim*. Le thème de la réhabilitation de la fille perdue a été développé ailleurs par Prévost (*Hist. d'une Grecque moderne* et *Mém. d'un honnête h.*) Il s'agit ici non de la réhabilitation romantique par la passion, mais de la « régénération par la souffrance ».

2360. — Le mariage secret est très fréquent en France au XVIIIe siècle, les Goncourt nous apprennent que ces mariages étaient consacrés fréquemment par des prêtres pauvres originaires de Normandie (*Femme au XVIIIe s.*, p. 198).

2350. — Voir notre ligne 2163 et *supra*, note, p. 216.

2481. — Furetière 1727 : « En escrime il y a trois sortes de *temps* : celuy de l'espée, celuy du pied, et celuy du corps... »

2550. — Voir note 2163, p. 216.

2615. — Suivant les Goncourt qui ont certainement raison ici, l'expiation de Manon a un caractère romanesque : « la Madeleine que Desgrieux suit sur la route d'Amérique, la femme dont il creuse la fosse avec cette épée qui est tout ce que son amour lui a laissé du gentilhomme, cette courtisane qui expire en se confessant à l'amour dans un dernier souffle de passion, cette Manon repentie et martyre, Prévost l'a tirée de son cœur, de son génie : le dix-huitième siècle ne l'a pas connue » (*La Femme au XVIIIe s.*, p. 230). E. Lasserre, (*op. cit.*, p. 112) rapproche justement la mort de Manon de celle de Julie dans les *Mémoires d'un h. de qualité.*

2699. — Voir notre *Introduction*, p. XXII.

2728. — La variante est préférable au texte original : le détour par Québec est en effet inadmissible.

BIBLIOGRAPHIE

Principales éditions.

Mémoires / et / Avantures / d'un homme / de / Qualité / qui s'est retiré du monde / Tome septième / A Amsterdam / aux dépens de la Compagnie / MDCCXXXI. In-12, 344 pages. Edition originale dont nous reproduisons le texte.

Histoire / du Chevalier / Des Grieux / et de / Manon Lescaut / Première Partie / A Amsterdam / aux dépens de la Compagnie / MDXXLIII. Petit in-8, deux parties en deux volumes, XII-302 et 252 pages. Avec l'épisode du prince italien, que nous reproduisons en car. italiques. C'est la dernière édition revue par l'auteur.

Histoire de Manon Lescaut et du Chevalier Des Grieux, nouvelle édition précédée d'une notice sur la vie et les ouvrages de Prévost par M. Sainte-Beuve. Paris, Charpentier, 1839. In-12.

Histoire de Manon Lescaut et du chevalier Des Grieux, précédée d'une étude par Alexandre Dumas fils. Paris, Glady frères, 1875. In-8.

Histoire de Manon Lescaut, avec une notice par Anatole France. Paris, Lemerre, 1877. In-8.

Manon Lescaut. Préface de M. de Lescure. Paris, Quantin, 1879. In-8.

Histoire du chevalier Des Grieux et de Manon Lescaut. Préface de Guy de Maupassant. Paris, Launette, 1885. In-4.

Manon Lescaut. Introduction de H. Gillot. Strasbourg, Heitz, (1907). Trois vol. in-16. Bibliotheca romanica, n° 32-34. Variantes de l'éd. de 1733 au bas des pages.

Histoire du chevalier Des Grieux et de Manon Lescaut. Paris, Crès, 1922. In-16. Texte de 1753.

Histoire du chevalier Des Grieux et de Manon Lescaut. Paris, Piazza, 1923. In-8.

Histoire du chevalier Des Grieux et de Manon Lescaut. Texte établi d'après l'édition originale parue dans les Mémoires d'un homme de qualité, 1731. Avec les variantes de l'édition définitive. Introduction et Bibliographie par Joseph Aynard. Paris, Bossard, 1925. Coll. Les meilleures œuvres dans leur meilleur texte.

Histoire du chevalier des Grieux et de Manon Lescaut. Texte définitif de 1753, publié avec les variantes de 1731, des notes, une bibliographie et une introduction par André Thérive. Paris, Payot, (1926). In-16. Coll. Vers et Prose.

Mémoires et avantures d'un homme de qualité qui s'est retiré du monde, t. V (Séjour en Angleterre), édition par M. E. J. Robertson. Paris, Champion, 1927. In-8. Bibliothèque de la Revue de littérature comparée, n° 38.

Manon Lescaut, éd. par M. E. J. Robertson. Oxford, Blackwell, 1943.

Ouvrages sur Manon Lescaut et l'Abbé Prévost.

Ascoli (G.), *L'Abbé Prévost*, in *Histoire illustrée de la littérature française*, publiée sous la direction de J. Bédier et P. Hazard. Paris, Larousse, 1949, t. II, p. 49-51.

Beaunier (André), *La véritable Manon Lescaut*, in *Revue des Deux Mondes*, 1er octobre 1918.

Bernbaum (E.), *The Drama of Sensibility*, Boston & London, 1950.

Blaze de Bury (F.), *The Abbé Prévost in England*, in *Scottish Review*, 1899.

BRUNETIÈRE (F.), *Etudes critiques sur l'histoire de la littérature*, Paris, Hachette, 1887, 3e série, p. 189-258. — 1890, 4e série, p. 332.

CELLIER (L.), *Manon et le mythe de la femme*, in *Information littéraire*, janv. 1953.

CHANDLER (F. W.), *The Literature of Roguery*, London, Constable, 1907, 2 vol.

CHINARD (G.), *L'Amérique et le rêve exotique dans la littérat. fr. au XVIIe et au XVIIIe siècle*, Paris, Hachette, 1913; Paris, Droz, 1934.

DUPUIS (A. N.), *Abrégé de la vie et des ouvrages de l'abbé Prévost*, en tête des *Pensées de l'abbé Prévost*, Amsterdam, 1764.

ELISSA-RHAÏS (R.), *Une influence anglaise dans Manon Lescaut, ou une source du réalisme*, in *Revue de litt. comparée*, oct-déc. 1927.

ENGEL (C. E.), *Des Grieux et Manon ont-ils existé ? Les sources de Manon Lescaut*, in *Revue hebdomadaire*, 3 oct. 1936.

— *Figures et aventures du XVIIIe s. Voyages et découvertes de l'abbé Prévost*, Paris, Je sers, 1939.

— *A l'ombre de l'abbé Prévost, Françoise Turretini, baronne de la Bâtie*, in *La Tribune de Genève*, 24 juill. 1953.

ETIENNE (S.), *Le genre romanesque en France depuis l'apparition de la Nouvelle Héloïse jusqu'aux approches de la Révolution*, Paris, Colin, 1922. Thèse.

FAGUET (E.). *XVIIIe siècle. Etudes littéraires.* Paris, Lecène, 1890, p. 369-370, 404.

FORGER (L.), *L'auteur de Manon Lescaut au Maine*, in *Mém. de la soc. hist. et litt. de La Flèche*, 1906.

FORTIER (A.), *A History of Louisiana*, New Orléans, 1904, 4 vol. in-8.

FOSTIER (J. R.), *The Abbé Prévost and the English Novel*, in *Publ. of the Modern Lang. Ass. of America*, vol. LXII, nº 2 (June, 1927).

FRICK (R.), *Manon Lescaut als Typus*, in *Germ.-romanische Monatsschrift*, t. VII, p. 445-464.

GACHOT (Ed.). *L'abbé Prévost à Authouillet*, in *Le Figaro*, 1er avril 1926.

GIDE (A.), *Les dix romans français que...*, in N. R. F., avril 1913.

GIRAUD (Jeanne), *Manuel de bibliographie littéraire pour les XVIe, XVIIe et XVIIIe siècles français (1921-1935)*, Paris, Vrin, 1939, p. 250-252.

GONCOURT (E. et. J. DE), *La femme au XVIIIe s.*, Paris, Charpentier, (1862), rééd. 1912, p. 303-312.

GOVE (P. B.), *The Imaginary Voyage in Prose Fiction*, New York, Columbia, Univ. Press, 1941.

GRAVIER (H.), *La colonisation de la Louisiane à l'époque de Law*, Paris, Masson, 1904.

HARRISSE (H.), *L'abbé Prévost : histoire de sa vie et de ses œuvres*. Paris, Calmann-Lévy, 1896, 465 p.

— *La vie monastique de l'abbé Prévost*, in *Bulletin in Bibliophile*, 1903.

HAVENS (G. R.), *The Date of Composition of Manon Lescaut*, in *Modern Language Notes*, vol. XXXIII, 1918.

— *The abbé Prévost and English literature*, Princeton, Univ. Press et Paris, Champion, 1921, 135 p. Thèse de Johns Hopkins Univ.

HAVENS (G. R.) et BOND (D. F.), *The eighteenth Century*, Syracuse Univ. Press., 1951, nos 177 à 834 (vol. IV de CABEEN (D. C.), *A critical Bibliography of French Literature*).

HAZARD (P.), *Manon Lescaut, roman janséniste*, in *Revue des Deux Mondes*, 1er avril 1924 (réimpr. in *Etudes critiques*).

— *Etudes critiques sur Manon Lescaut*. Chicago, Univ. Press, 1929, 113 pages.

— *Un romantique de 1730 : l'abbé Prévost*, in *Revue de litt. comparée*, t. XVI, 1936, p. 617-634.

— *La crise de la conscience européenne*. Paris, Boivin, 1936, 2 vol.

— *La pensée au XVIIIe siècle*, Paris, Boivin, 1940, 3 vol.

HEINRICH (P.), *Prévost historien de la Louisiane. Etude sur la valeur documentaire de Manon Lescaut*, Paris, Guilmoto, 1907.

HENRIOT (E.), *Les corrections de Manon Lescaut*, *Le Temps*, 6 avril 1926.

HENRY (M.), *La Salpêtrière sous l'ancien régime*, Paris, Le François, 1922. Thèse de médecine.

KAWCZINSKI (M.), *Studien zur Literaturgeschichte des 18. ten Jahrh. Moralische Zeitschriften*, Lemberg, chez l'auteur, 1880.

KURZ (H.), *Manon Lescaut ; a study in unchanging critics*, in *Todd Memorial critics*, New York, Columbia Univ. Press, 1930.

LASSERRE (E.), *Manon Lescaut de l'abbé Prévost*, Paris, Malfère, 1930. Collect. les Grands événements littéraires.

LE BRETON (André), *Le roman au XVIIIe siècle*. Paris, Lecène et Oudin, 1898.

LESTOQUOY (J.), *La famille de Prévost*, in *Annales*, juill.-sept. 1950.

MICHELET (Jules), *Histoire de France*, Paris, Chamerot, 1863, t. XV.

MONGLOND (André), *Histoire intérieure du préromantisme français, de l'abbé Prévost à Joubert*, Grenoble, Arthaud, 1929. Tome I, p. 51 s., 89, 105, 108, 118, 119, 156, 186, 193 s., 206 s., 221, 237, 240-248, 276 ; tome II, p. 318, 328, 373, 378.

MORILLOT (Paul), *L'abbé Prévost*, in PETIT DE JULLEVILLE, *Histoire de la langue et de la litt. françaises*, Paris, Colin, 1898, tome VI, chap. IX.

MORNET (D.), *La Nouvelle Héloïse*, Paris, Hachette, 1925, voir *Introduction*.

— *Les origines du roman contemporain : Manon Lescaut*, in *Nouvelles littéraires*, 11 sept. 1926.

MOUTON (L.), *L'Hôtel de Transylvanie, d'après des documents inédits*, Paris, Dragon, 1907.

PARFITT (G. E.), *Manon Lescaut au point de vue moral*, in *French Quarterly*, t. XI (1929), p. 189-201.

PAULY (F.), *Die philosophischen Grundanschaungen in den Romanen des Abbé Prévost und besonders in der Manon Lescaut*, Hambourg, Ebel, 1912. Thèse.

POULET (G.), *Etudes sur le temps humain.* Paris, Plon, 1950, chap. IX, *L'Abbé Prévost*, p. 146-158.

PROD'HOMME (J. G.), *Vingt chefs-d'œuvre jugés par leurs contemporains.* Paris, Stock, 1930, p. 89-95.

SAND (George), *Leone Leoni*, 1835, préface de 1853.

SAINTE-BEUVE, *Critique et Portraits littéraires*, Paris, Renduel, 1836, 5 vol. Tome I, p. 394-431, sept. 1831.

— *Portraits littéraires*, Paris, Garnier, 1864, tome I, p. 265-289 ; tome II, 87, 171, 455-467.

— *Causeries du lundi*, Paris, Garnier, 1856, tome VII, p. 305-307. ; tome IX, p. 97-111.

— *Derniers portraits littéraires*, Paris, Didier, 1852, p. 443.

SCHRŒDER (V.), *Un romancier français du XVIII*e *siècle : l'abbé Prévost. Sa vie. Ses romans*, Paris, Hachette, 1898.

— *L'abbé Prévost journaliste*, in *Revue du dix-huitième siècle*, 1914, fasc. 2.

SEILLIÈRE (E.), *Le premier observateur français de l'âme anglaise : l'abbé Prévost et son Cleveland*, in *C.-r. de l'Académie des sc. morales et politiques*, mars 1918.

SHEPHERD (L. B.), *The Romanticism of Dom Prévost d'Exiles' Novels*, Chicago, 1910.

STAUBER (E.), *Manon Lescaut, est-ce une œuvre romantique ?* in *Zeitschrift für franz. Sprache und Lit.*, t. XLIX (1927), p. 94-102.

TAINE (H.), *De l'Idéal dans l'art*, Paris, Germer-Baillière, 1867, p. 55.

TEXTE (J.), *Jean-Jacques Rousseau et les origines du cosmopolitisme littéraire*, Paris, Hachette, 1895, p. 53-67, 184-186 193-197.

TRAHARD (P.), *Les maîtres de la sensibilité française au XVIII*e *s.*, Paris, Boivin, 1931-1933, tome I, p. 89-235.

VILLIERS (Baron DE), *Histoire de la fondation de La Nouvelle-Orléans (1717-1722)*, Paris, Imprimerie Nationale, 1917, avec une préface de Gabriel Hanotaux.

WALDBERG (M. von), *Der empfindsame Roman in Frankreich*, Berlin et Strasbourg, Trübner, 1906.

WILCOX (F. H.), *Prévost's Translations of Richardson's Novels*, Berkeley, 1927, in *University of California Publ. in Modern Philology*, vol. XII, nº 5.

WOODBRIDGE (B. M.), *Romantic Tendencies in the Novels of the Abbé Prévost*, in *Publ. of the Modern Language Ass. of America*, vol. XXVI (1911).

ZIMMER (F.), *Studien zur Romantechnik des Abbé Prévost*, Coburg, Rossteutscher, 1912, thèse de Leipzig.

OUVRAGES SUR LA LANGUE DU XVIIIe SIÈCLE.

I. *Dictionnaires.*

Académie Française. *Dictionnaire*. Editions de 1694 et 1718.

FURETIÈRE (A.), *Dictionnaire universel*. Editions de 1690 et de 1727.

RICHELET, *Dictionnaire françois*. Edition de 1728.

TRÉVOUX, *Dictionnaire de* —. Editions de 1728 et 1771.

[DESFONTAINES (P. F.)], *Dictionnaire néologique*. Amsterdam, M. Lecene, 1731.

GIRARD (abbé). Synonymes françois, éd. de 1740.

LIVET (Ch. L.). *Lexique de la langue de Molière*. Paris, Impr. Nationale, 1895-1897, 3 vol.

II. *Ouvrages de linguistique.*

BRUNOT (F.), *Histoire de la langue française*, t. VI, Paris, Colin, 1930.

DELOFFRE (F.), *Une Préciosité nouvelle : Marivaux et le Marivaudage*. Thèse de Paris, dactylographiée (1953).

HAASE, *Syntaxe française du XVIIe siècle*. Paris, Delagrave, 1916.

QUEMADA (B.). *Le Commerce amoureux dans les romans mondains* (1640-1700). Thèse d'Université de Paris, dactylographiée (1949).

INDEX

TABLE DES MATIÈRES

ACHEVÉ D'IMPRIMER
LE 5 NOVEMBRE 1953
PAR F. PAILLART - ABBEVILLE

N° d'impr. : 4670

Dépôt légal : 4e trimestre 1953.

Imprimé en Suisse